218 Clinton
→ May Flabor

Curso completo de
ajedrez

Marcel Sisniega

Gran maestro internacional

Curso completo de ajedrez

De esta edición:
D. R. © Aguilar, Altea, Taurus, Alfaguara, S.A. de C.V., 2002
Av. Universidad 767, Col. del Valle
México, 03100, D.F. Teléfono 54 20 75 30

Distribuidora y Editora Aguilar, Altea, Taurus, Alfaguara, S. A.
Calle 80 Núm. 10-23, Santafé de Bogotá, Colombia.
Santillana S. A.
Torrelaguna 60-28043, Madrid, España.
Santillana S. A.
Av. San Felipe 731, Lima, Perú.
Editorial Santillana S. A.
Av. Rómulo Gallegos, Edif. Zulia 1er. piso
Boleita Nte., 1071, Caracas, Venezuela.
Editorial Santillana Inc.
P.O. Box 19-5462 Hato Rey, 00919, San Juan, Puerto Rico.
Santillana Publishing Company Inc.
2043 N. W. 87 th Avenue, 33172. Miami, Fl., E. U. A.
Ediciones Santillana S. A. (ROU)
Cristóbal Echevarriarza 3535, A.P. 1606, Montevideo, Uruguay.
Aguilar, Altea, Taurus, Alfaguara, S. A.
Beazley 3860, 1437, Buenos Aires, Argentina.
Aguilar Chilena de Ediciones Ltda.
Dr. Aníbal Ariztía 1444, Providencia, Santiago de Chile.
Santillana de Costa Rica, S. A.
La Uruca, 100 mts. Este de Migración y Extranjería, San José, Costa Rica.

Primera edición: febrero de 2002
Segunda reimpresión: mayo de 2004

ISBN: 968-19-0885-6

Fotografía de cubierta y del autor: Raúl González
D. R. © Diseño de cubierta: Antonio Ruano Gómez
Diseño de interiores: Times Editores, S.A. de C.V.
Edición externa: Fernándo Álvarez del Castillo

Impreso en México

A mis padres.

Índice

Introducción

Fácil de aprender pero difícil de dominar, el ajedrez ha cautivado a la humanidad desde hace cerca de tres mil años. Quizá tú mismo, al observar una partida, has sentido la atracción de este juego que reúne cualidades de arte, deporte y ciencia.

Es tan grande el misterio que se despliega sobre el tablero que, entre millones de partidas, rara vez hay dos iguales. Por lo demás, puedes ir descartando a la suerte; en este juego recaerá en tus manos la responsabilidad de cada movimiento.

Aunque el ajedrez representa una guerra, no incita a la violencia; más bien refina nuestro espíritu a través de la imaginación y el conocimiento de nosotros mismos. Por eso se le considera como el juego universal por excelencia.

Se ha demostrado que la práctica del ajedrez estimula el pensamiento crítico y creativo, la memoria, la tenacidad, la concentración, la resolución de problemas, la comprensión espacial y las tareas numéricas. Los niños que aprenden ajedrez mejoran su desempeño en áreas como el razonamiento, la velocidad de percepción, la sociabilización, las capacidades verbales y la actitud hacia el aprendizaje. El desarrollo de estas habilidades a menudo redunda en mejores calificaciones escolares.

Además, los niños y las niñas se divierten frente al tablero. El ajedrez puede practicarse en sitios tan diversos como la casa, el parque o la escuela. Todos pueden aprender fácilmente las reglas básicas. Con el ajedrez sucede lo que con muchas otras disciplinas: mientras mejor se le conoce, más se le aprecia.

Pretendemos que este curso sea sencillo y ameno. Puedes leerlo solo, en compañía de tus amigos o con ayuda de un maestro. Si algo tiene de novedoso es el orden de los capítulos, diseñado para ir de lo sencillo a lo complejo, de manera que puedas sentarte a jugar lo antes posible, sin atiborrarte de reglas hasta el momento en que realmente las necesites. Por esa razón, el enroque sólo aparece al comentar las jugadas iniciales y la notación cuando se vuelve imprescindible para mostrar los mates elementales.

Lo hemos llamado «Curso completo» porque contiene numerosos ejemplos que facilitarán tu aprendizaje, así como repasos y exámenes que te permitirán reforzar cada uno de los temas.

Primera parte
Consideraciones generales

Capítulo I

Reglas básicas

1. El tablero

El ajedrez se juega sobre un tablero de 64 cuadros, de los cuales la mitad son blancos y la otra mitad negros. A estos cuadros se les llama también casillas o escaques.

Las líneas horizontales se llaman filas.

Las líneas verticales se llaman columnas.

Las diagonales son casillas de un mismo color, unidas por sus esquinas. En el siguiente diagrama puedes ver dos diagonales: una negra y una blanca.

El centro del tablero está compuesto por estas cuatro casillas.

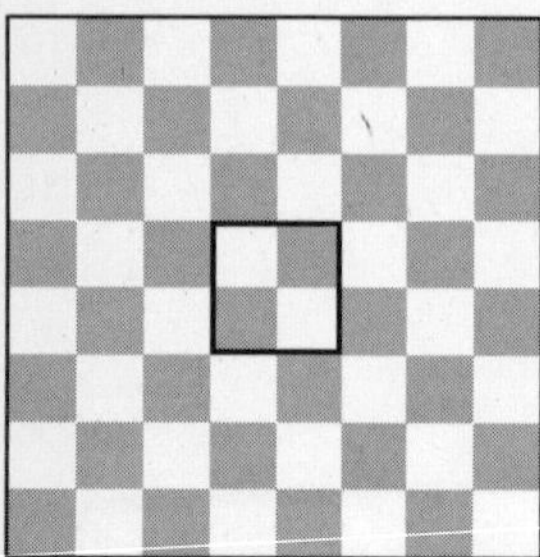

2. Las piezas

Al comenzar el juego, cada ajedrecista posee dieciséis piezas, ocho de las cuales son peones. A un jugador le corresponden las blancas y al otro las negras.

	Pieza	Figura	Inicial
1	**Rey**	♔	**R**
1	**Dama**	♕	**D**
2	**Torres**	♖	**T**
2	**Alfiles**	♗	**A**
2	**Caballos**	♘	**C**
8	**Peones**	♙	**P**

¿Cómo se mueven las piezas?

La torre se mueve siempre en línea recta, ya sea sobre las filas o las columnas.

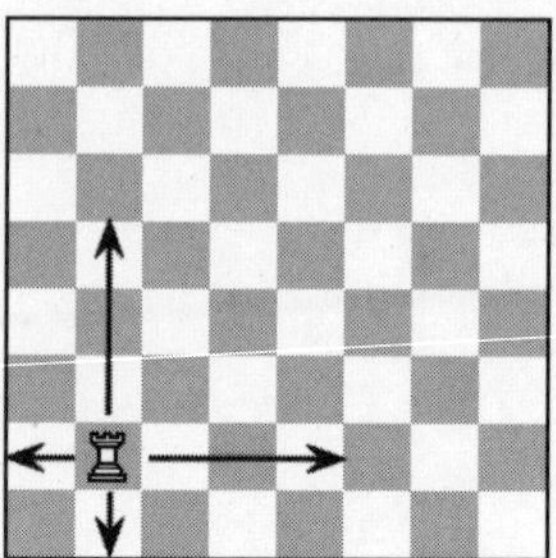

En el centro del tablero, los movimientos que puede realizar una torre forman un signo de más (+).

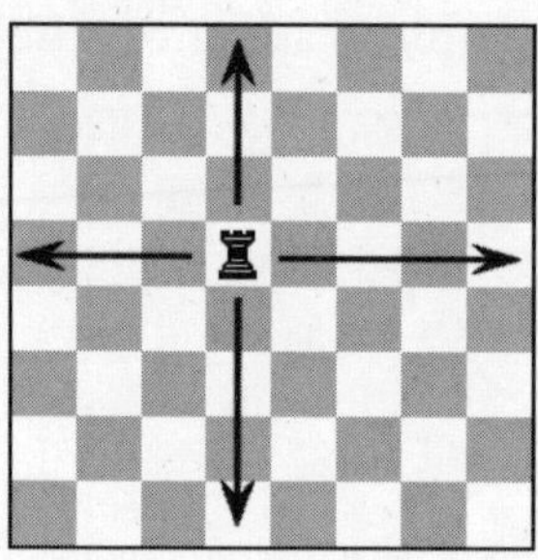

¿Cómo captura la torre?

Ahora vas a capturar o «comerte» una pieza enemiga. Supongamos que llevas las blancas. Tu torre atacará al caballo negro que aparece en el primer diagrama de la siguiente página. Al capturar la pieza de tu adversario, la sacarás del tablero. Tu torre ocupará la casilla en que se encontraba el caballo.

El alfil se mueve sobre las diagonales. Cada bando tiene dos alfiles: uno corre sobre los escaques negros y el otro sobre los blancos.

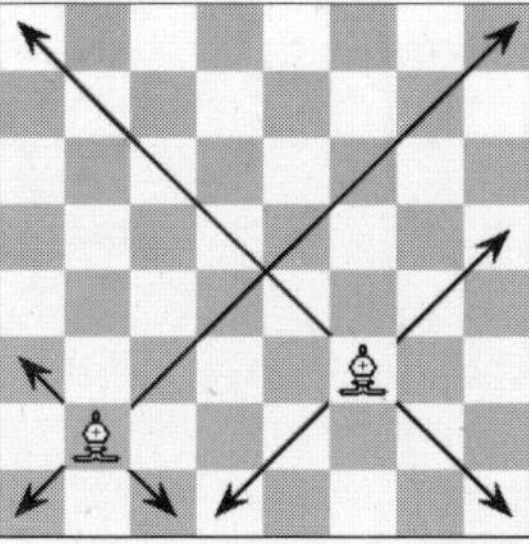

En el centro del tablero, los movimientos que puede realizar el alfil forman una equis (x).

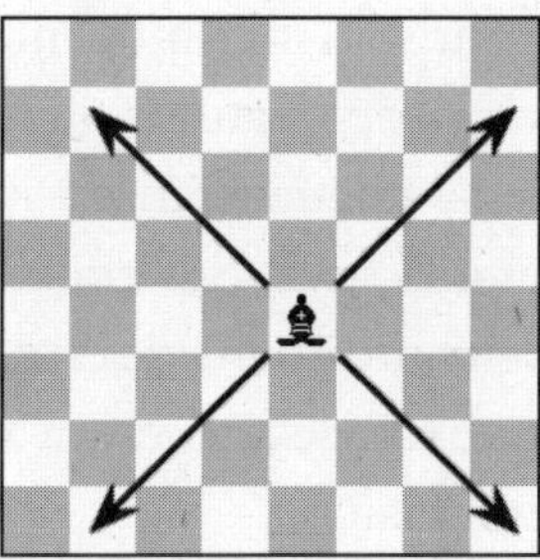

Captura con el alfil

¿Cuál de las piezas negras puede capturar tu alfil?

Este círculo indica a qué bando corresponde mover: si es negro, juegan las negras y si es blanco, moverán las blancas.

La dama, o reina, reúne los movimientos del alfil y la torre. Por lo tanto, puede recorrer diagonales, columnas o filas. Se le considera la pieza más poderosa del juego.

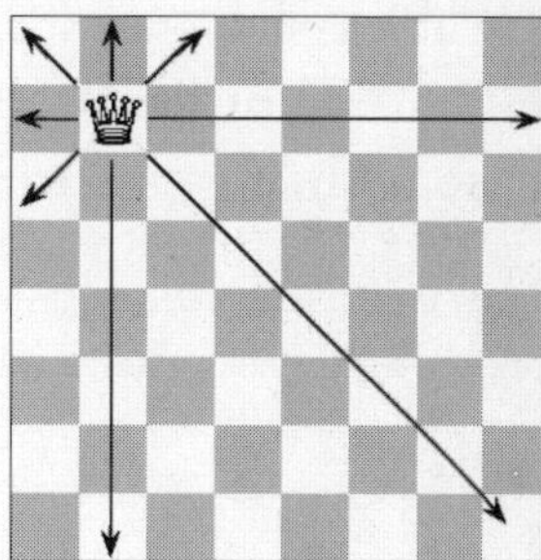

Si se ubica a la dama en el centro del tablero, los movimientos que puede realizar forman una especie de asterisco (*) o estrella, como se muestra en el primer diagrama de la siguiente página.

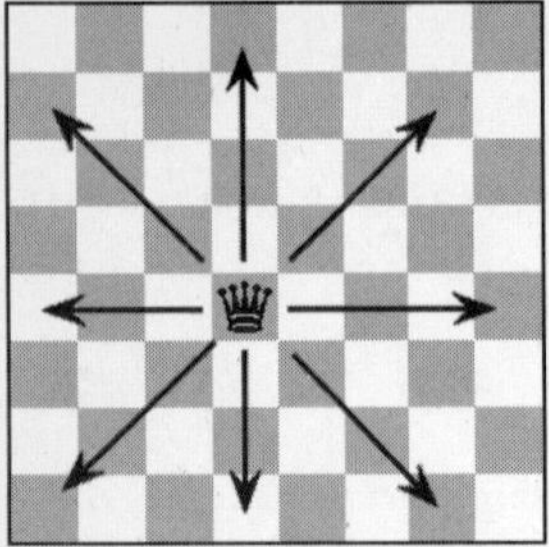

¿Cómo captura la dama?

Observa con atención el siguiente diagrama. Tu dama puede capturar a la torre negra si se desplaza como un alfil (es decir, en diagonal); o bien puede «comerse» al alfil si ejecuta un movimiento similar al de una torre (sobre la columna). La dama negra no está siendo atacada (en otras palabras, no se ubica en diagonal, columna o fila, respecto de tu dama blanca). Por lo tanto, no podrías capturarla.

El rey se mueve en cualquier dirección, pero sólo da un paso en cada turno.

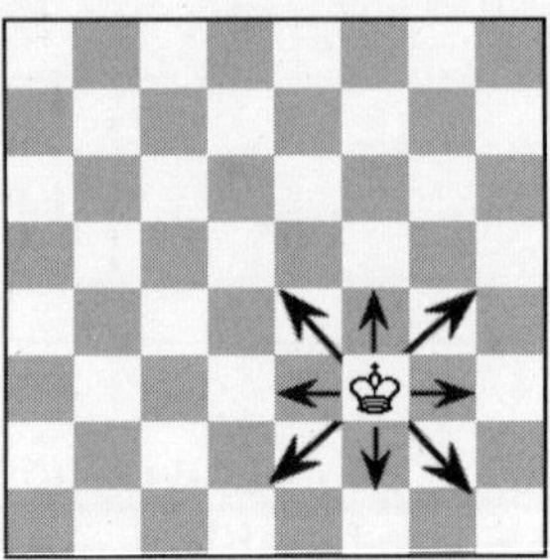

Como las demás piezas, si el rey se encuentra en una esquina, su radio de acción es menor.

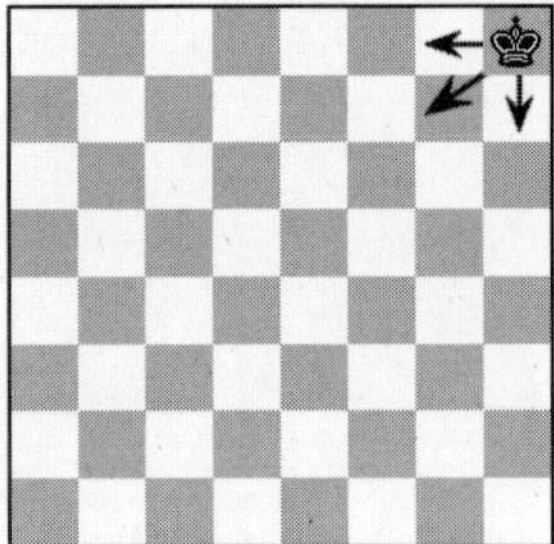

¿Cómo captura el rey?

A pesar de que sólo hace movimientos cortos, el rey puede capturar alguna de las piezas que se encuentran en las casillas adyacentes a la suya. Sin embargo, en el ejemplo siguiente no puede capturar al caballo porque éste se encuentra a dos casillas de distancia.

El caballo traza una letra L mayúscula, ya sea de pie, acostada o invertida. Al término de cada movimiento llega a un escaque de color distinto al del que partió; es decir, si empieza en casilla negra, caerá sobre una casilla blanca y viceversa.

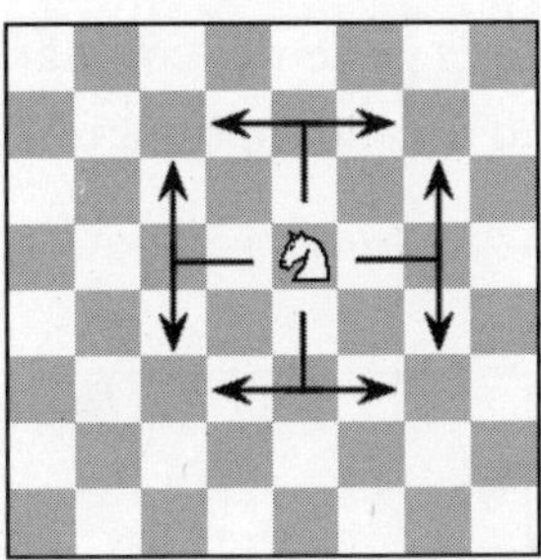

El caballo es la única pieza que puede saltar sobre las demás, ya sean propias o del adversario. A menudo tiene dos caminos diferentes para llegar a una misma casilla.

El caballo puede dar cualquiera de estos saltos. No «toca» las piezas ni las casillas que hay en su camino; sólo el escaque al que llega.

Captura con el caballo

¿Qué piezas puede capturar el caballo negro y cuáles el caballo blanco?

El caballo negro puede capturar a la dama y la torre blancas. El caballo blanco puede capturar a la dama y la torre negras.

El peón puede avanzar uno o dos escaques cuando se mueve por primera vez. En las siguientes ocasiones avanza sólo una casilla, siempre en línea recta y sin retroceder. (También existe una regla que se llama «peón por peón al paso», y que explicaremos en el siguiente capítulo. Por el momento no es necesario que la conozcas.)

¿Cómo captura el peón?

A diferencia de las otras piezas, el peón captura de modo diferente de cómo se desplaza. Sus capturas son en diagonal, como si fuera un pequeño alfil.

La coronación

Cuando alguno de nuestros peones alcanza la última fila, lo cambiamos por una pieza más valiosa (generalmente la dama). Este cambio se conoce como «la coronación».

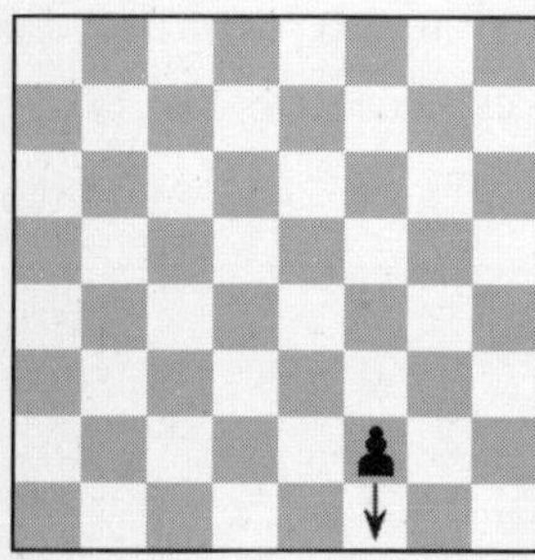

Es posible tener hasta nueve damas en el tablero. Lo que no puede hacerse al coronar es transformar al peón en rey, o conservarlo como peón.

Coronación y captura

En ocasiones podemos coronar a un peón y al mismo tiempo capturar una pieza contraria.

Recuerda que el peón es la única pieza que no puede retroceder, y también es la única que puede «coronarse».

Resumen

1. La torre se mueve en línea recta.

2. El alfil se desplaza en diagonal.

3. La dama puede moverse como alfil o como torre.

4. El rey sólo puede dar un paso en cualquier dirección.

5. El caballo salta en forma de L mayúscula.

6. En su jugada inicial, el peón puede avanzar una o dos casillas, siempre en línea recta. En las siguientes, el peón sólo avanza un paso a la vez. Captura en diagonal y nunca retrocede.

7. Al coronar, cambiamos el peón por una pieza más valiosa, generalmente la dama.

Ejercicios

Tú llevas las blancas. Dispones de ocho movimientos para capturar todas las piezas negras. Para efectos de este ejercicio, las negras no responden.

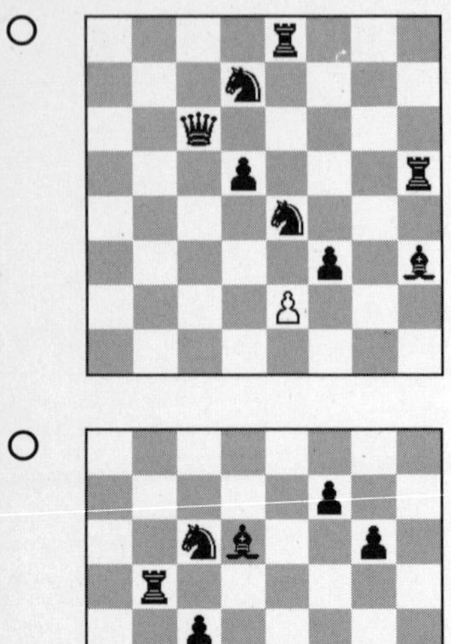

Ejercicios

Dibuja una cuadrícula de 4 x 4. Escribe el número 1 en cualquier escaque. Ejecuta desde ahí un salto de caballo. Escribe el número 2 en la casilla a la que hayas llegado; repite el proceso hasta agotar las casillas sin número. Repite el ejercicio procurando incrementar la cantidad de saltos.

Ahora dibuja una cuadrícula de 5 x 5. ¿Cuántos saltos puede realizar tu caballo antes de quedar cercado por los números?

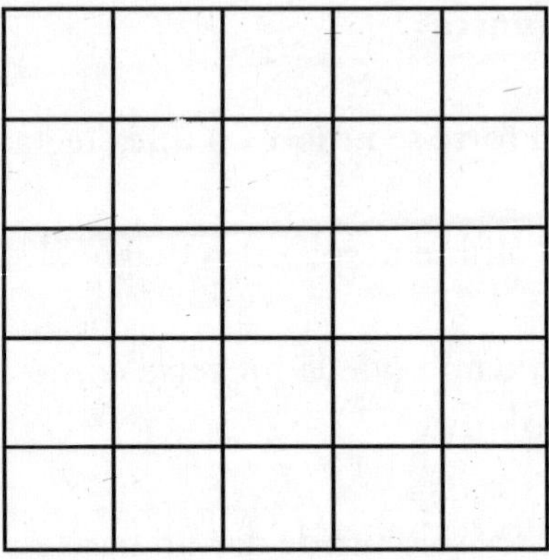

La posición inicial

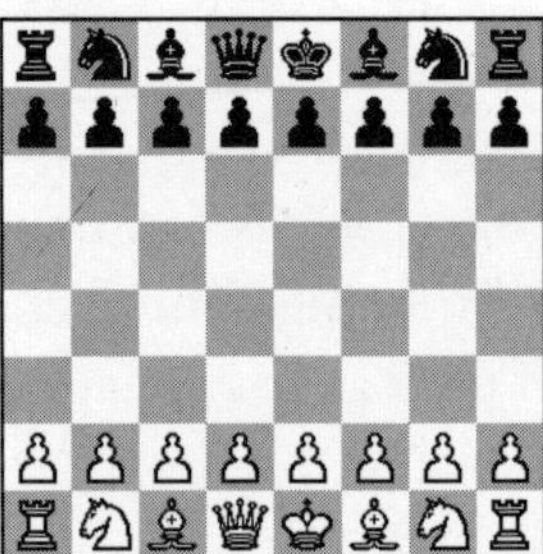

Todas las partidas de ajedrez comienzan en esta posición. Cada jugador tiene una hilera de ocho peones al frente de sus piezas. Observa que la dama blanca se encuentra sobre una casilla blanca, y la negra sobre un escaque de su mismo color. Para confirmar que el tablero está bien acomodado, revisa que la casilla de la esquina inferior derecha sea blanca.

Con el fin de familiarizarte con la posición inicial, te sugerimos que coloques las piezas sobre el tablero varias veces, hasta que puedas recordar su ubicación sin dificultad.

Práctica

Juega una partida con otro principiante. Procura mover tus piezas de acuerdo a las reglas que hemos mencionado, y capturar las de tu contrincante. Las blancas siempre inician la partida; los jugadores mueven una pieza por turno, y no se vale «pasar».

Recuerda que al capturar debes tomar una pieza enemiga y retirarla del tablero. Dos piezas no pueden ocupar una misma casilla.

Cuestionario

1. ¿Cuántos cuadros o casillas tiene un tablero de ajedrez?
A) 32.
B) 16.
C) 64.

2. La dama reúne los movimientos de:
A) Alfil y caballo.
B) Torre y alfil.
C) Torre y caballo.

3. La única pieza que puede saltar sobre las demás es:
a) La dama.
b) El alfil.
c) El caballo.

4. ¿Cuántas piezas puede atacar una torre?
A) Dos.
B) Seis.
C) Cuatro.

5. ¿Cuántos escaques puede atacar un caballo ubicado en el centro del tablero?
A) Ocho.
B) Cuatro.
C) Tres.

6. Al coronar un peón la única pieza que no se puede pedir es:
A) El rey.
B) La dama.
C) La torre.

7. El caballo mueve en forma de:
a) Z.
b) U.
c) L.

8. La única pieza que captura en forma distinta al movimiento que hace es:
A) El rey.
B) El peón.
C) El caballo.

9. ¿Cuántas damas puede tener un jugador?
A) 2.
B) 8.
C) 9.

10. ¿Se puede salir con dos peones a la vez?
A) Sí.
B) No.
C) A veces.

Respuestas al cuestionario:
1. C
2. B
3. C
4. C
5. A
6. A
7. C
8. B
9. C
10. B

3. El valor de las piezas

Para saber si conviene cambiar alguna de nuestras piezas, debemos conocer sus valores aproximados.

Peón = 1
Caballo = 3
Alfil = 3
Torre = 5
Dama = 9
Rey = infinito / 4

Aunque la dama es la pieza más poderosa, el valor del rey es infinito, porque al perder el rey se termina la partida. No obstante, dado que el rey suele tener una participación importante en la etapa final del juego, se le asigna un valor aproximado de 4.

Calcula el valor que tienen las piezas de cada bando en las ilustraciones que siguen. ¿Quién tiene ventaja?

Si llevaras las blancas, ¿qué piezas capturarías?

Ahora supongamos que llevas las negras.

Toca el turno a los peones blancos. Recuerda que capturan siempre en diagonal.

El rey también puede capturar a las piezas indefensas.

4. Amenazas sencillas

Cuando una de tus piezas está bajo ataque, no necesariamente debes perderla. Muchas veces puedes retirarla de la casilla.

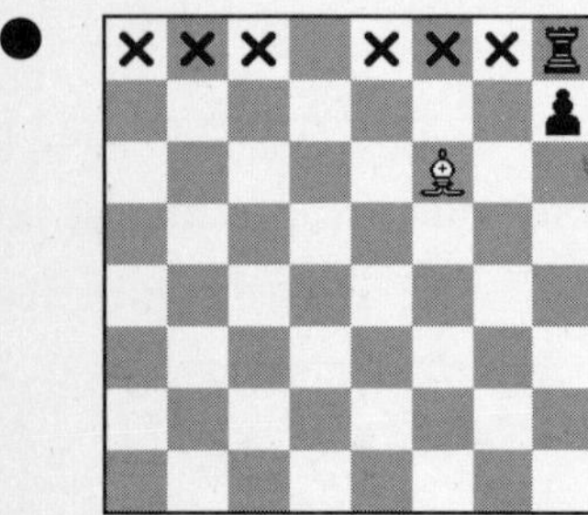

En los siguientes ejemplos, quien lleva las blancas mueve su dama y peón, respectivamente, con tal de no perderlos.

En ocasiones, cuando nos atacan una pieza, podemos defenderla con otra.

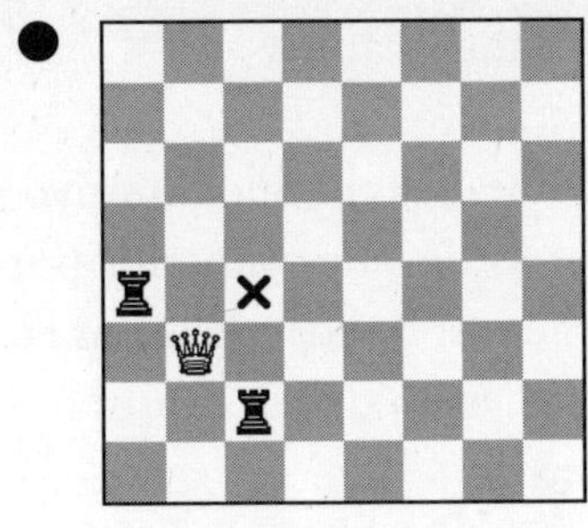

Un tercer método consiste en llevar la pieza que se encuentra bajo ataque a una casilla defendida.

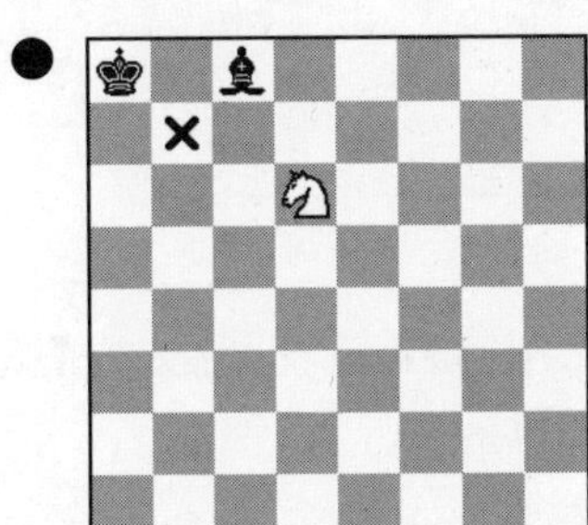

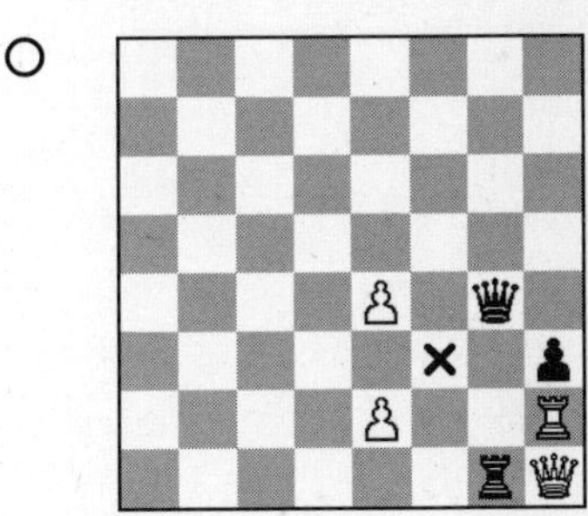

5. Los cambios

Ahora que ya conoces el valor de las piezas, comprenderás que hay cambios favorables, desfavorables o equivalentes.

Cambios favorables

Cuando cambiamos una pieza por otra más valiosa hablamos de un cambio favorable. Si observas los siguientes diagramas, advertirás que las piezas negras están defendidas. No obstante, si le toca el turno a las blancas, cambiarán su pieza menor (caballo o alfil) por una pieza mayor (dama o torre), tal como se muestra en los diagramas que abren la siguiente página.

Cuando un peón ataca una pieza contraria, busca siempre un cambio favorable. En los siguientes ejemplos, si tocara el turno a las negras, éstas capturarían al caballo y la torre de las blancas, respectivamente.

Cambios desfavorables

A menos que exista un buen motivo, no cambies piezas de valor superior por las que valen menos. En los próximos ejemplos, las blancas no deben capturar a las piezas negras.

Ahora comprueba que las piezas blancas estén defendidas.

Cambios equivalentes

Suele ser aceptable el cambio de piezas que tienen el mismo valor. Recuerda que un alfil vale aproximadamente lo mismo que un caballo. En los ejemplos siguientes, el bando al que le toca jugar podría efectuar un cambio equivalente.

Juegan blancas:

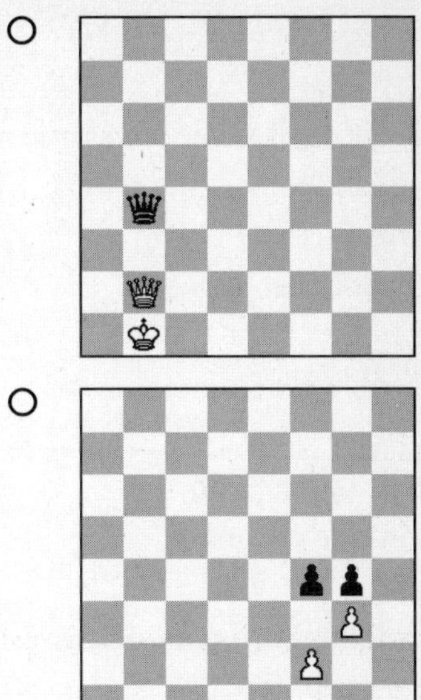

Resumen

1. Los valores de las piezas son:

Peón = 1
Caballo = 3
Alfil = 3
Torre = 5
Dama = 9
Rey = infinito/4.

2. No regales tus piezas.

3. En caso de que una de tus piezas corra peligro puedes: A) moverla a una casilla que no esté atacada, B) defenderla con ayuda de otra, y C) llevarla a una casilla que no esté atacada por una pieza rival.

4. Busca los cambios favorables o iguales; evita los desfavorables.

Cuestionario

1. ¿Cuál de estos grupos de piezas vale más?
A) Dama y caballo.
B) Dos torres.
C) Alfil, torre y tres peones.

2. Es preferible tener:
A) Una torre.
B) Un caballo y un peón.
C) Un peón que corona.

3. Un método seguro para perder es:
A) Cambiar las piezas.
B) Regalar las piezas.
C) Mover las piezas atacadas.

4. Si un caballo ataca tu dama, lo mejor sería:
A) Dejarla donde está.
B) Moverla.
C) Defenderla.

5. Si la dama de tu adversario ataca una de tus torres, y ésta se encuentra defendida:
A) Defiéndela nuevamente.
B) Apresúrate a quitarla.
C) Déjala en donde está.

Respuestas

1. A: Dama y caballo, que sumados valen 12. Dos torres valen 10. Alfil, torre y tres peones valen 11.
2. C: Un peón que corona.
3. B.
4. B: Muévela, porque de lo contrario perderás la dama, que vale 9, a cambio de un caballo que vale 3.
5. C: Si la torre ya está defendida no hace falta moverla.

6. El jaque

El jaque es una amenaza directa al rey, como si le apuntáramos con una de nuestras piezas.

Veamos algunos ejemplos.

El jaque obliga

Quien recibe un jaque tiene la obligación de responder a la amenaza. De lo contrario, perderá la partida.

¿Cualquier jaque es bueno?

No. Sería una equivocación regalar la pieza que da el jaque, como le ocurre a las blancas en los siguientes ejemplos:

Toma en cuenta la posibilidad de que el rey enemigo capture la pieza con que lo atacas. Una pieza que da jaque debe estar defendida o hallarse a una distancia prudente del rey enemigo; de lo contrario, éste se la comerá.

Si una pieza defendida por otra da jaque desde una casilla adyacente a la que ocupa el rey, éste no puede capturarla porque a su vez se perdería. En los siguientes ejemplos, los reyes tendrán que moverse para escapar del jaque.

Recuerda que tu rey nunca puede colocarse junto al rey del adversario, porque éste se lo comería.

Defensas contra el jaque

Aunque el jaque supone una amenaza directa al rey, en algunas ocasiones no es tan grave. Hay tres formas de responder a un jaque:

1. Mover al rey.
2. Capturar la pieza que lo amenaza.
3. Interponer una pieza entre el atacante y nuestro rey.

El rey negro que aparece en el diagrama 1 dispone de varias casillas libres, en donde puede refugiarse. En el diagrama 2 la dama negra puede capturar la dama blanca.

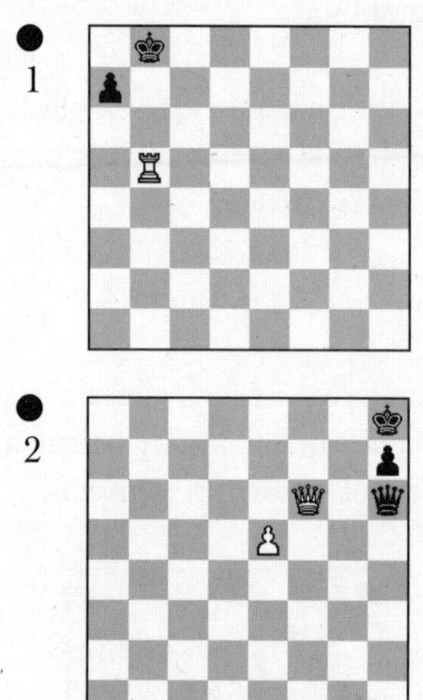

En los siguientes ejemplos busca el movimiento que permite a las blancas interponer una pieza para responder al jaque.

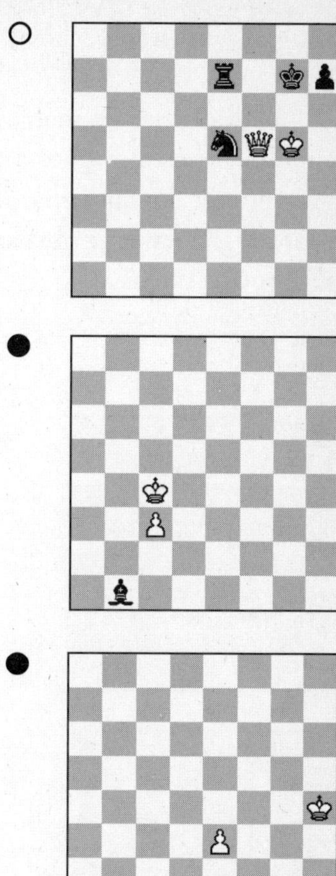

Ejercicios

Trata de dar jaque desde una casilla en la cual no regales tu pieza.

7. El jaque mate

La partida de ajedrez concluye cuando un rey recibe jaque mate. Esto ocurre cuando el rey, hallándose en jaque, no puede ir a una casilla libre, ni capturar la pieza que lo amenaza, ni interponer un defensor. Para que sea jaque mate, primero debe ser jaque.

Mates por obstrucción

Existen incontables temas de mate, con frecuencia muy hermosos. Vamos a empezar por considerar aquellos mates en que la escapatoria del rey se ve obstaculizada por sus propias piezas.

De dama:

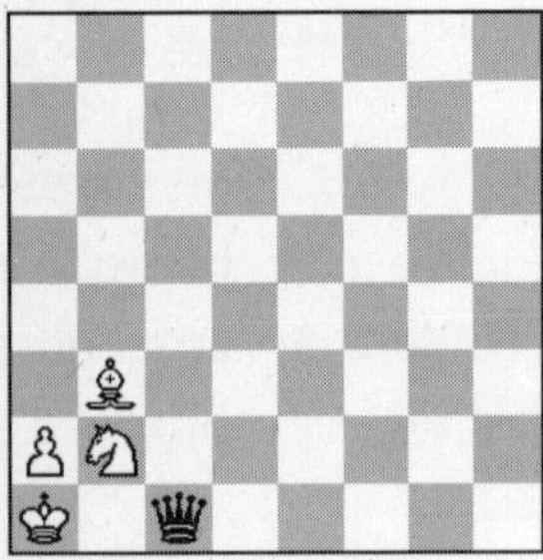

De torre:

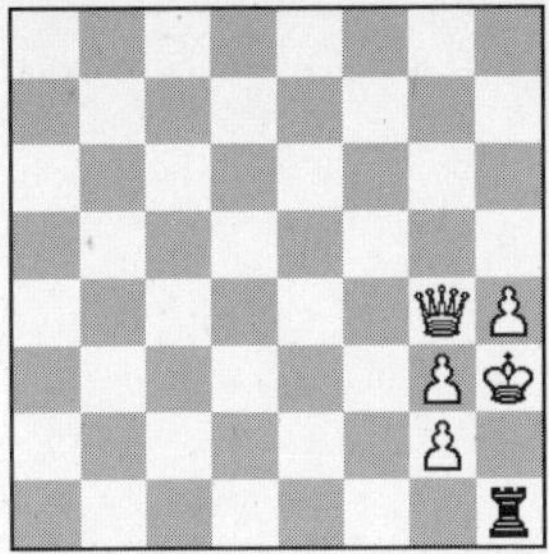

De alfil o de caballo:

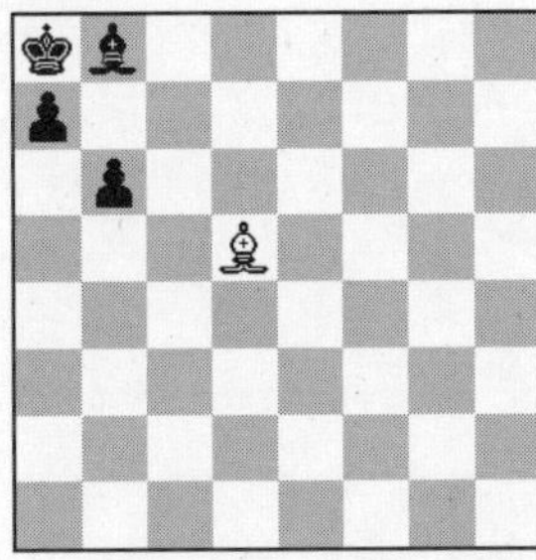

Mates en colaboración

Como puedes ver, en ocasiones las piezas del mismo bando impiden que su rey escape; pero también es frecuente que dos o más piezas atacantes colaboren para dar jaque mate al rey enemigo.

Mates de dama apoyada

La forma más común del jaque mate en colaboración se realiza con la dama defendida por otra pieza. Los franceses lo llaman «el beso de la muerte». Estudia las siguientes posiciones:

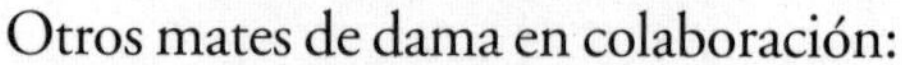

Otros mates de dama en colaboración:

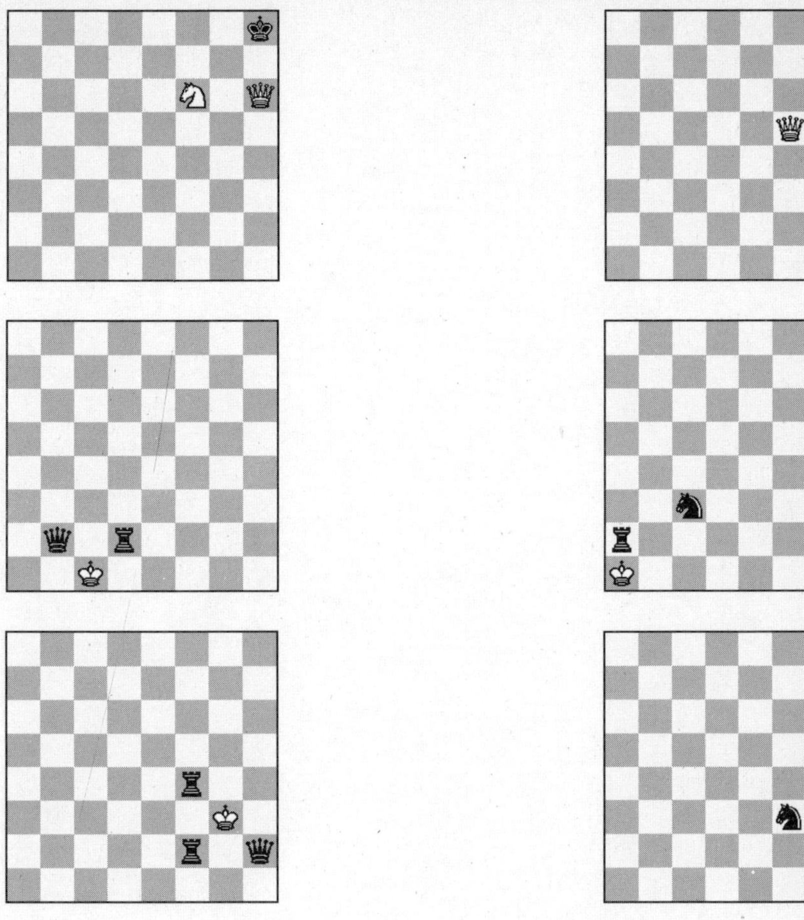

Mates de torre apoyada:

Otros mates de torre en colaboración:

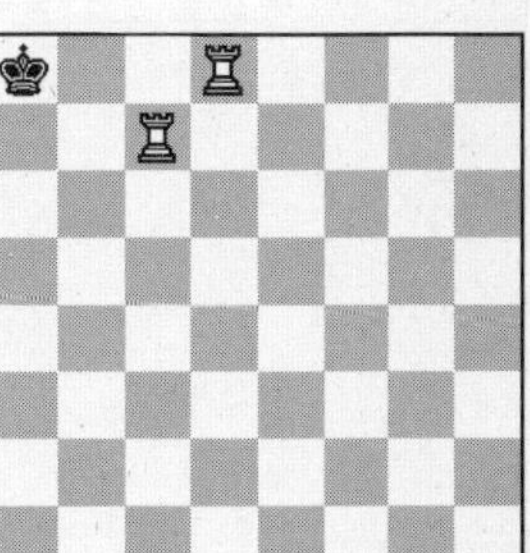

Mates de alfil en colaboración:

Mates de caballo en colaboración:

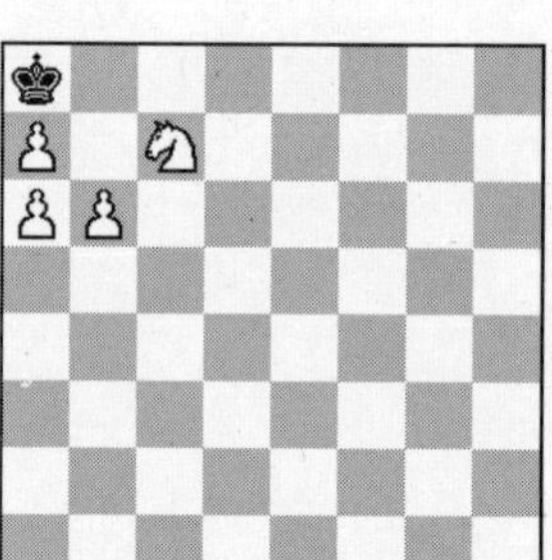

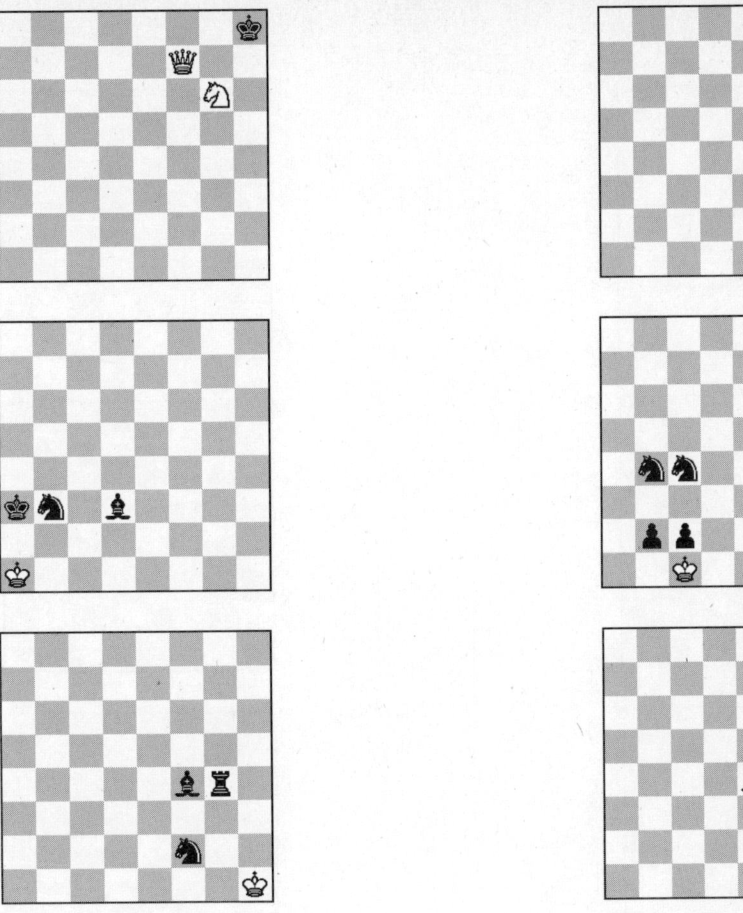

Mates de peón en colaboración:

Mates por colaboración y obstrucción

En muchos mates la colaboración de nuestras piezas se suma a la obstrucción de las piezas contrarias para sentenciar al rey.

De dama:

De torre:

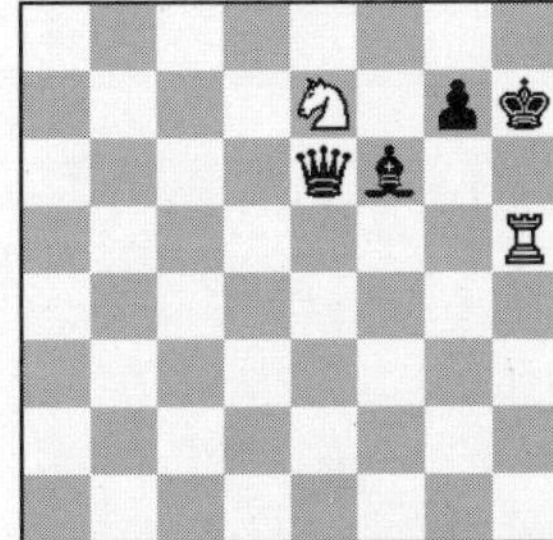

De alfil:

De caballo:

Mates de peón:

Ejercicios

Después de estudiar los ejemplos anteriores, seguramente podrás resolver estos ejercicios. Hemos omitido las respuestas, porque confiamos en que podrás encontrarlas. Trata de dar jaque mate en una jugada.

Mates con dama:

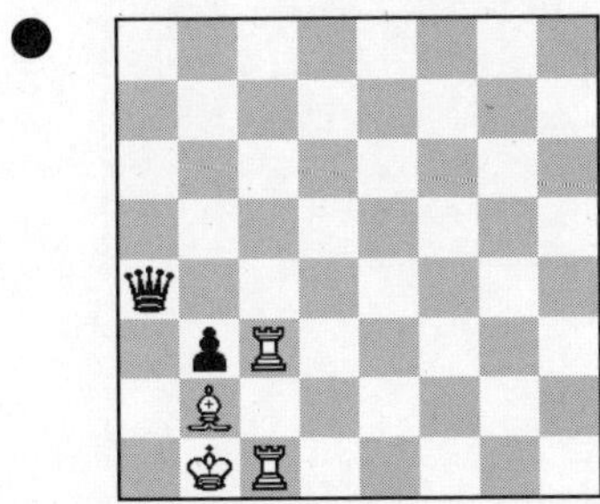

Mates con torre y alfil:

Mates con caballo:

Mates con peón:

Encuentra la defensa adecuada

El mate que no es mate

«No todo lo que brilla es oro», dice un conocido refrán. Puede ocurrir que, bajo la creencia de que has dado un jaque mate, no hayas advertido alguna respuesta defensiva. Por esa razón te recomendamos que revises cuidadosamente si se trata de un mate verdadero o de uno falso.

Para estar seguros de que se trata de un jaque mate, debemos considerar las mismas posibilidades del enemigo que en el caso de los jaques simples:

1) ¿Puede escapar el rey a una casilla libre?

2) ¿Puede el adversario capturar la pieza con que le damos jaque?

3) ¿Puede interponer una pieza entre su rey y la pieza con que lo atacamos?

Ejercicios

Tu adversario acaba de darte un jaque y anuncia que se trata de jaque mate. Echa un vistazo a la posición y decide si debes o no aceptar la derrota.

Respuestas

Primer diagrama. No es mate. Las negras capturan la dama con su caballo.

Segundo diagrama. Sí es mate.

Tercer diagrama. No lo es. El caballo blanco cubre a su rey del jaque.

Cuarto diagrama. Tampoco es mate. El peón captura la dama negra.

La rendición

Ya sabes que la partida de ajedrez concluye cuando un jugador recibe jaque mate. También puede ocurrir que, al saberse perdido, el ajedrecista se rinda o abandone la partida. Antiguamente, esta decisión se comunicaba mediante la señal de inclinar al rey. Hoy es más común tender la mano al adversario.

Resumen

1. El jaque es una amenaza directa al rey.

2. Las tres defensas al jaque son: A) mover al rey; B) capturar la pieza que da el jaque; C) interponer una pieza entre el atacante y nuestro rey.

3. El jaque mate es un jaque contra el cual no hay defensa.

4. El objetivo del ajedrecista es dar jaque mate.

5. Es posible terminar la partida antes del jaque, cuando uno de los jugadores se rinde.

Práctica

Ahora conoces el valor de cada una de las piezas y la forma de dar jaque y jaque mate. Este es un buen momento para disputar otra partida. Trata de atacar las piezas de tu adversario y de dar un jaque mate a su rey.

De nueva cuenta, no te desanimes si pierdes. El campeón del mundo José Raúl Capablanca decía que aprendemos más de una derrota que de una victoria.

Cuestionario

1. ¿Qué prefieres?
A) Dar jaque.
B) Ganar la dama.
C) Dar jaque mate.

2. Una posible defensa al jaque es:
A) Dar un salto de caballo con el rey.
B) Mover al rey hacia una casilla libre.
C) Tratar de coronar un peón.

3) La única pieza que no puede dar jaque es:
A) El peón.
B) El rey.
C) El caballo.

4) Los mates más comunes son los de:
A) Dama apoyada.
B) Caballo.
C) Peón.

5. ¿Qué pieza puede dar jaque mate sin la colaboración u obstrucción de otras piezas?
A) Cualquiera.
B) La dama.
C) Ninguna.

6. Es preferible dar jaque mate con:
A) La dama.
B) La torre.
C) Da lo mismo.

7. Cuando un jugador da jaque mate y el otro está a punto de darlo:
A) Se decreta el empate.
B) Sólo cuenta el primer mate.

c) Se anula la partida.

8) Cuando un jugador se siente perdido puede:
a) Tratar de regresar unas jugadas.
b) Proponer el empate.
c) Rendirse.

Respuestas al cuestionario:

1. c
2. b
3. b
4. a
5. c
6. c
7. b
8. c

Capítulo II

¿Cómo empezar?

Observa la posición inicial. Así han comenzado todas las partidas de ajedrez, desde las que han protagonizado los grandes campeones del mundo hasta las disputadas por los jugadores más novatos. Si pudiéramos jugar a la perfección, ganaríamos siempre; pero nadie ha podido hacer eso.

Ya sabes que el objetivo principal del ajedrez consiste en dar jaque mate al rey adversario. Para lograrlo te aconsejamos que prestes mucha atención a lo que sucede en el tablero. Si juegas distraído o de prisa cometerás muchos errores. Puede ocurrirte lo que a un muchacho incauto que se acercó a un tablero de ajedrez y retó a un señor barbón. Nuestro joven amigo había aprendido los movimientos de las piezas y pensó que bastaba con cerrar los ojos y entregarse al azar. Contempló su hilera de peones, recordó que éstos podían avanzar uno o dos pasos y decidió que jugaría con cierta agresividad. Sin mayor reflexión, avanzó temerariamente el peón que se hallaba frente a su caballo de rey.

1. ¡Cuidado con los mates de principiante!

El «Mate del Loco»

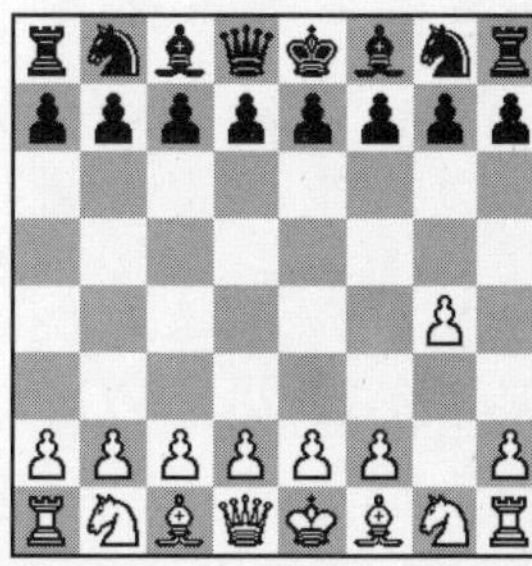

El barbón no concedió importancia al movimiento y avanzó dos casillas su peón de rey.

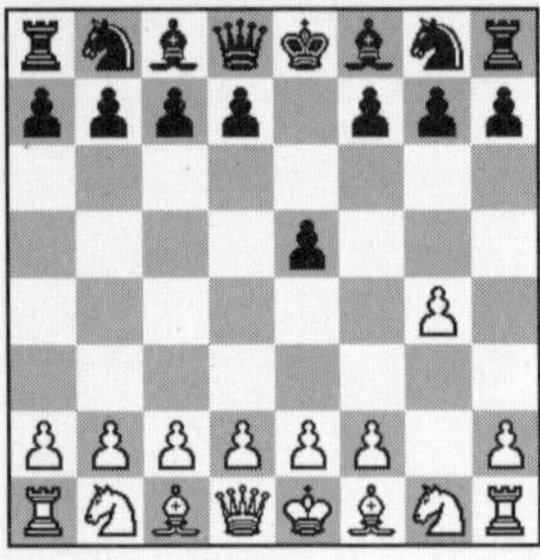

El muchachito entendió que su primera jugada había sido demasiado audaz y decidió defender su peón.

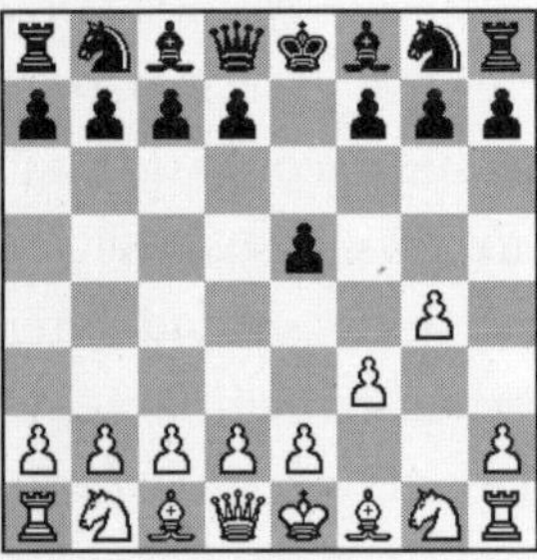

El barbón suspiró, como si le diera mucha pena, y sacó la dama para propinar un jaque.

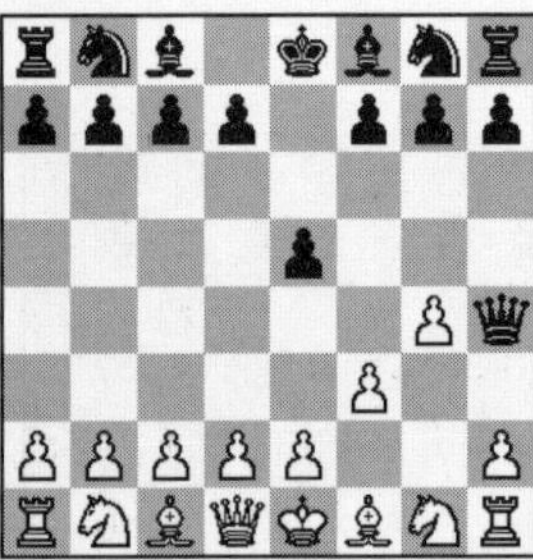

El muchachito intentó llevar al rey hacia una casilla libre. «Ni le busques», dijo su adversario. «Se trata del jaque mate más corto que hay. Lo llaman 'el Mate del Loco'.»

Lo malo no es perder, sino ignorar la razón por la que perdimos. En este caso nuestro amigo se percató de su error principal: no había prestado atención al tablero. Además ignoraba cómo empezar una partida.

Las primeras jugadas

El movimiento más popular consiste en avanzar el peón del rey dos escaques, porque ocupa el centro y permite la salida del alfil que se desplaza sobre las casillas blancas.

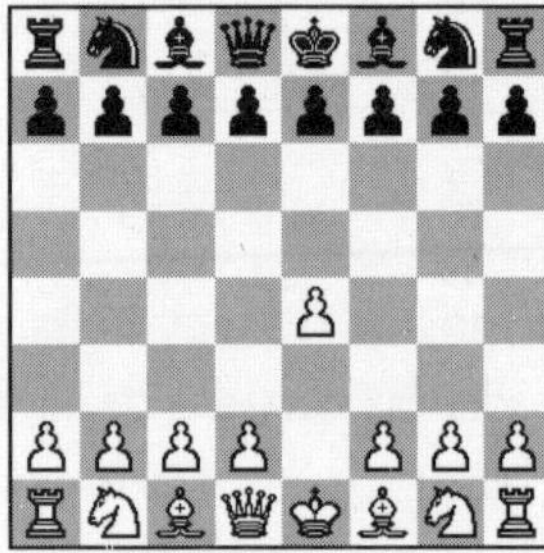

Como esta jugada es muy buena, las negras suelen responder del mismo modo.

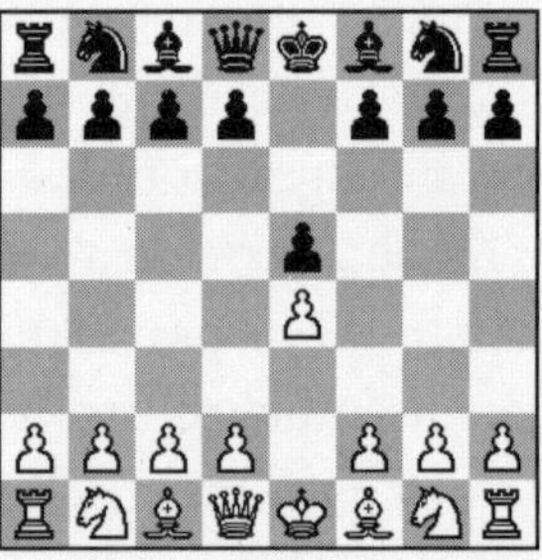

Ahora, un salto de caballo para atacar el peón central de las negras.

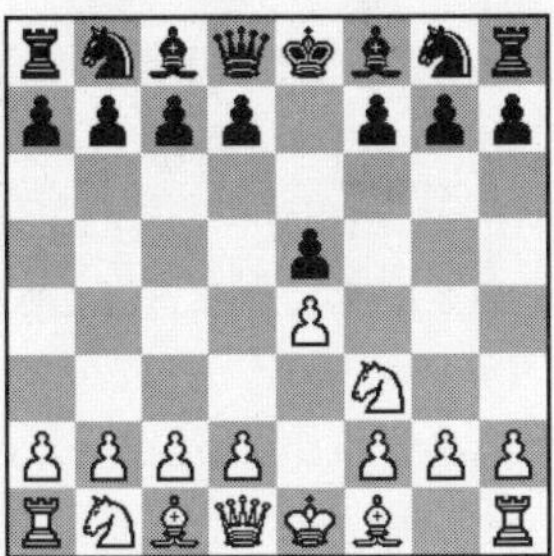

El segundo jugador hará bien en defender a su peón, mientras desarrolla un caballo.

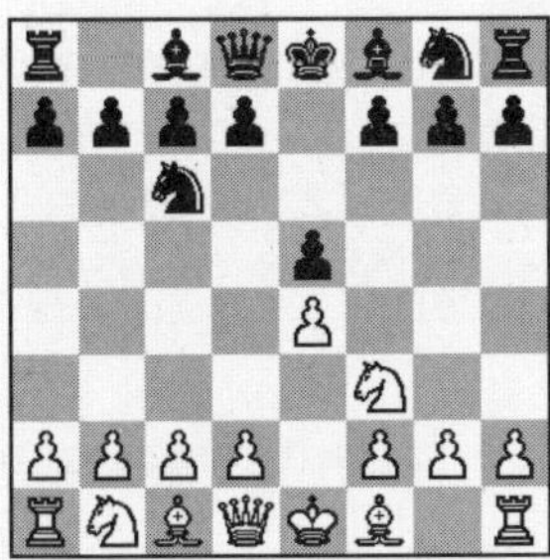

En lo sucesivo, ambos contrincantes desarrollarán sus piezas hacia el centro. Al cabo de algunas jugadas, sus posiciones podrían ser éstas:

¿Puedes llegar a una posición semejante? Inténtalo y verás que tu nivel de juego comienza a mejorar. Aun así, presta mucha atención a las amenazas de tu contrario. No sea que caigas en el temible...

Mate del Pastor

Una niña sabía que debía desarrollar sus piezas en el curso de los primeros movimientos. Sin embargo, ignoraba que hay jugadores empeñados en sembrar trampas en el camino de sus adversarios. Lo descubrió cuando tuvo que enfrentar a una señora muy mañosa que comenzó la partida con las blancas.

Ambas jugadoras abrieron la partida correctamente.

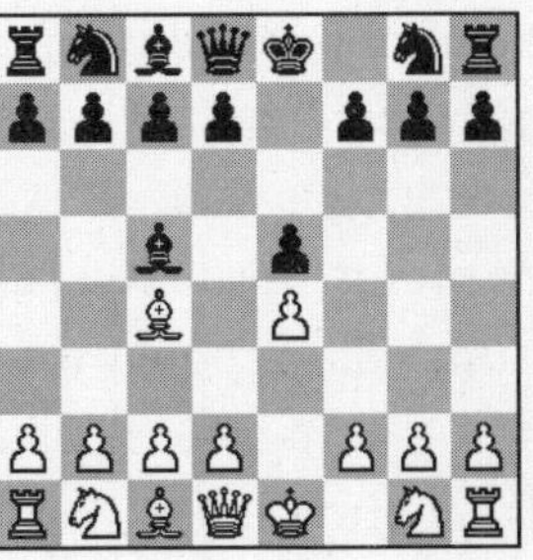

La señora desarrolló su alfil. La niña hizo lo propio. A continuación, la señora movió su dama y puso cara de distraída. La niña pensó que sería una buena idea sacar su caballo.

La señora tomó su dama y la deslizó alegremente por el tablero hasta capturar al peón que se encontraba junto al rey negro. «Es Mate del Pastor», le informó a la niña.

La niña comprobó que la dama blanca estaba defendida por el alfil y que su rey no tenía escapatoria. «¿Dónde me habré equivocado?», se preguntaba. «Desarrollé mis piezas y de pronto me dieron jaque mate.»

A la niña le faltó poner un poco más de atención a las jugadas de la señora. Al desarrollar el otro caballo, hubiera evitado fácilmente el Mate del Pastor.

Existe otra forma de dar el Mate del Pastor, que consiste en llevar a la dama a una casilla más alejada.

En este caso, la dama ataca tanto al peón de alfil como al de rey. Es decir, las blancas plantean dos amenazas: pueden dar jaque mate o pueden capturar el peón del rey negro. Lo más importante es evitar el mate, pero no por eso hemos de regalar nuestro peón.

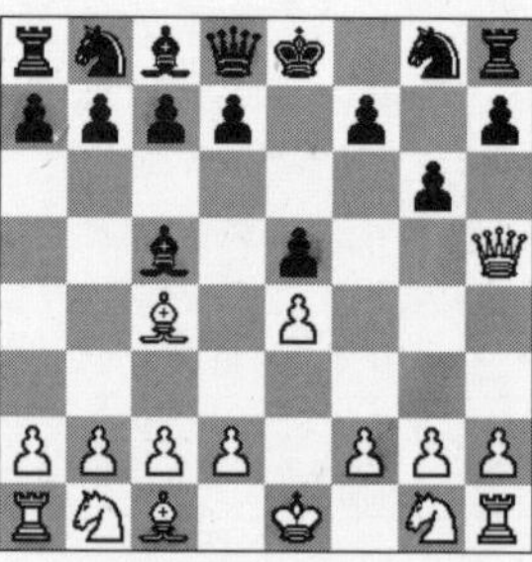

La dama blanca captura el peón central de las negras. Al hacerlo, da jaque al rey negro y ataca simultáneamente la torre indefensa en la esquina.

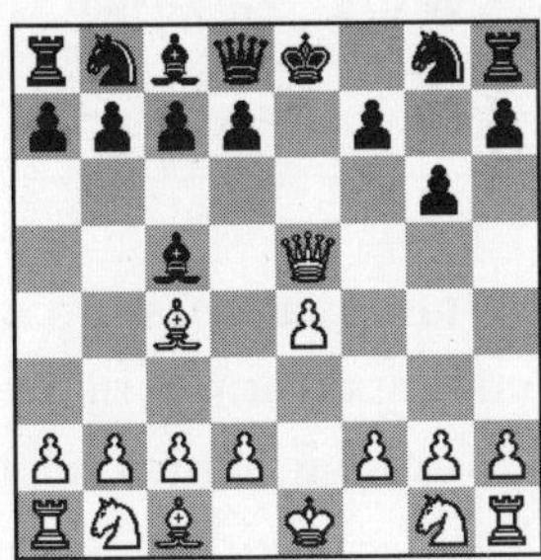

Esa defensa no ha sido satisfactoria. Volvamos atrás. Las negras quieren continuar el desarrollo de sus piezas, pero primero deben rechazar el ataque de las blancas y defender su peón del centro. En este caso, lo mejor es mover la dama.

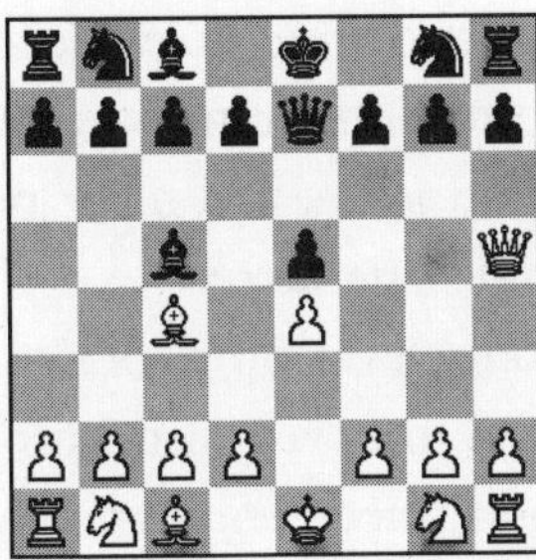

Quizá no sea el recurso más elegante, pero en el ajedrez «lo necesario siempre es bueno». Veamos qué pasa después de que las blancas mueven su caballo de dama.

Ahora sí, las negras desarrollan su caballo y atacan a la dama blanca, que se ve obligada a retroceder. Por este motivo, no debemos sacar la dama antes de tiempo.

El ataque de la dama blanca ha sido rechazado y las piezas negras continúan su desarrollo. Por eso, ningún jugador serio se propone dar el Mate del Pastor. Recalquemos el principio básico de la defensa: debes considerar las amenazas de tu adversario.

Otra defensa contra el Mate del Pastor

Supongamos que llevas las negras. Si quieres evitar por completo el Mate del Pastor, puedes sacar tu caballo de rey en el segundo movimiento.

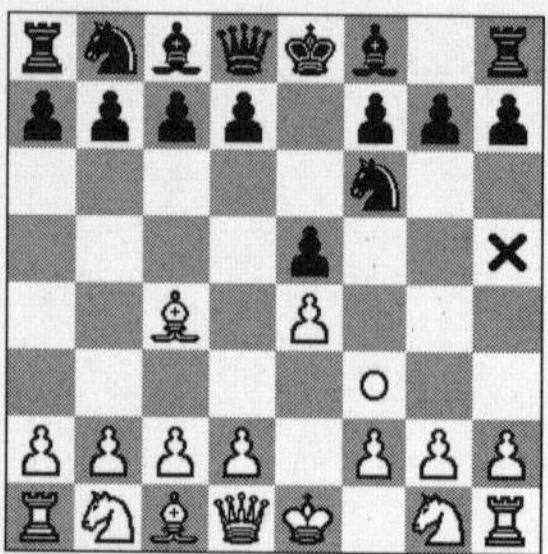

Si las blancas mueven su dama a la casilla marcada con X, puedes capturarla con el caballo; en cambio, si la llevan a la casilla marcada con 0, la dama no representa amenaza alguna. Nuestro consejo es que no intentes dar un Mate del Pastor. Sin embargo, te será útil comprender que se trata de un mate de dama apoyada por otra pieza y que en muchos casos se presentan temas similares.

Observa los siguientes diagramas y decide si las blancas pueden dar jaque mate.

Ejercicios

Dado que estamos analizando lo que debes hacer en la apertura, es tiempo de que conozcas dos movimientos relativamente inusuales: el enroque y la captura de peón por peón «al paso».

2. El enroque

Una buena forma de evitar que nos ataquen es realizar un enroque a la primera oportunidad que se nos presente. El enroque es un movimiento especial de torre y rey que ofrece dos grandes ventajas: brinda seguridad a nuestro rey y permite el desarrollo de una torre.

El enroque es la única ocasión en que dos piezas se mueven al mismo tiempo. Cada bando puede enrocar sólo una vez a lo largo de la partida.

Para realizar el enroque, el rey da dos pasos en la dirección deseada, y la torre pasa por encima de él, de modo que ambas piezas quedan en casillas adyacentes.

El enroque corto se realiza con la torre más cercana al rey

Al igual que en el caso anterior, en el enroque largo nuestro rey se mueve dos escaques, pero la torre viaja una casilla más.

No es posible realizar el enroque cuando existe alguno de estos impedimentos:

1. El rey está en jaque.

2. El rey pasa por —o queda en— una casilla atacada por piezas enemigas.

3. Hay alguna pieza entre el rey y la torre.

4. El rey o la torre que va a enrocar se han movido previamente.

Ejemplos

En el siguiente diagrama el rey negro está en jaque.

En el diagrama de la siguiente página el rey blanco no puede enrocar, porque si lo hiciera hacia el flanco derecho pasaría por jaque, y hacia el lado izquierdo quedaría en jaque.

En el siguiente diagrama las negras no pueden enrocar porque hay una pieza entre su rey y la torre.

Por último, en el siguiente diagrama podemos ver que el rey blanco se ha movido. Aunque vuelva a su posición inicial, ha perdido el derecho a enrocar.

Es prudente aclarar que el enroque puede realizarse a pesar de que la torre esté amenazada, o pase por una casilla bajo fuego enemigo, como se muestra en la siguiente ilustración.

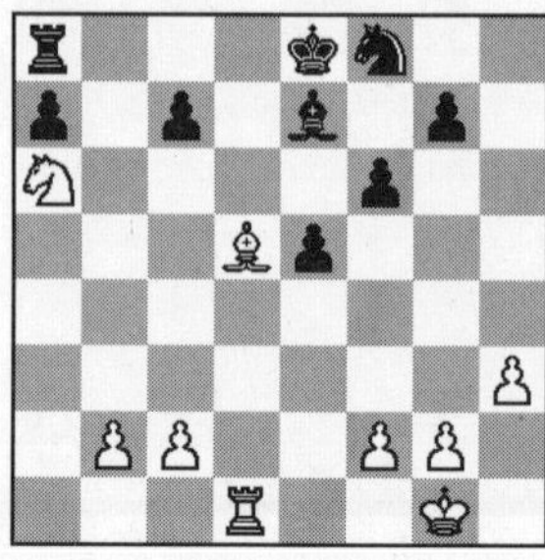

En el ejemplo anterior las negras pueden realizar el enroque hacia el flanco de la dama, a pesar de que su torre está siendo atacada y de que pasará por una casilla expuesta.

Ejercicios

Una vez que hemos mencionado las reglas del enroque, tú puedes decidir si es posible efectuarlo en los siguientes casos:

Respuestas

Primer diagrama. No, porque se encuentra en jaque.
Segundo diagrama. No, porque el rey se ha movido previamente.
Tercer diagrama. Sí, hacia cualquiera de los dos lados, porque el rey no pasa por jaque.
Cuarto diagrama. Sí, pero sólo el enroque corto.

3. Captura de peón por peón «al paso»

Además del enroque, existe otro movimiento especial que se conoce como la captura de peón por peón «al paso». Cuando un peón ha alcanzado su quinta fila y el adversario avanza dos casillas al peón de la columna adyacente, el primero tiene la posibilidad de capturar al segundo como si este hubiera avanzado un solo escaque. Para ser válida, la captura «al paso» debe realizarse inmediatamente.

En los siguientes diagramas el peón negro avanza dos casillas, pero el blanco lo captura como si sólo hubiese avanzado uno.

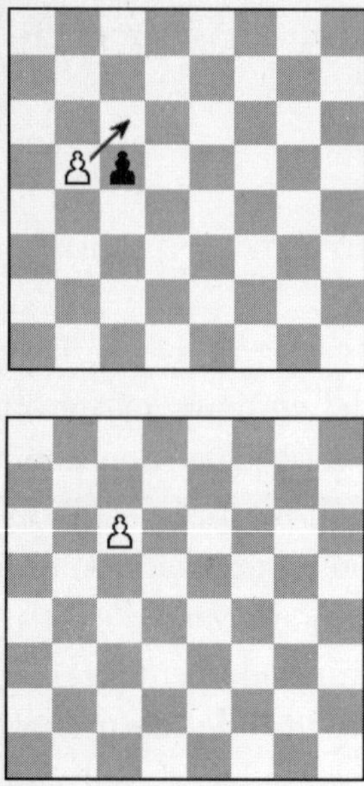

Ejercicios

En los dos primeros diagramas las negras adelantaron dos escaques su peón; en los dos últimos de esta serie lo hicieron las blancas. Decide en cada caso si el bando contrario puede capturar «al paso».

Respuestas

Primer diagrama. Sí
Segundo diagrama. No
Tercer diagrama. Sí
Cuarto diagrama. Sí, con cualquiera de los peones.

4. Principios de la apertura

Una partida bien jugada consta de tres fases: apertura, medio juego y final. Es conveniente estudiar cada etapa en forma aislada, con el fin de entender mejor sus características. Pregúntate si has empleado los siguientes principios en tus jugadas iniciales.

1. Adelantar uno de los peones del centro, generalmente el peón de rey.

2. Desarrollar las piezas de modo que controlen el centro del tablero.

3. No mover demasiados peones.

4. Enrocar pronto.

5. No sacar la dama antes de tiempo.

Te aseguramos que tu nivel de juego mejorará notablemente si consigues poner en práctica estos principios. Vayamos ahora a la posición inicial y formulemos algunas preguntas.

¿Qué peones muevo?

La mayoría de los ajedrecistas inician sus partidas mediante el recurso de adelantar dos casillas el peón que se encuentra frente a su rey. Este movimiento permite la salida del alfil que corre sobre los escaques blancos y, en algunos casos, de la dama.

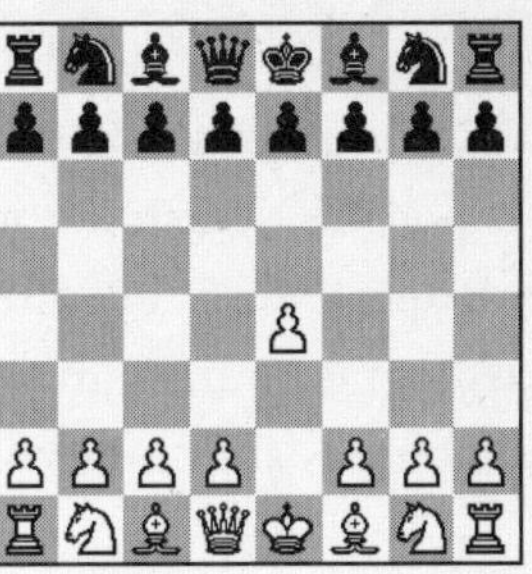

Si también logramos adelantar al peón de la dama, tendremos vía libre para desarrollar el otro alfil.

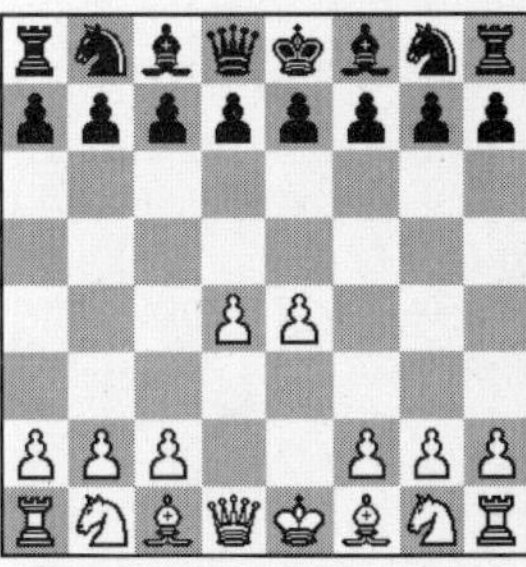

a

Durante la apertura sólo movemos los peones necesarios para permitir la salida de nuestras piezas y fortalecer el centro.

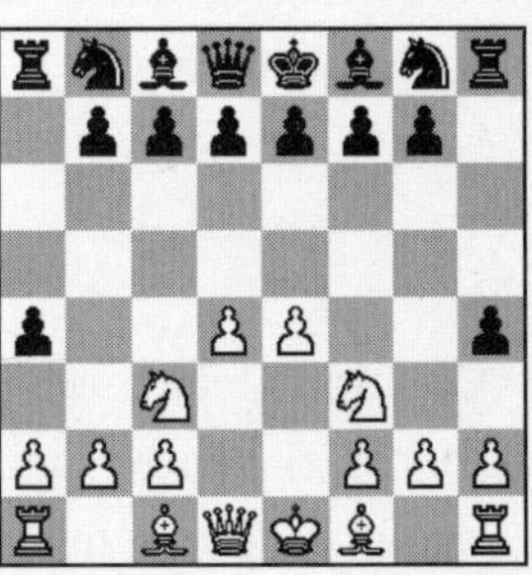

a

En el diagrama anterior puedes apreciar que las blancas han realizado una apertura correcta, porque desarrollaron sus dos caballos y peones hacia el centro; mientras que las negras se limitaron a mover los peones laterales sin objetivo alguno.

¿Dónde van los caballos?

Por desconocimiento, muchos principiantes llevan sus caballos hacia las orillas. Este tipo de movimientos casi nunca son buenos. Los caballos deben desarrollarse con la mira puesta en el centro del tablero.

Las blancas desarrollaron sus caballos de manera equivocada. Las negras llevaron los suyos hacia el centro y atacan al peón de rey, que se halla indefenso.

¿Qué hacer con los alfiles?

Los alfiles también deben desarrollarse apuntando hacia el centro del tablero. Cuando sacamos una pieza, hay que tener cuidado de no tapar la salida de las otras.

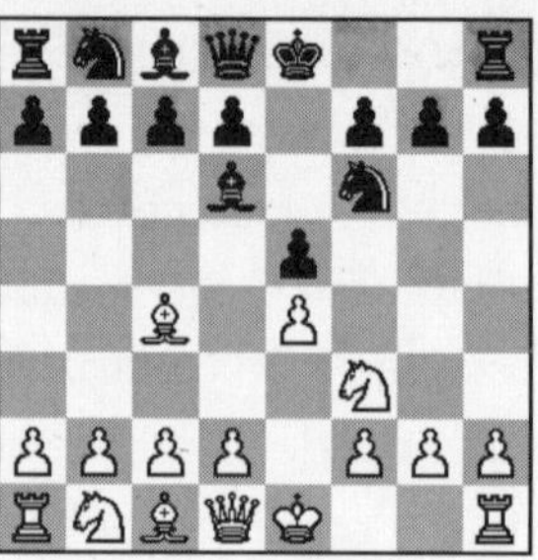

El alfil blanco ocupa una buena diagonal. El negro defiende torpemente un peón, y lo que es más importante, dificulta la salida del otro alfil.

¿Cuándo sacar a la dama?

Por ser la pieza más fuerte, la dama puede ser atacada por piezas menores, e incluso por los peones. Por esa razón no es recomendable mover la dama antes de haber desarrollado los caballos y alfiles.

Las blancas emprendieron una excursión tempranera con su dama, que ahora se encuentra atacada y debe buscar refugio. Las negras han dejado la dama en su posición inicial, con la intención de desarrollarla más adelante.

¿Debo dar cualquier jaque?

Todas nuestras jugadas deben de ser útiles. Existen jaques muy buenos y otros que no sirven para nada. Veamos un par de ejemplos.

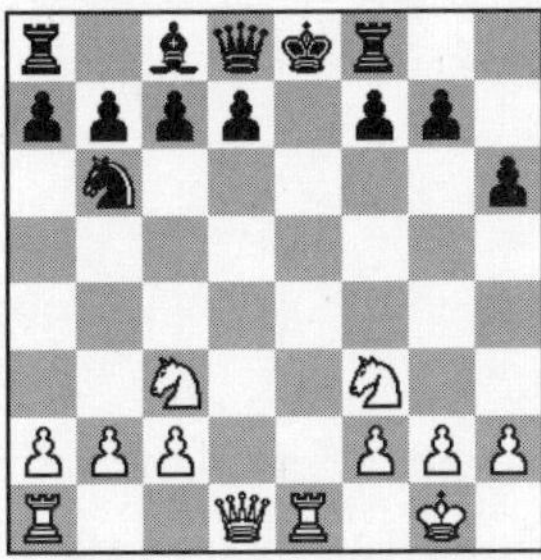

En este caso, las blancas han dado un poderoso jaque con su torre. Las negras se ven obligadas a interponer la dama frente al rey. Se trata de un jaque bien dado.

En el diagrama anterior vemos un jaque inútil. Las blancas adelantarán a su peón de alfil, rechazarán la amenaza del alfil negro y lo obligarán a retroceder.

¿Cuándo enrocar?

Debemos buscar el enroque lo antes posible. La situación del rey, en su casilla inicial, no es muy segura. El enroque le da una mayor cobertura de peones y permite desarrollar una torre hacia el centro.

Las negras enrocaron y desarrollaron adecuadamente sus piezas. Por su parte, las blancas no se preocuparon por la seguridad de su rey y ahora tal vez sucumba a un ataque.

¿Qué pasa con las torres?

Las torres suelen ser las últimas piezas que desarrollan los ajedrecistas, porque para despejar su caminc hace falta mover caballos y alfiles, además de enrocar.

Las blancas enrocaron y reunieron sus torres en las columnas centrales. Las negras cometieron la imprudencia de sacar una torre por la banda y llevarla a una casilla atacada por el alfil blanco. Recuerda: la torre vale 5 y el alfil 3. Por lo tanto, las blancas capturarán la torre y saldrán ganando del intercambio.

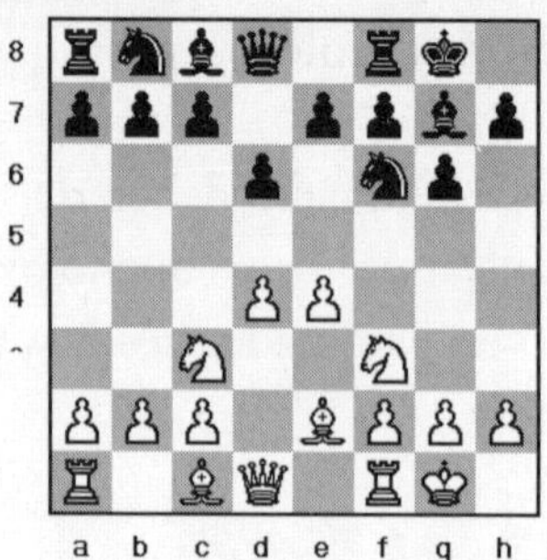

Ejercicios de apertura

¿Qué posición te parece mejor y por qué?

Respuestas

Primer diagrama. Las blancas tienen mejor posición; desarrollaron sus piezas y se enrocaron pronto. Las negras realizaron demasiados movimientos de peones.

Segundo diagrama. Las negras jugaron bien. Las blancas sacaron a la dama antes de tiempo y ahora perderán «tiempos» (turnos o movimientos) para sacarla de apuros.

Tercer diagrama. Las negras pueden capturar la torre blanca con su alfil y obtener 5 puntos a cambio de 3. Esto es consecuencia del mal desarrollo de las blancas, que avanzaron los peones de torre sin ton ni son. Las negras, en cambio, adelantaron los peones del centro y procuraron desarrollar sus caballos y alfiles.

Cuarto diagrama. Ambos han jugado bien. Sus reyes están enrocados y han desarrollado piezas. Observa la posición del alfil de las negras. Esa forma de desarrollo se denomina «fianchetto» y es perfectamente legítima.

Resumen

1. Dos principios de una buena apertura son el rápido desarrollo de piezas y el enroque.

2. Evita realizar muchos movimientos de peones y sacar la dama antes de tiempo.

3. En todo momento, debes prestar atención a las amenazas que plantea tu oponente.

4. Nuestra prioridad durante la apertura es llegar al medio juego con una posición superior a la del rival, o por lo menos equilibrada.

5. Los movimientos especiales son el enroque y la captura de peón por peón «al paso».

Práctica

¡A jugar! Trata de desarrollar todas tus piezas, empezando por los caballos y alfiles. A continuación busca la manera de realizar el enroque. Por último, puedes mover la dama y juntar las torres en las columnas centrales. Debes hacer todos estos movimientos sin regalar una de tus piezas o peones. Intenta poner en juego una norma invariable: «Pieza tocada es pieza jugada». Esa regla te enseñará a pensar primero y mover después.

Cuestionario

1. En las primeras jugadas procuraremos:
A) Dar Mate del Pastor.
B) Mover cuantos peones sea posible.
C) Desarrollar caballos y alfiles.

2. Para evitar que seamos víctimas del Mate del Pastor es imprescindible:
A) Cuidarnos de las amenazas del adversario.
B) Mover la dama.
C) Llevar las piezas blancas.

3. Si sacamos la dama sin motivo, posiblemente:
A) Sea atacada por las piezas y peones del bando contrario.
B) Nuestra dama capture a las piezas del contrincante.
C) Consigamos entregarla a cambio de un peón.

4. ¿En qué casos es imposible enrocar?
A) Si hemos movido al rey.
B) Si perdimos la dama.
C) Si estamos en jaque.

5. En la mayoría de sus partidas, los buenos jugadores:

A) Dejan el rey en una de las columnas centrales.
B) Se enrocan pronto.
C) Lanzan su rey al ataque.

6. Si vemos una buena casilla para uno de nuestros alfiles, trataremos de llegar a ella en:
A) Tres jugadas.
B) Dos jugadadas.
C) Una jugada.

7. Las piezas deben orientarse hacia:
A) Cualquier parte.
B) Los costados.
C) El centro.

8. Generalmente, las últimas piezas en desarrollarse son:
A) Los alfiles.
B) Las torres.
C) Los caballos.

9. La captura de peón por peón «al paso» puede realizarse en:
A) Una jugada.
B) Tres jugadas.
C) Diez jugadas.

10. La captura peón por peón «al paso» es:
A) Obligatoria.
B) Opcional.

Respuestas

1. C
2. A
3. A
4. A
5. B
6. C
7. C
8. B
9. A
10. B

Capítulo III

Las tablas

El empate en una partida de ajedrez se llama «tablas». Como es lógico, quien se encuentra en una situación de inferioridad debe buscar ese resultado. Existen cinco tipos de circunstancias en que se produce el empate:

1. Imposibilidad de mover.
2. Insuficiencia material.
3. Regla de las 50 jugadas.
4. Triple repetición.
5. Mutuo acuerdo.

En las partidas de principiantes, las tablas ocurren frecuentemente por las primeras dos causas: imposibilidad de mover (rey «ahogado») o insuficiencia material.

1. Imposibilidad de movimiento

Cuando toca el turno de mover a un jugador que no se encuentra en jaque mate, pero que no puede realizar una jugada legal, la partida se declara «tablas». En muchas ocasiones, esta situación obedece a un descuido por parte del ajedrecista que llevaba ventaja.

En el diagrama siguiente le toca el turno a las negras, que reclaman el empate por «rey ahogado». Esta es la aplicación más común de la regla a que nos referimos.

En los siguientes ejemplos corresponde el turno a quien se encuentra en desventaja material. De lo contrario, el bando fuerte evitaría el «ahogado» y en algunos casos daría mate.

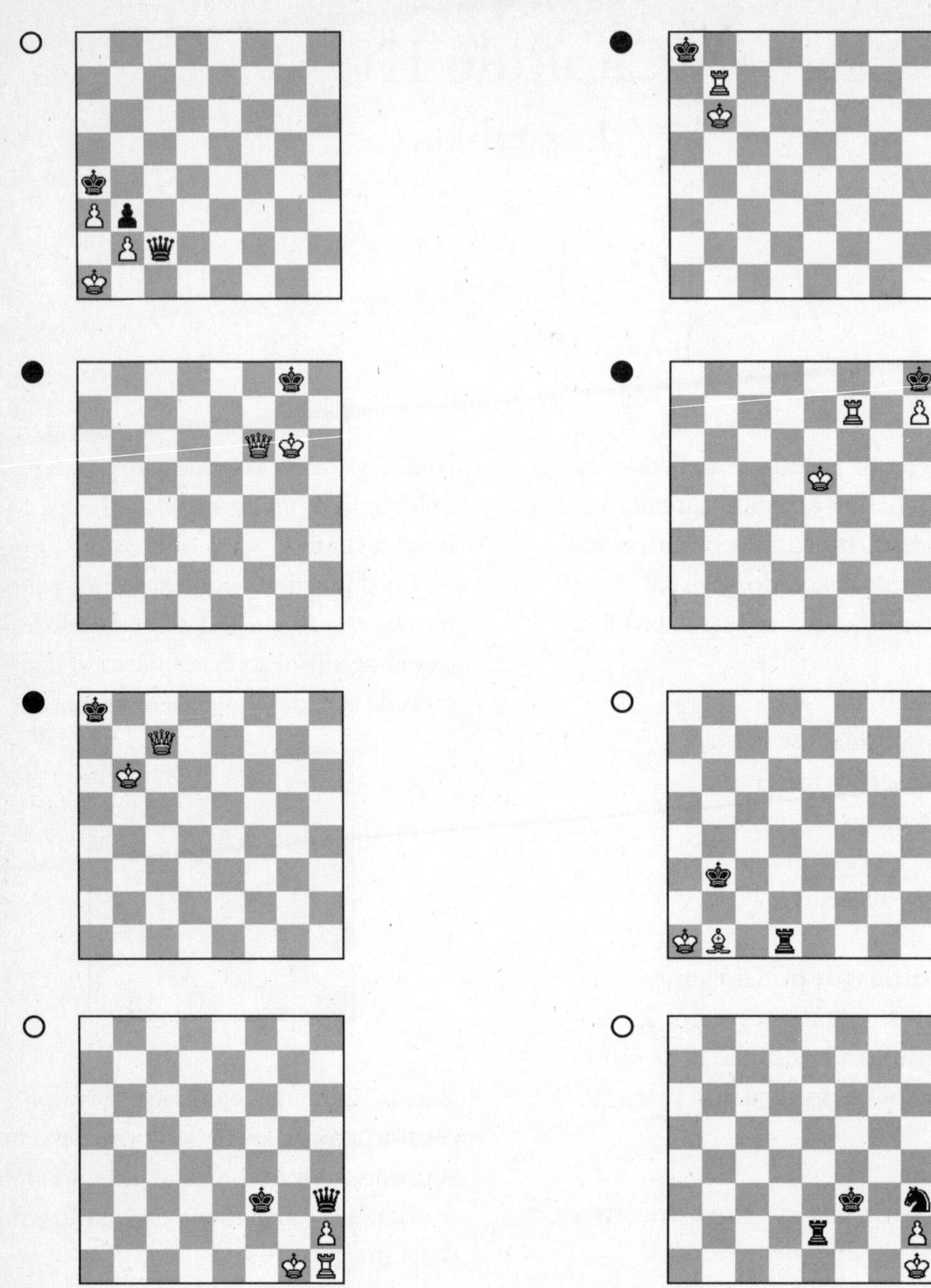

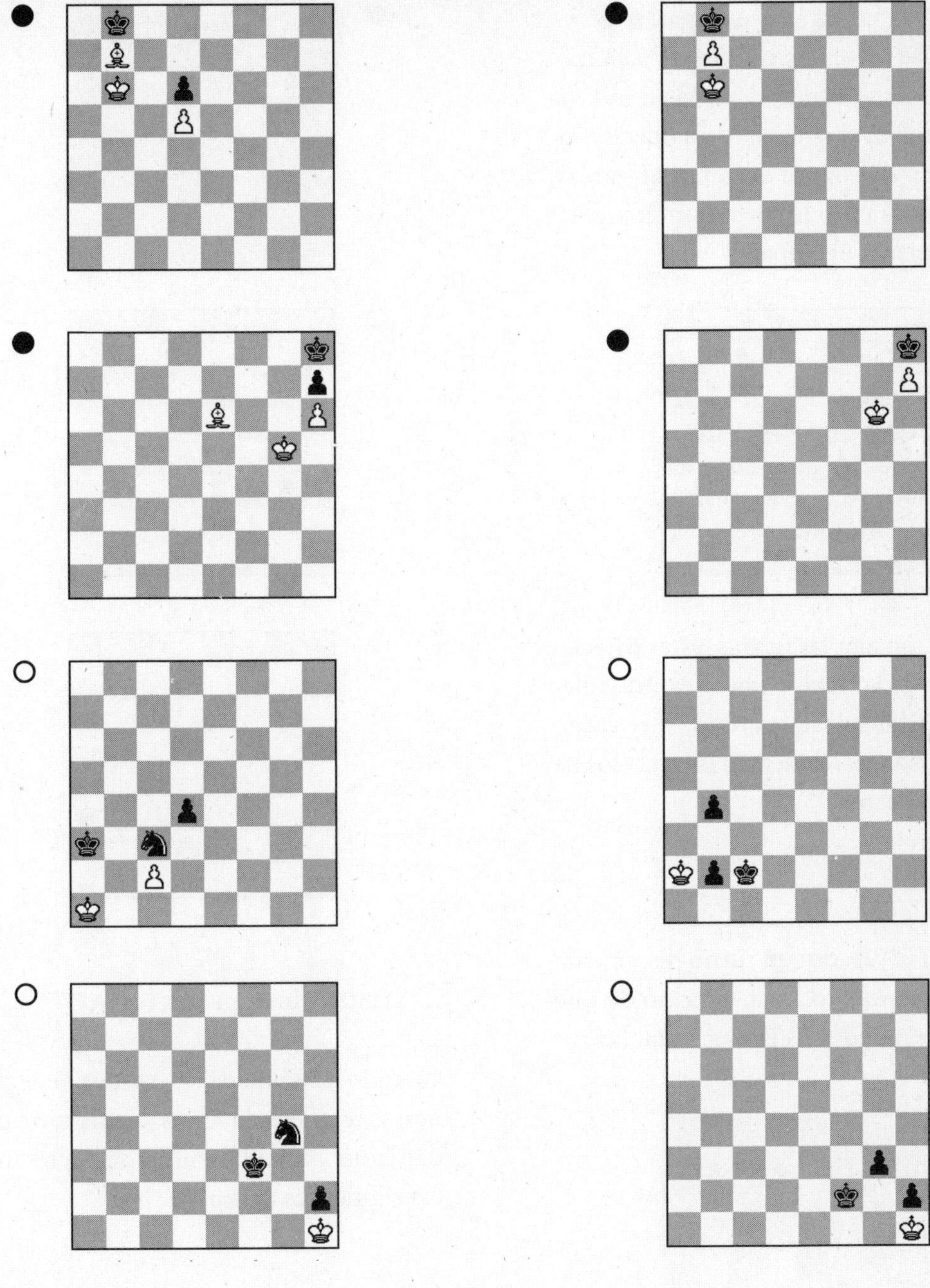

Aunque las tablas por «ahogado» generalmente se presentan con un rey solitario, en ocasiones el bando débil tiene todavía otras piezas en el tablero. Si no puede mover alguna de ellas se decretan las tablas, siempre y cuando le corresponda jugar a quien reclama el empate.

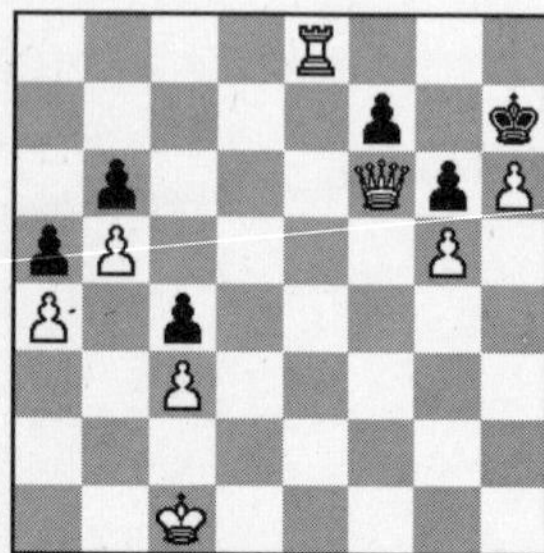

Si le toca jugar a las negras, éstas carecen de una jugada legal, y por lo tanto se decretan las tablas. En cambio, si el turno es de las blancas, tienen cuatro modos de dar jaque mate.

Ejercicios

Decide si el jugador en turno dispone de algún movimiento legal. En caso de que no sea así, puedes reclamar las tablas.

●

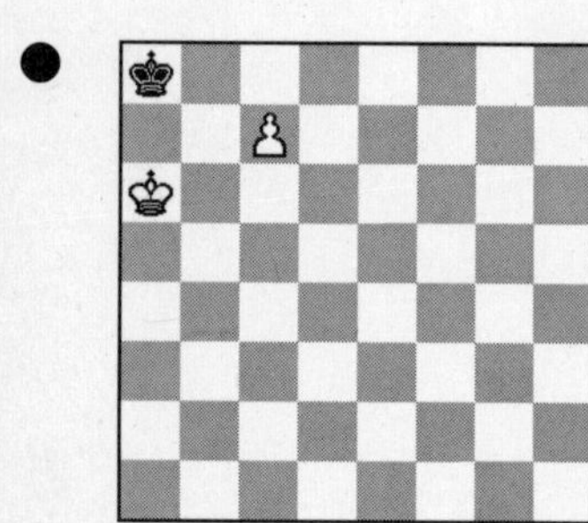

●

○

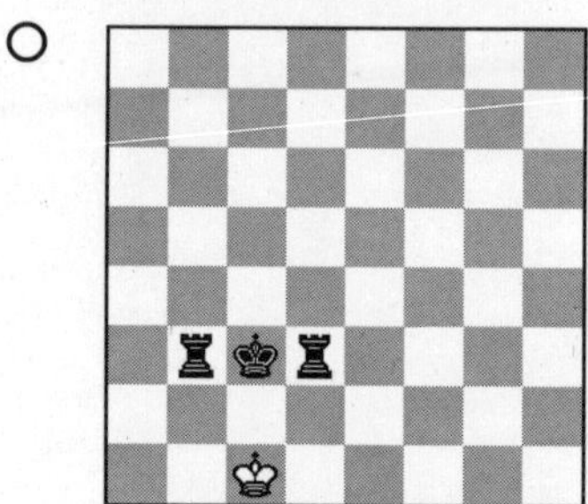

○

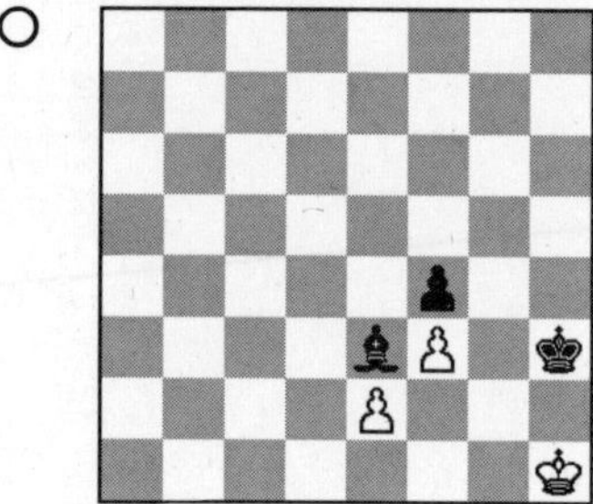

2. Insuficiencia material

Cuando ninguno de los bandos tiene peones, se requiere al menos de una torre para dar jaque mate. Las tablas se decretan en los siguientes casos:

Rey contra rey:

Rey y caballo contra rey:

Rey y alfil contra rey:

Rey y alfil contra rey y alfil del mismo color:

Los finales de una pieza contra otra del mismo valor, sin peones, se declaran tablas a menos que exista un método comprobable para ganar.

Ejercicios

Determina si las siguientes partidas deben declararse tablas por insuficiencia material.

Respuestas

Primer diagrama. No. El peón blanco tratará de coronar.
Segundo diagrama. Sí.
Tercer diagrama. Sí. Cuando están solos, caballo y rey nunca darán jaque mate.
Cuarto diagrama. No son tablas. Las negras están a punto de ganar.

Ejercicios

Ahora busca la manera de hacer tablas. En los dos primeros diagramas juega con las negras. En los dos últimos diagramas de esta serie mueve las blancas.

●

●

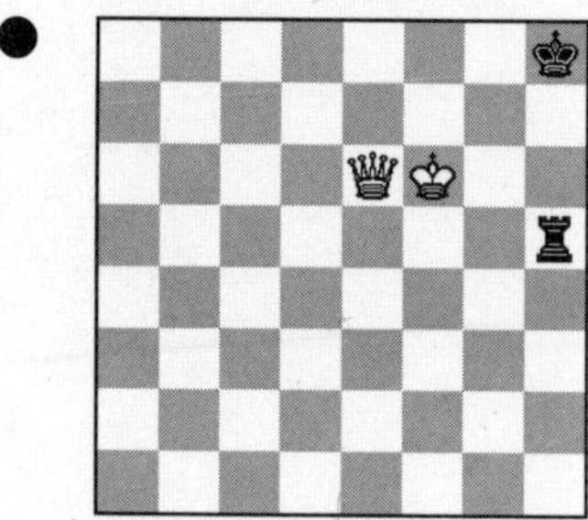

○

Respuestas

Primer diagrama. Elimina cuanto antes al peligroso peón blanco.
Segundo diagrama. Cambia tu torre por la dama.
Tercer diagrama. Da un jaque de caballo a rey y dama.
Cuarto diagrama. Entrega tu torre para forzar el rey «ahogado».

3. Regla de las 50 jugadas

Si han transcurrido 50 jugadas sin movimiento de peón ni captura de pieza, un ajedrecista puede reclamar las tablas.

Ningún bando puede mover sus peones y ambos reyes están confinados detrás de sus filas. Al cabo de 50 jugadas podrían decretarse legalmente las tablas; sin embargo, lo más probable es que esto ocurra antes, porque los adversarios se darán cuenta de que es imposible ganar la partida.

Ejercicios

Decide si se producirá una reclamación de tablas por la regla de las 50 jugadas.

4. La triple repetición

Es posible reclamar el empate cuando se repite por tercera vez una posición. El caso más frecuente es el llamado «jaque perpetuo», mediante el cual un jugador somete a su adversario a una serie de jaques de los que no es posible escapar.

En todos estos ejemplos, el rey que está en jaque sólo dispone de una casilla libre. Después de realizado ese movimiento, el atacante da un segundo jaque —en la casilla marcada con una X—, por lo que el rey queda obligado a volver a la situación anterior. Los jugadores podrían pasar la eternidad en esta situación. Por eso, tras la tercera repetición, se decretan las tablas.

Ejercicios

Decide si el jugador en turno puede de repetir sus movimientos en tres ocasiones.

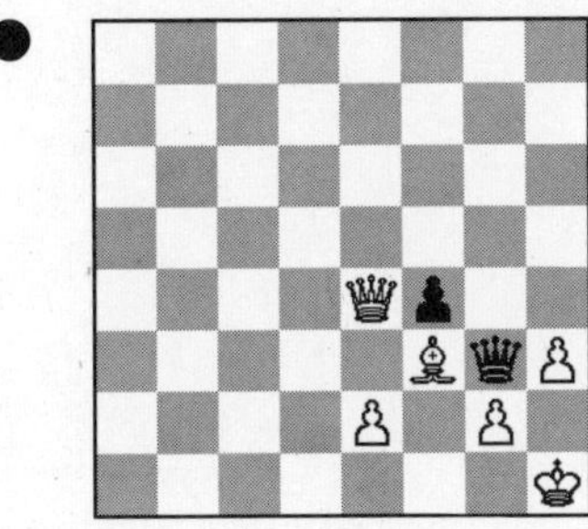

Respuestas

En los cuatro casos podemos «entablar», gracias al jaque perpetuo.

Primer caso. La dama da «jaque eterno», pero debes tener cuidado de no regalarla.
Segundo caso. Jaques con la torre. El rey negro no puede salir.
Tercer caso. Jaques con la torre, ya sea defendida por el alfil o por el peón.
Cuarto caso. Jaques con la dama.

Como puedes ver, en todos estos casos el jugador que se encontraba en inferioridad material buscó el empate.

5. Mutuo acuerdo

Un jugador puede proponer el empate, en cuyo caso el otro decidirá si acepta. Estas propuestas sólo deben realizarse cuando ambos jugadores se encuentran en una situación de equilibrio. Deben ser formuladas por el jugador a quien corresponde el turno. Está mal visto que se acuerden las tablas sin haber luchado antes o si las ofrece el jugador que se encuentra perdido.

Resumen

Las «tablas» (empate) pueden producirse por cualquiera de los siguientes motivos: imposibilidad de realizar un movimiento, insuficiencia material, regla de las 50 jugadas, triple repetición o mutuo acuerdo.

Cuestionario

1. Supongamos que sólo te queda el rey. ¿En cuál de estos casos puedes reclamar las tablas?
A) Si tu contrario tiene peón y rey.
B) Si tiene caballo y rey.
C) Si tiene torre y rey.

2. Si has perdido la dama y tu adversario conserva la suya, te encantaría:
A) Dar un jaque.
B) Comerte un alfil.
C) Que te ahoguen el rey.

3. Si sólo te queda el rey y tu contrincante tiene rey, alfil y peón, cuál preferirías comerte?
A) El alfil.
B) El peón.
C) Da igual.

4. Las tablas por triple repetición generalmente se producen:
A) Por tres jaques consecutivos.
B) Por tres jugadas con la misma pieza.
C) Por jaque perpetuo.

Respuestas

1. B
2. C
3. B
4. C

Capítulo IV
La notación

Cuando los ajedrecistas quisieron guardar un registro de las partidas que habían jugado, inventaron una forma de escritura que llamamos «notación». A partir de ahora, gracias a la notación, podrás reproducir las partidas de los mejores ajedrecistas del mundo, así como las tuyas.

1. El sistema algebraico largo

El tablero

Las columnas (líneas verticales) son identificadas con letras de la «a» hasta la «h»; las filas (lineas horizontales) reciben números del 1 al 8.

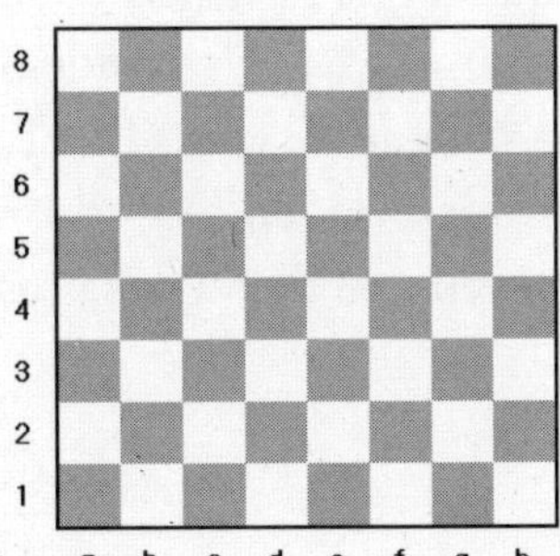

A manera de ejercicio, trata de localizar rápidamente la tercera fila. Luego la séptima y la octava. Haz lo mismo con las columnas. ¿Puedes ubicar de un vistazo la columna b o la columna f?

Una vez que te has familiarizado con las letras y los números, puedes comprender que cada casilla es un punto de confluencia entre una fila y una columna. Por lo tanto, cada escaque tiene una designación única y no es posible confundirlas.

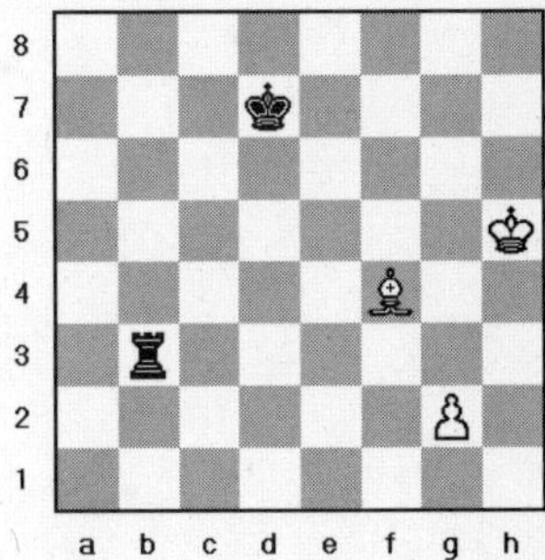

La torre negra se encuentra en la casilla b3 y el alfil blanco en f4. El rey blanco se halla en h5 y el rey negro en d7. Imagina que el peón blanco avanza desde g2 hasta g4.

A partir de ahora nuestros diagramas seguirán llevando números y letras en sus márgenes. Si tu tablero no los tiene, es conveniente que los anotes para facilitar la reproducción de las partidas. Con el paso del tiempo encontrarás muy sencilla la identificación de cada escaque.

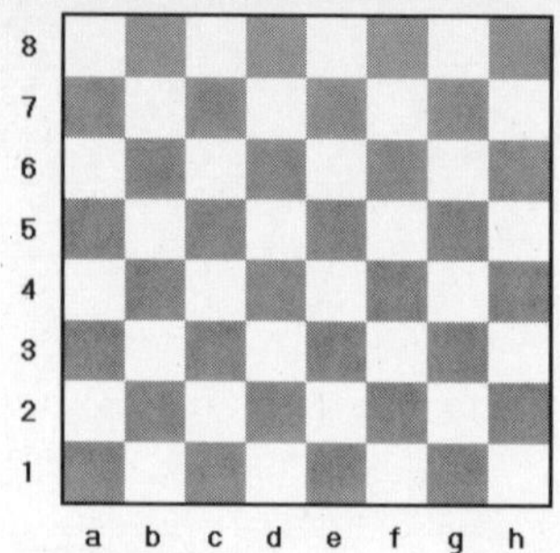

Las piezas

Cada una de las piezas se designa por medio de su letra inicial, empleando una mayúscula para diferenciarlas de las letras utilizadas para designar cada casilla. Los peones constituyen la excepción a esta regla, porque no se les asigna inicial.

Re6
(el rey está ubicado en la casilla e6)
Df4
Ta8
Ab4
Cd5
e4
(hay un peón en la casilla e4)

Ejercicios

En un tablero vacío, intenta visualizar las siguientes posiciones de mate.

1. Blancas: Rg1.
Negras: Rg3, Tb1.

2. Blancas: Rb6, Ae5, Ac6.
Negras: Ra8, Td8.

3. Blancas: Rf1, f2, Dg2.
Negras: Rc2, Dd1.

4. Blancas: Rf4, Ag4, Cg6.
Negras: Rh4.

Los movimientos

Para seguir el movimiento de cada pieza basta con anotar su inicial, seguida de la casilla donde se encontraba originalmente y del escaque al que ha llegado. Por ejemplo, al escribir «Cg1-f3», entendemos que un caballo salta desde la casilla g1 a la f3. Si las negras responden Dd8-d4, significa que mueven a su dama de la casilla d8 a la d4.

Ejercicio

Consigue un tablero, acomoda las piezas en su posición inicial y reproduce la siguiente partida. Hazlo despacio para que no te equivoques.

Recuerda que los peones no llevan inicial.

Blancas	Negras
1. e2-e4,	e7-e5
2. Cg1-f3,	f7-f6
3. Cf3xe5,	f6xe5
4. Dd1-h5,	Re8-e7
5. Dh5xe5,	

Tu tablero debe estar de la siguiente forma:

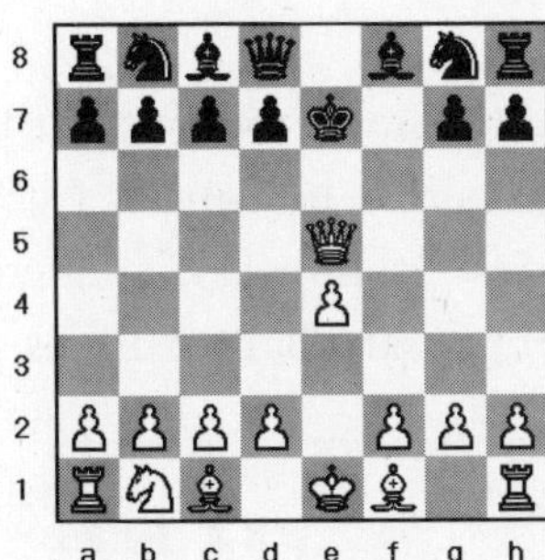

5. ... , Re7-f7
6. Af1-c4, Rf7-g6
7. De5-f5, Rg6-h6
8. d2-d4, g7-g5
9. h2-h4, Af8-e7
10. h4xg5, Rh6-g7
11. Df5-f7 (jaque mate).

Esta será tu posición final:

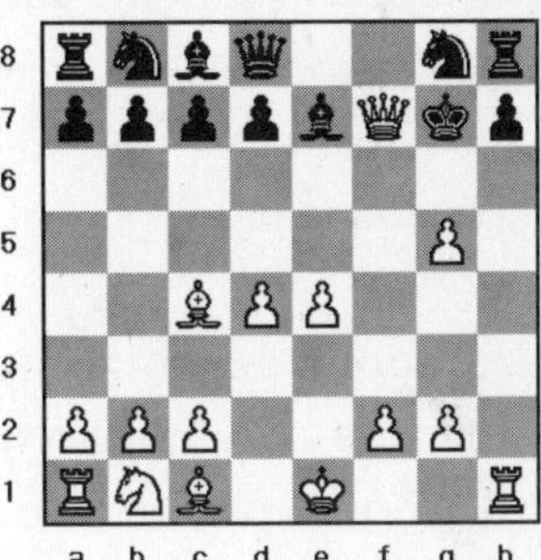

Signos complementarios

Enroque corto	0-0
Enroque largo	0-0-0
Las negras se rindieron	1-0
Las blancas se rindieron	0-1
Tablas (empate)	1/2 1/2
Coronación	= D
(o la pieza que ocupará el lugar del peón)	
Captura	x o :

La utilización de éste último signo es opcional. Algunos ajedrecistas anotan, por ejemplo, «8. Cc3xd5», y otros escriben «8. Cc3:d5»; pero muchos ni siquiera aclaran que se trata de una captura y escriben «8. Cc3-d5.»

Práctica

Para guardar correctamente el registro de una partida sólo necesitas conocer los signos que hemos mencionado. En una columna anota tus propias jugadas y en otra las de tu contrincante. Concluida la partida, reconstruye los movimientos y confirma que tu registro coincide con la forma en que se jugó.

Partidas comentadas

Pocas cosas proporcionan mayor placer a un ajedrecista que la reproducción y el estudio de una buena partida. De esa forma seguimos la evolución del ajedrez y conocemos los estilos de juego y las brillantes combinaciones de los grandes maestros.

Al comentar una partida, se utilizan algunos signos complementarios que nos ayudan a entender mejor el desarrollo de la misma.

Buena jugada	!
Jugada brillante	!!
Error	?
Error decisivo	??
Movimiento interesante	!?
Movimiento dudoso	?!
Jaque	+
Jaque mate	++

Términos habituales

Las siguientes son expresiones que se utilizan frecuentemente en el ajedrez:

Piezas mayores: damas y torres.
Piezas menores: alfiles y caballos.
Flanco de rey: la mitad del tablero, comprendida por las columnas e-f-g-h.

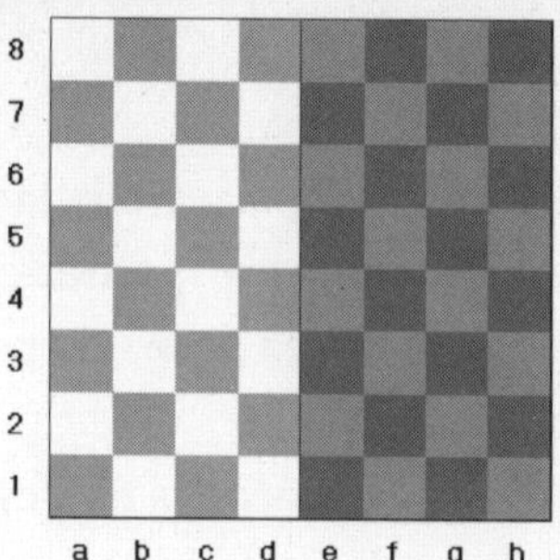

Flanco de dama: la mitad comprendida por las columnas a-b-c-d.

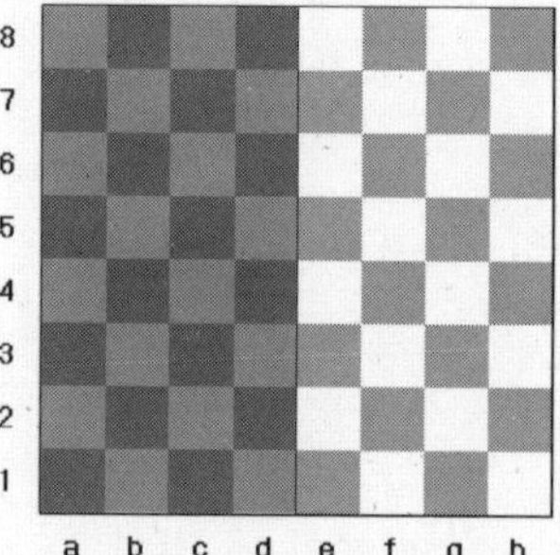

Calidad: diferencia de valor entre una torre (5) y un alfil o un caballo (3).
Fianchetto (se pronuncia «fianqueto»): esquema para desarrollar los alfiles.

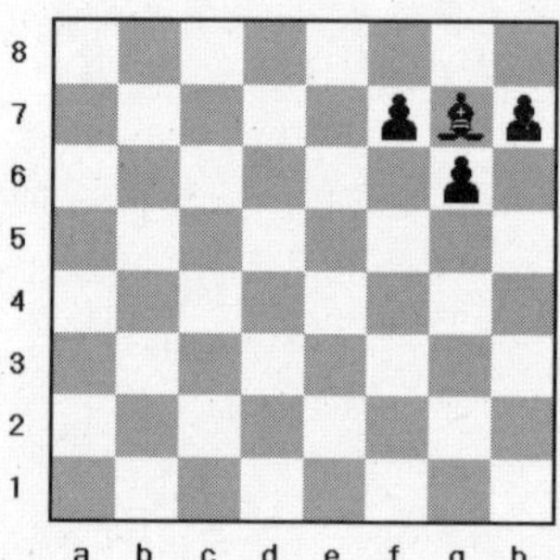

Reproduce las siguientes partidas en tu tablero:

Ejemplo 1

1. e2-e4,	e7-e5
2. Cg1-f3,	Cg8-f6
3. Cf3xe5,	Cf6xe4?
4. Dd1-e2,	Ce4-f6 ??
5. Ce5-c6 +!,	

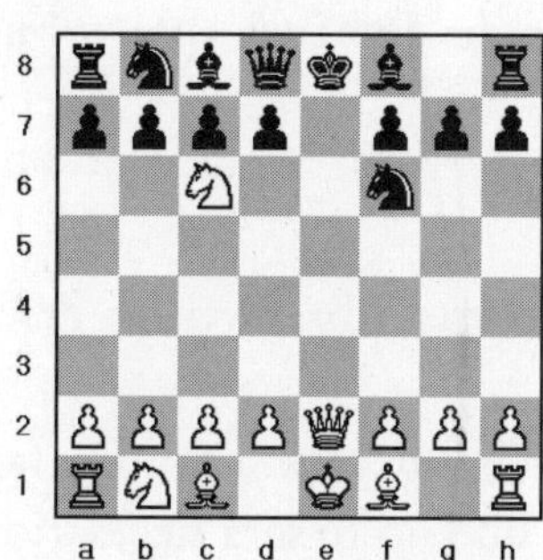

Jaque al descubierto. Las blancas dan jaque con su dama y al mismo tiempo atacan la dama negra con el caballo.

Ejemplo 2

1. d2-d4,	Cg8-f6
2. Cb1-d2,	e7-e5 !?
3. d4xe5,	Cf6-g4
4. h2-h3 ??,	Cg4-e3
5. f2xe3?,	Dd8-h4 +
6. g2-g3,	Dh4xg3 ++

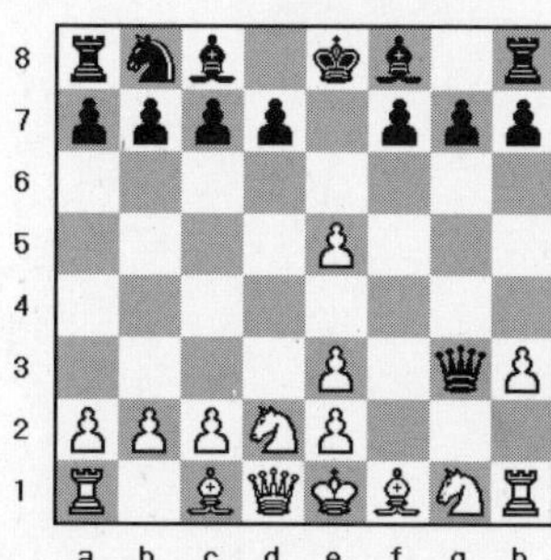

Esto nos recuerda el Mate del Loco:

Ejemplo 3

1. e2-e4,	e7-e5
2. Cg1-f3,	Cb8-c6
3. Af1-b5,	Cc6-d4
4. Ab5-c4,	Af8-c5
5. Ce3xe5?,	Dd8-g5!
6. Ce5xf7?,	Dg5xg2
7. Th1-f1,	Dg2xe4+
8. Ac4-e2,	Cd4-f3++

Un tema de mate ahogado:

Ejemplo 4

1. e2-e4,	e7-e5
2. Cg1-f3,	d7-d6
3. Af1-c4,	Ac8-g4
4. Cb1-c3,	a7-a6?
5. Cf3xe5!,	Ag4xd1??
6. Ac4xf7+,	Re8-d7
7. Cc3-d5++	

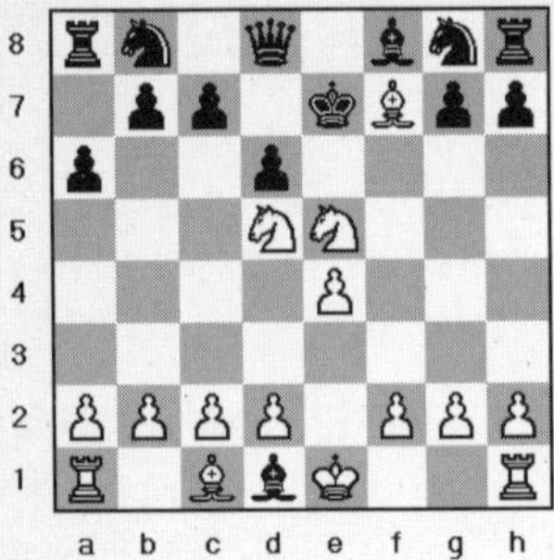

Ejemplo 5

1. e2-e4,	e7-e5
2. Cg1-f3,	d7-d6
3. d2-d4,	f7-f5
4. d4xe5,	f5xe4
5. Cf3-g5,	d6-d5
6. Cb1-c3,	Af8-b4
7. e5-e6,	Ab4xc3+?
8. b2xc3,	Cg8-h6
9. Dd1-h5+,	Re8-f8
10. Ac1-a3+,	Rf8-g8
11. Dh5-f7+!,	Ch6xf7
12. e6xf7++	

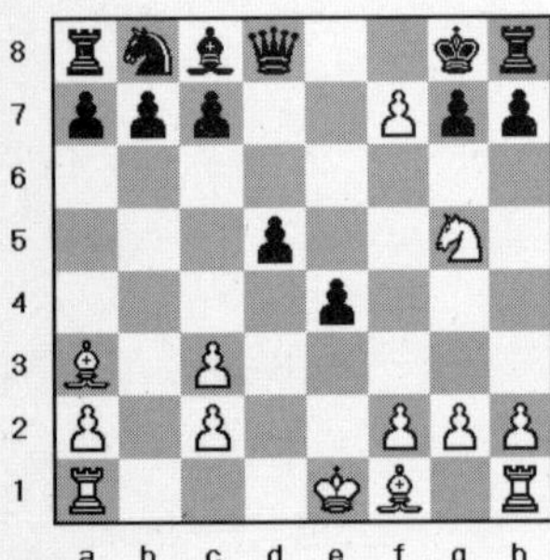

Las blancas entregaron la dama con tal de dar jaque mate.

Los ejemplos anteriores no fueron tomados de grandes partidas. De hecho, corresponden a lo que llamamos «celadas en las aperturas», es decir, trampas en las que caen los incautos a consecuencia de un grave error. La mayoría de las celadas se evitan cuando ponemos en práctica los principios de apertura que expusimos anteriormente.

2. El sistema algebraico corto

Con la práctica llegarás a conocer tan bien el tablero que no te será necesario escribir la casilla donde se encuentra una pieza al iniciar su movimiento porque la podrás deducir. De ahí que muchos jugadores prefieran el sistema algebraico corto o abreviado. La mayoría de los libros de ajedrez utilizan este sistema de notación.

Algebraico largo	Algebraico corto
• e2-e4,	e4
• Cg1-f3,	Cf3
• Af1-c4,	Ac4
• 0-0,	0-0
• d2-d3,	d3

• Dd1-e4 De4

• Re1-e2 Re2

Ambos métodos son correctos.

3. El sistema descriptivo

Existe un sistema de notación antiguo, conocido como «notación descriptiva». En el pasado, muchos libros fueron escritos con este método.

Algebraico largo	Sistema descriptivo
1. e2-e4, e7-e5	1. P4R, P4R
2. f2-f4, e5xf4	2. P4AR, PXP
3. Cg1-f3, g7-g5	3.C3AR, P4CR
4. Af1-c4, g5-g4	4. A4A, P5C
5. 0-0, g4xf3	5. 0-0, PXC
6. Ac4xf7+,Re8xf7	6. AXP+,RXA
7. Dd1xf3,	7. DXP,

Aunque el sistema descriptivo ya no se utiliza, sobrevive en nuestros días de la misma forma en que lo hacen las palabras de una lengua muerta en un idioma moderno. Cuando decimos, por ejemplo, «avanzó el peón de rey» o «jugó alfil por caballo», empleamos ese léxico de antaño.

Una vez que hemos expuesto los diferentes sistemas de notación, seguiremos utilizando el sistema algebraico largo en este curso. También es necesario señalar que, en ocasiones, en lugar de las iniciales de cada pieza se utiliza el figurín correspondiente.

Cuestionario

1. ¿Con qué jugada pueden empezar legalmente las blancas?
A) Cg1-f4.
B) Af1-d3.
C) c2-c4.

2. Un modo habitual de abrir es:
A) 1. Cg1-h3, b7-b5.
B) 1. e2- e4, e7-e5.
C) 1. e2-e3, d7-d6.

3. Al ver el movimiento «30. ..., e2-e1 =D», sabrías a ciencia cierta que en su trigésima jugada:
A) Las blancas retrocedieron un peón.
B) Las negras coronaron y pidieron una dama.
C) Las blancas intentaron coronar.

4. Si un jugador anota entre sus jugadas «0-0», y poco después «0-0-0», supondrías que:
A) Le gusta mucho enrocarse.
B) Infringió el reglamento.
C) Le fascinan los ceros.

5. Cuando se habla de «el flanco de dama», se trata de las columnas que van:
A) Desde la a hasta la d.
b) Desde la d hasta la h.

c) Desde la c hasta la f.

6. Si un jugador gana la «calidad» es porque:
a) Obtuvo una torre a cambio de un alfil o un caballo.
b) Obtuvo una torre a cambio de su dama.
c) Juega mucho mejor que su adversario.

7. Actualmente, la mayoría de los libros de ajedrez están escritos con el sistema:
a) Algebraico largo.
b) Algebraico corto.
c) Descriptivo.

8. Cuando se menciona el «peón de rey» sabes que se refiere:
a) Al peón en la columna f.
b) Al peón en la columna d.
c) Al peón en la columna e.

Respuestas:

1. c
2. b
3. b
4. b
5. a
6. a
7. b
8. c

Capítulo V

Mates elementales

Recuerda que ninguna pieza puede dar jaque mate sin la colaboración u obstrucción de otras piezas. Por este motivo, para dar jaque mate a un rey que se encuentra solo se requiere de un plan.

1. Plan de mate con rey y dama

Se trata de un jaque mate relativamente sencillo, siempre y cuando pongas en práctica los siguientes pasos:

1. Debes estrechar el cerco al rey enemigo.
2. Intenta conducirlo hacia una de las orillas del tablero.
3. Acerca a tu rey para que colabore en el mate.
4. No permitas que se llegue a una posición de tablas por rey ahogado. Vigila que le quede al menos una casilla libre al rey del adversario.

Sobre este último punto conviene que recuerdes las dos posiciones más comunes de rey ahogado.

Si el turno corresponde a las blancas dan jaque mate con 1. Dd6-c7. Pero si corresponde a las negras, éstas reclaman las tablas por rey ahogado.

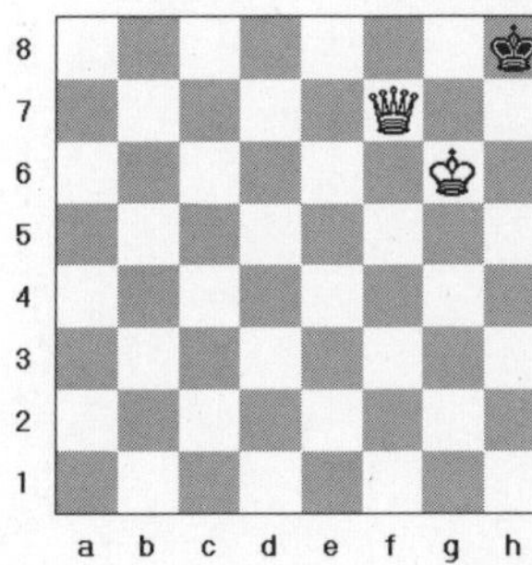

Si toca jugar a las blancas, disponen de cuatro maneras de dar mate en una jugada.

Pero si es el turno de las negras, hay tablas por rey ahogado.

Veamos ahora como ejecutar un plan ganador:

1. Dd4-b6+,

Con este movimiento limitamos al rey negro a las dos últimas filas, de las que no ha de salir.

1. ...,		Re6-e7
2.	Db6-c6,	Re7-f7
3.	Dc6-d6,	

Cada jugada que realizan las blancas reduce el espacio del rey negro.

3. ...,		Rf7-g7
4.	Dd6, e6,	Rg7, f8
5.	De6-d7!,	

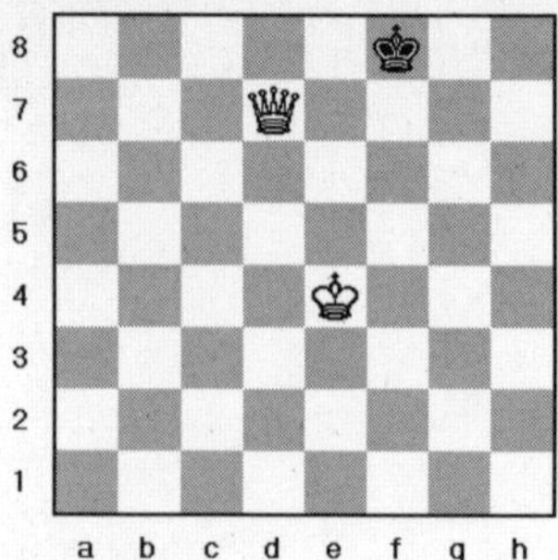

En cuanto es posible, las blancas contienen al rey negro en su última fila. En este punto, sólo es necesario acercar al rey blanco para que apoye en el jaque mate.

5.	...,	Rf8-g8
6.	Re4-f5,	Rg8-f8
7.	Rf5-g6,	Rf8-g8
8.	Dd7-g7++	

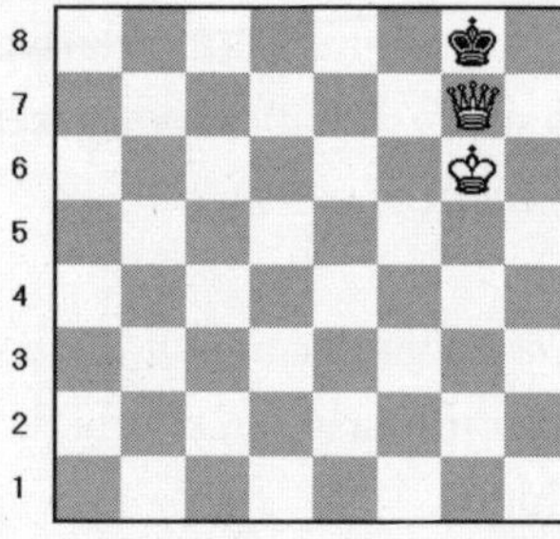

2. Plan de mate con torre y rey

Debes seguir los lineamientos del mate de dama: en primer término, estrechar el cerco al rey fugitivo para limitarlo a una orilla del tablero; además, avanzar tu rey para que colabore en el jaque mate.

Sin embargo, existen otras dos condiciones que es necesario tomar en cuenta:

A) Sólo se da el jaque mate cuando el rey del bando fuerte cubre las casillas de escape de su rival. Esto no es estrictamente necesario cuando el rey fugitivo se encuentra en una esquina. En ese caso, el rey atacante puede hallarse frente a él o a salto de caballo.

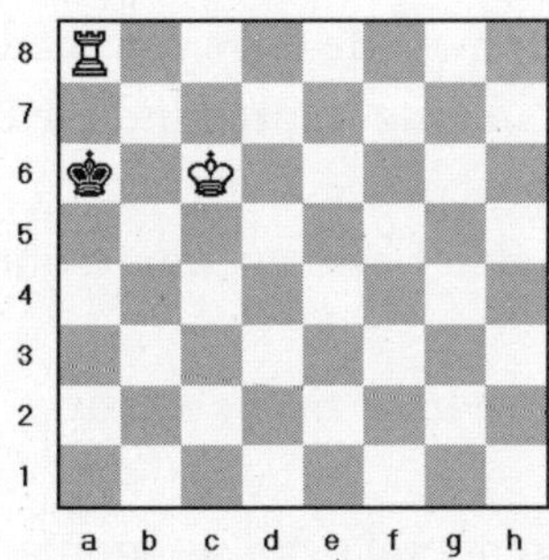

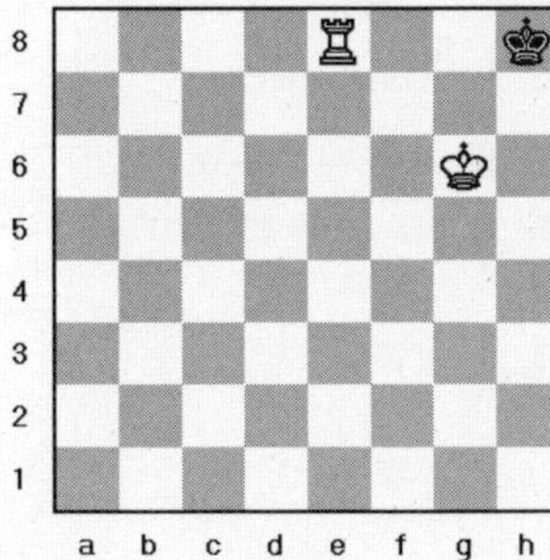

B) En ocasiones habrá que realizar una jugada de espera, para obligar a que el rey enemigo se ubique frente a nuestro rey.

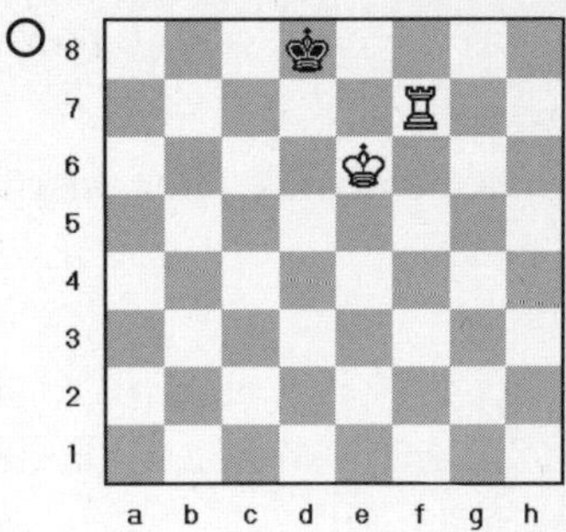

Las blancas juegan 1. Tf7-h7. Si el rey negro se mueve a la casilla e8, corre el peligro de que le den un jaque mate si la torre blanca avanza a h8. Por lo tanto, debe jugar 1. ..., Rd8-c8, a lo que las blancas responderían 2. Re6-d6. Esta jugada hace que el rey negro trate de huir:

2. ...,	Rc8-b8
3. Rd6-c6,	Rb8-a8
4. Rc6-b6,	Ra8-b8

Las blancas dan mate:

5. Th7-h8++

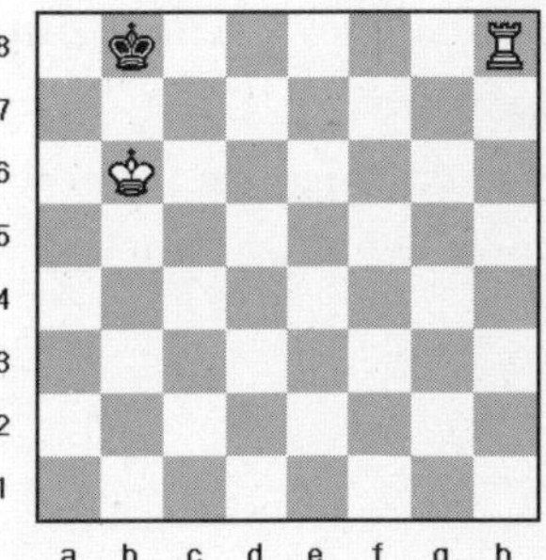

Resumen

1. Los mates elementales nos enseñan a trazar un plan.

2. Con dama y rey se acorrala al rey fugitivo y se le da mate en una orilla del tablero.

3. Con torre y rey el procedimiento es similar, pero generalmente es preciso que un rey quede frente al otro.

4. En ambos casos debes tener cuidado de no ahogar al rey fugitivo.

Práctica

Te será imprescindible practicar estos mates hasta dominarlos por completo y evitar las tablas por rey ahogado.

Cuestionario

1. En el mate de rey y dama contra rey es más importante:
A) Darle muchos jaques.
B) Darle mate en pocas jugadas.
C) Evitar la posición de rey ahogado.

2. Además del ahogado, el rey fugitivo tiene una tenue esperanza de tablas si transcurren:
A) 50 jugadas sin captura de peón ni movimiento de pieza.
B) 30 jugadas sin jaque
C) 20 jugadas sin mate.

3. Para dar mate de torre y rey contra rey es prácticamente imprescindible que:
A) La torre acorrale al rey.
B) El rey débil esté en una esquina del tablero.
C) Un rey se halle frente al otro.

4. Si pretende alargar su agonía, el rey fugitivo tratará de:
A) Escapar de los jaques.
B) Huir hacia el centro.
C) Refugiarse en una esquina.

Respuestas

1. C
2. A
3. C
4. B

Breve historia del ajedrez

Los orígenes del ajedrez se remontan a China, desde por lo menos mil años antes de Cristo. Al darse a conocer en otras partes de Asia, el tablero y las piezas sufrieron modificaciones. En Japón, Malasia, Corea y la propia China se practican todavía variedades autóctonas del juego.

Hacia el siglo VI d.C; la modalidad del ajedrez conocida como *chaturanga* alcanzó un alto grado de desarrollo en Persia y el norte de la India. Sus piezas eran similares a las actuales. Las torres representaban carros de guerra; los caballos, tropas de caballería; los alfiles, elefantes de combate; y los peones, soldados de infantería. La pieza que hoy conocemos como la dama simbolizaba a un ministro o consejero del rey.

Llevado por los musulmanes, el ajedrez se difundió por el norte de África hasta entrar a la Península ibérica, donde lo practicaron españoles, judíos y árabes. Ya para entonces su reglamento se parecía al actual. A los manuscritos árabes se añadió el primer libro europeo del tema, escrito por el rey español, Alfonso el Sabio.

Segunda parte
Consejos tácticos

Capítulo VI

¿Qué hacer después?

Entre la apertura y el final,
los dioses han puesto el medio juego.
S. Tarrasch

Aunque ya tienes una idea general de la manera en que puedes desarrollar tus piezas y enrocar, sin duda te ocurre un hecho curioso. Concluida la apertura, no sabes qué hacer. Ves un mar de piezas sobre el tablero y te sientes extraviado. Seguramente te preguntas si debes considerar todos y cada uno de los movimientos de tu adversario. La respuesta es negativa; esa es una tarea para las computadoras. Los seres humanos aprendemos a razonar por medio de ejemplos magistrales.

Nunca perdamos de vista que para ganar una partida de ajedrez los objetivos más importantes son:

1. Dar jaque mate.
2. Ganar material (piezas y peones).
3. Crear y ejecutar amenazas.

Tanto las amenazas como la ganancia de material apuntan hacia el primer objetivo. Si un jugador lleva dama y dos torres de ventaja, lo más probable es que alcance la victoria porque su ventaja material, bien empleada, redundará en jaque mate.

Es importante saber cómo y cuando atacar al rey de tu adversario. Para ello debes conocer muchas posiciones típicas. En esta parte del curso analizaremos algunas de ellas, así como ciertos temas de combinación y otros recursos adicionales. El gran tema táctico es, por supuesto, el jaque mate. Aunque ya hemos visto algunos ejemplos, es necesario que te ejercites continuamente en la búsqueda de soluciones.

1. Mates en una jugada

Empecemos por la búsqueda del mate en una jugada.

Ejercicios

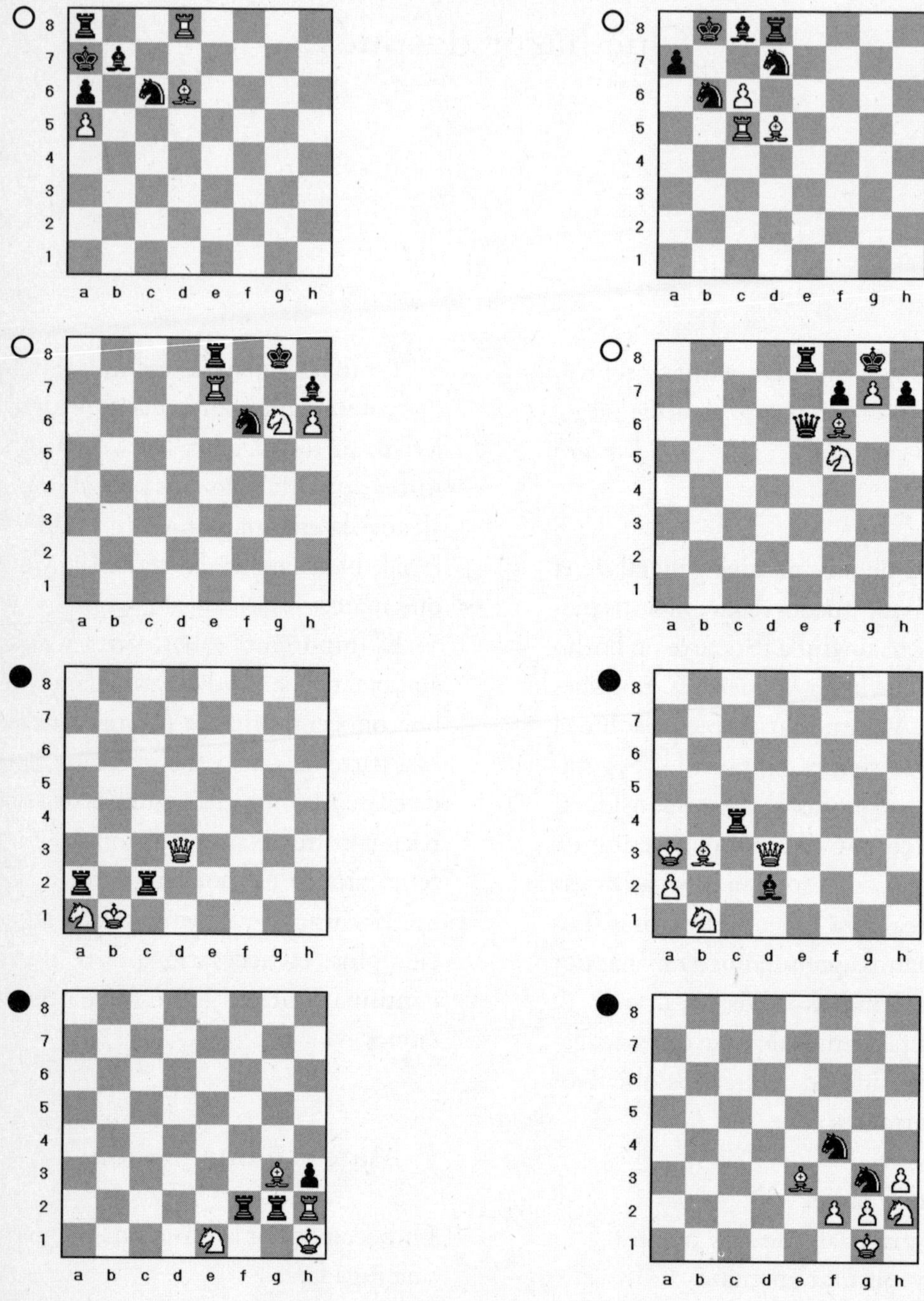

2. Mates en dos jugadas

Ahora trata de encontrar el mate en dos jugadas. Para facilitar la tarea, todas las soluciones empiezan con jaque.

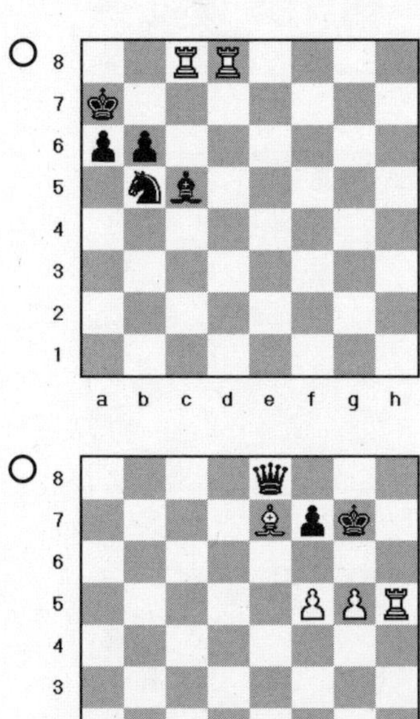

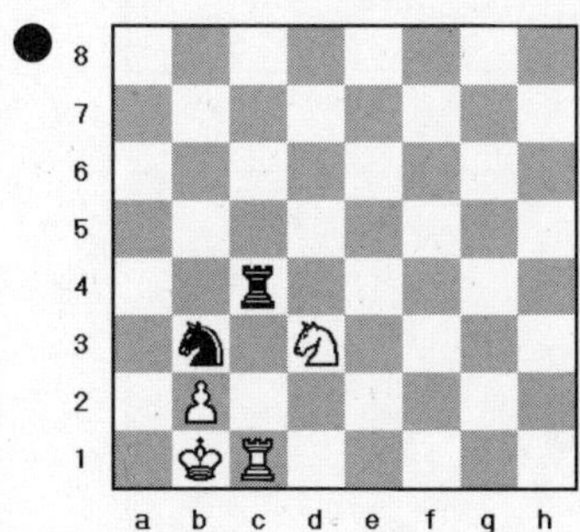

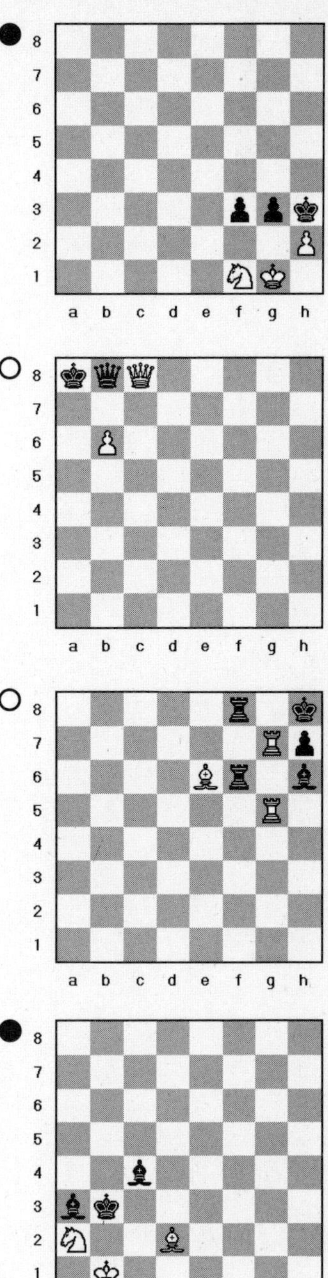

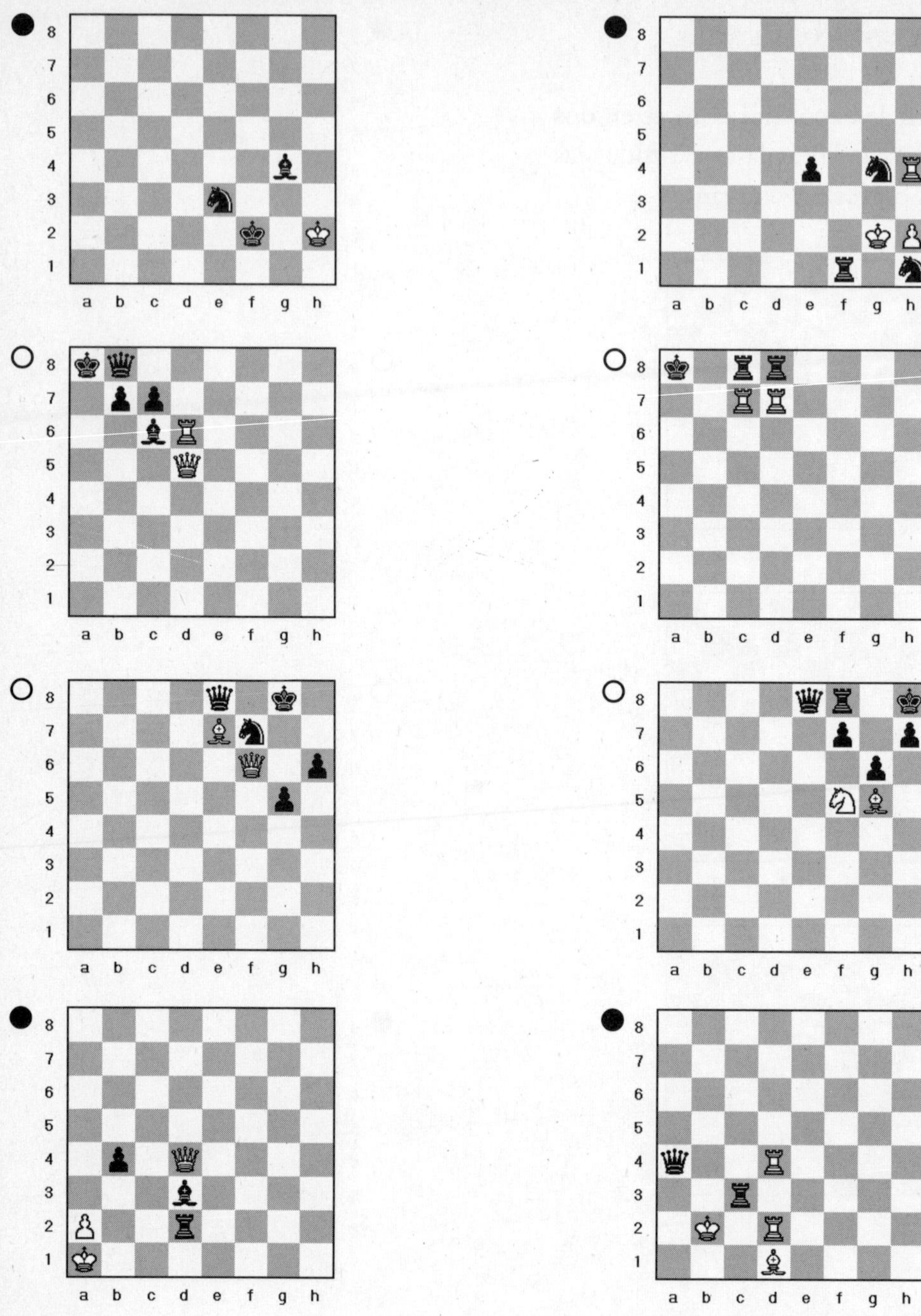

Capítulo VII

Algunos temas de combinación

¿Qué hacer cuando no hay jaque mate a la vista? Una buena idea sería «comerte» las piezas de tu rival. Para este fin, el método rudimentario consiste en atacar directamente una pieza y, si el adversario no la mueve, capturarla. Esto funciona muy bien cuando tu adversario es un principiante, pero a medida que te enfrentes con mejores ajedrecistas verás que ellos no dejan sus piezas «bobas», sino que las retiran o defienden.

Afortunadamente existen varios temas tácticos que nos permiten encubrir nuestras amenazas. Estos patrones pueden presentarse solos o combinados.

1. Los «rayos equis».
2. La «clavada».
3. El ataque doble sencillo.
4. El ataque doble con jaque.
5. Ataque al defensor y piezas sobrecargadas.
6. El jaque al descubierto.
7. El jaque doble.
8. La jugada intermedia.
9. El encierro de pieza.
10. La coronación.
11. Las amenazas.
12. Las redes de mate.

1. Los «rayos equis»

Se trata de un jaque al rey que lo obliga a moverse, dejando sin protección la pieza que se encuentra detrás de él. La dama, la torre y el alfil son las piezas que pueden atacar «con rayos equis».

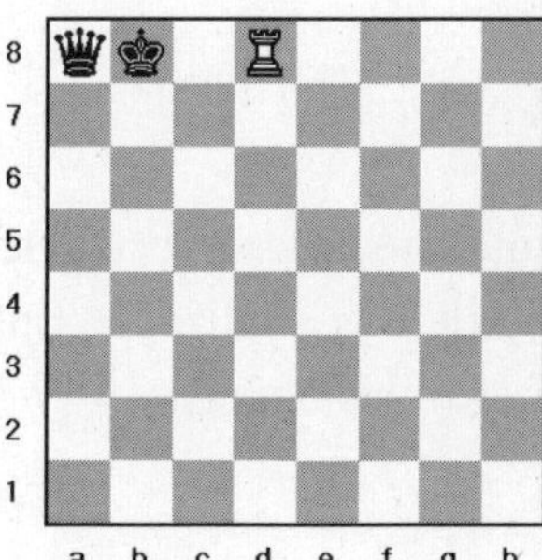

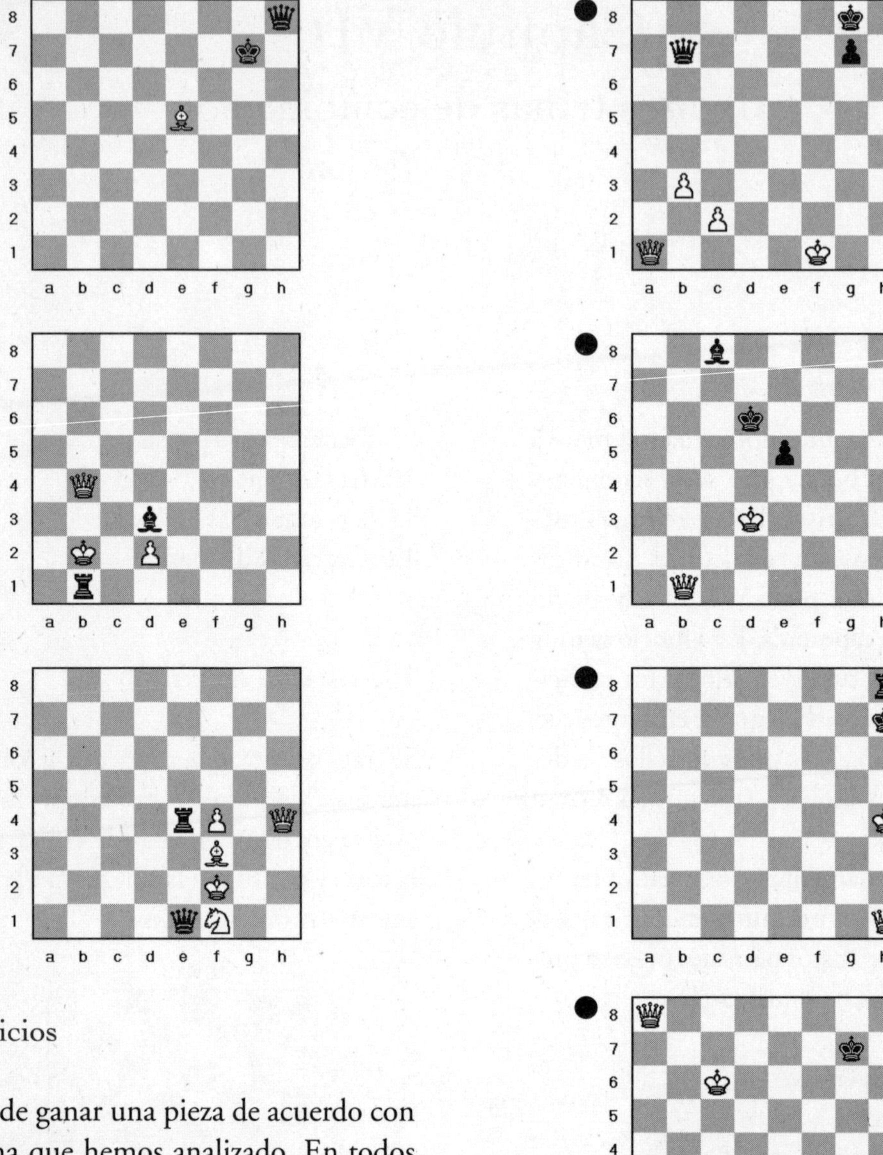

Ejercicios

Trata de ganar una pieza de acuerdo con el tema que hemos analizado. En todos los casos juegan las negras.

2. La «clavada»

Es frecuente que una pieza quede sujeta a la defensa de su rey, sin posibilidad de moverse porque dejaría en jaque al monarca. En estos casos decimos que la pieza se encuentra «clavada». El tema se parece un poco al de «rayos equis». La diferencia radica en que la pieza clavada se encuentra adelante del rey, mientras que la pieza desprotegida en los «rayos equis» se localiza detrás de éste.

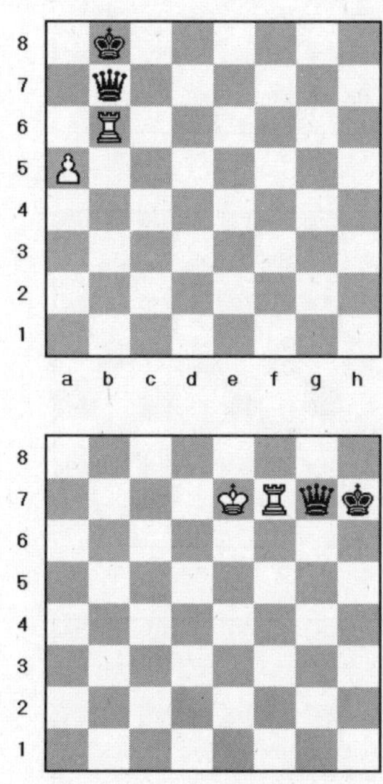

En cada caso, la torre amenaza a la dama negra, que se encuentra clavada. El jugador que lleva las negras seguramente desearía mover la dama, pero no puede hacerlo porque dejaría a su rey en jaque. Tendrá que cambiarla por la torre.

Las clavadas sirven para ganar piezas sujetas a la defensa de su rey. En ocasiones las capturamos directamente, pero también podemos incrementar la presión sobre la pieza clavada con un segundo atacante, como ocurre en los siguientes ejemplos:

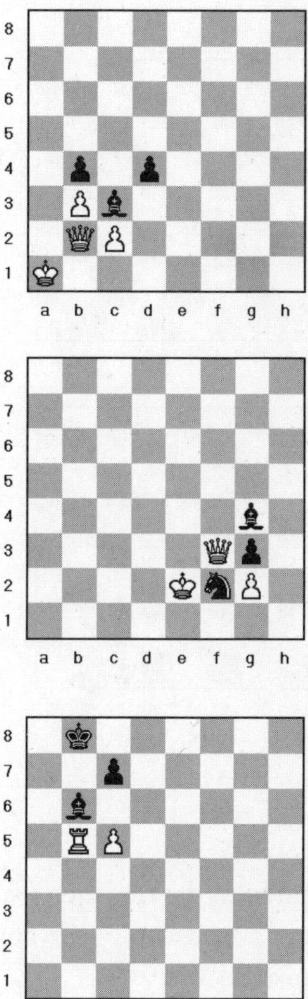

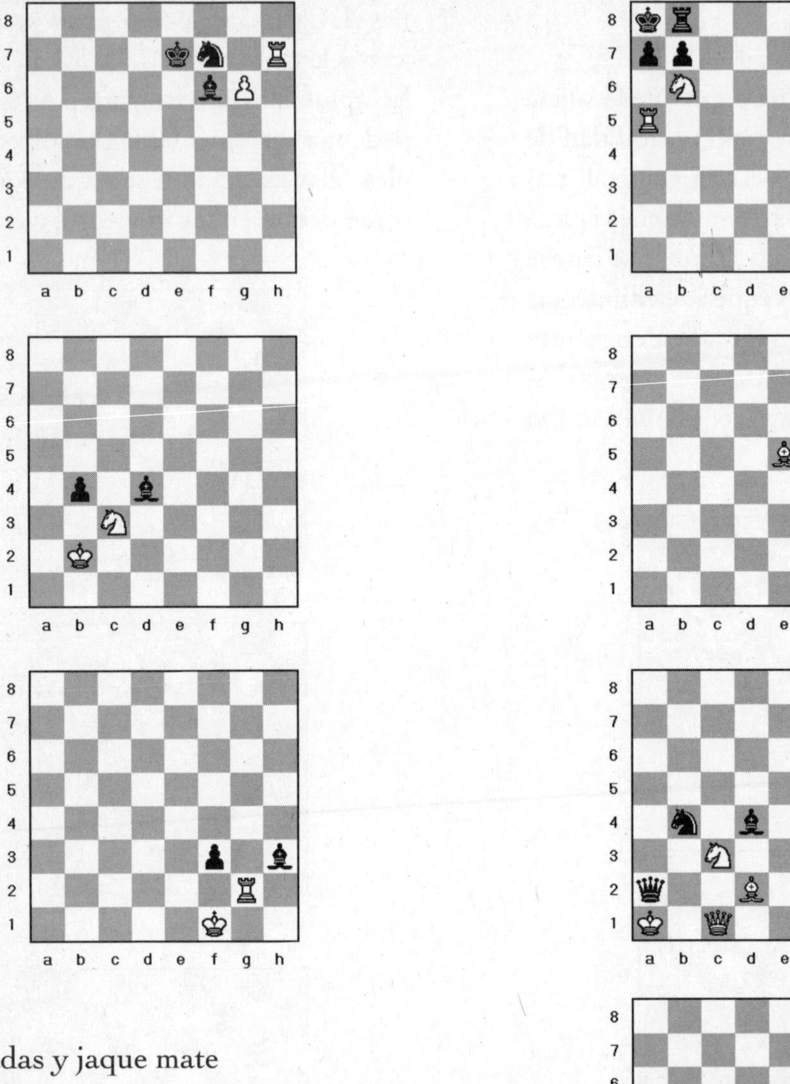

Clavadas y jaque mate

A veces logramos dar un jaque mate porque la pieza clavada no puede colaborar en la defensa de su rey.

Ejercicios

En los diagramas que incluimos a continuación toca el turno a las blancas. Intenta dar mate o ganar la dama negra con ayuda de una clavada.

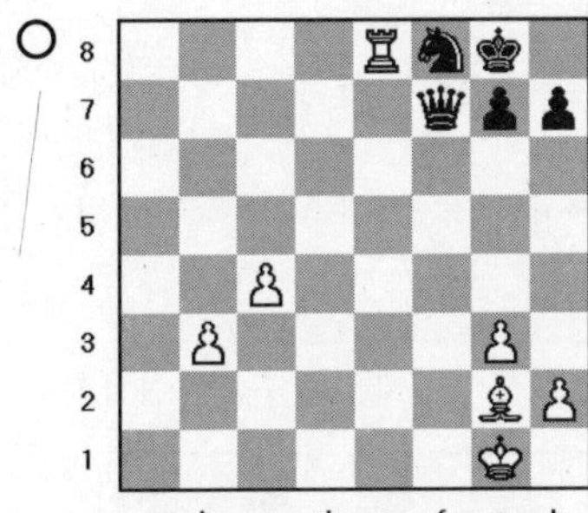

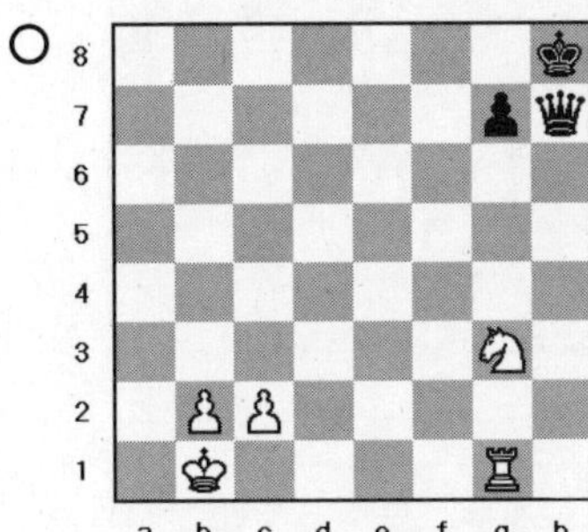

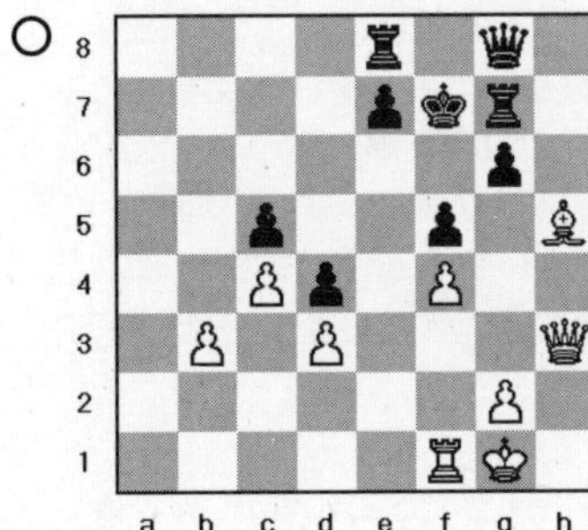

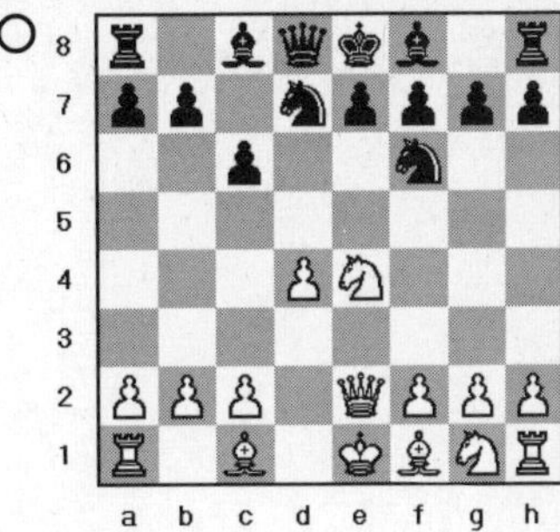

Respuestas

Primer diagrama. 1. Ag2-d5. El alfil ataca a la dama. El caballo no puede moverse porque también está clavado.

Segundo diagrama. 1. Tg1-h1. La torre inmoviliza a la dama; el caballo defiende a la torre.

Tercer diagrama. 1. Dh3xf5++. La dama blanca captura el peón frente al rey con jaque mate. El peón no puede moverse porque está clavado.

Cuarto diagrama. 1. Ce4-d6++. El caballo blanco se planta frente al caballo de dama negro dando jaque mate. El peón no puede capturarlo porque la dama blanca lo clava a la defensa de su rey.

Piezas clavadas por defender a la dama

Como la dama es muy valiosa, otras piezas pueden quedar clavadas cuando la defienden. De nueva cuenta, si incrementamos la presión sobre la pieza clavada, ésta puede perderse.

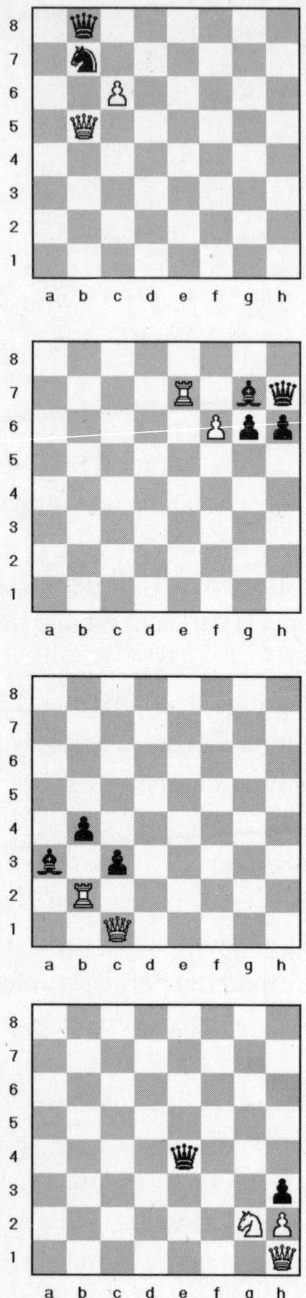

Ejercicios

Redobla el ataque sobre las piezas clavadas.

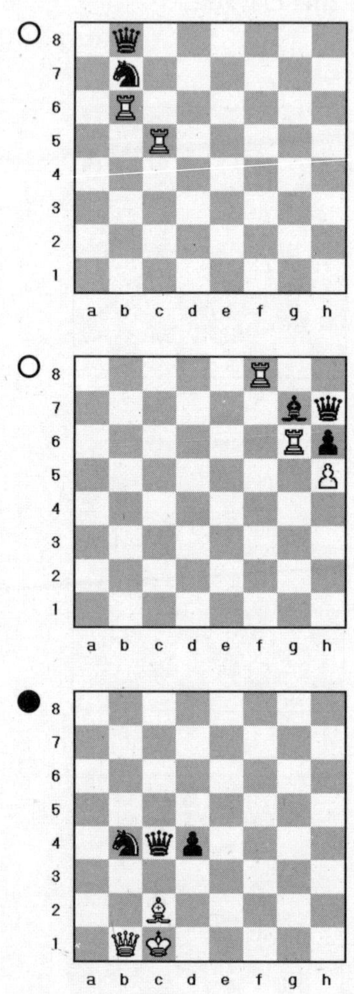

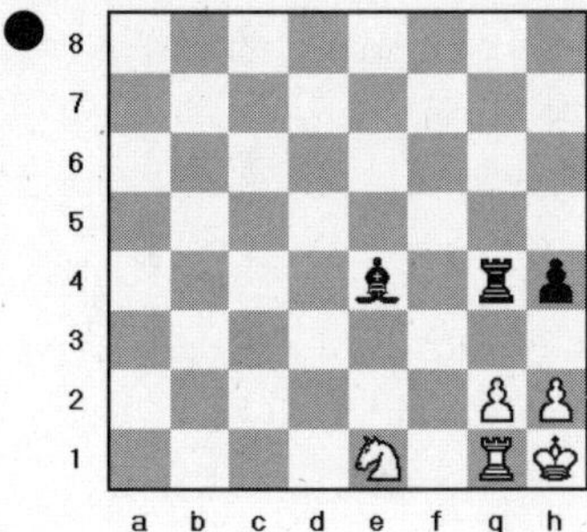

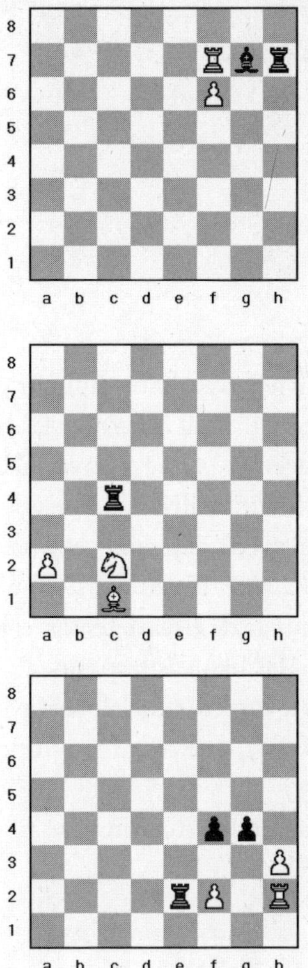

Respuestas

Primer diagrama. 1. Tc5-b5.
Segundo diagrama. 1. Tf8-f7.
Tercer diagrama. 1. ..., d4-d3.
Cuarto diagrama. 1. ..., h4-h3.

Clavadas sobre otras piezas

Es cierto que las clavadas al rey o a la dama son muy fuertes, pero cualquier pieza puede quedar clavada.

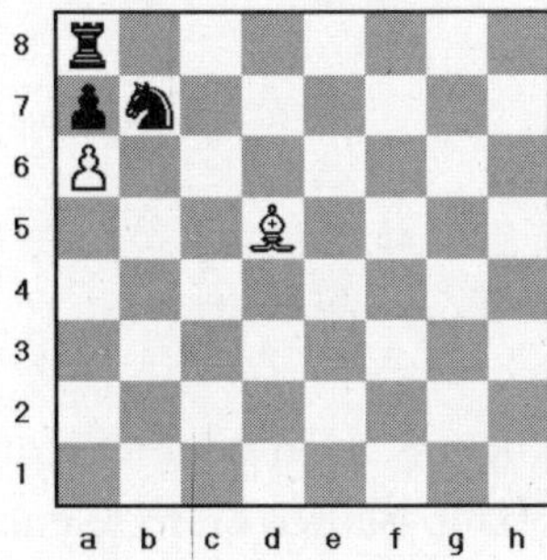

Clavadas en las columnas abiertas

En las partidas disputadas por jugadores principiantes abundan las clavadas de torre por las columnas abiertas.

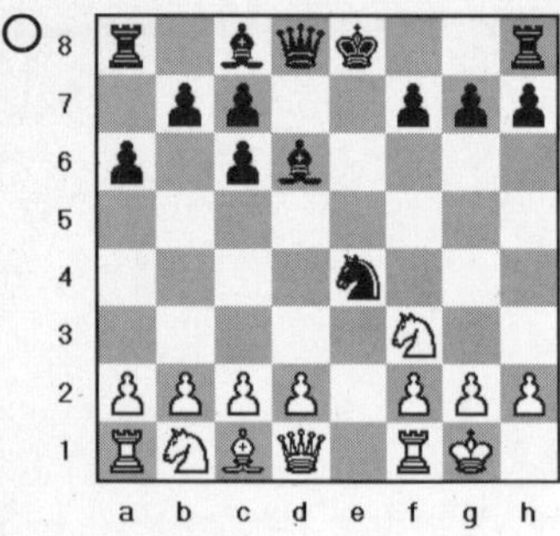

El caballo negro acaba de capturar un peón blanco en e4. Toca el turno a las blancas, que mueven 1. Tf1-e1 y clavan al caballo; es decir, lo inmovilizan. Las negras tienen tres maneras de defender esa pieza: 1. ..., f7-f5; 1. ..., Ac8-f5; y 1. ..., Dd8-e7. Contra cualquiera de estas defensas, el jugador que lleva las blancas responde 2. d2-d3, con lo que incrementa la presión sobre la pieza clavada, que termina por perderse.

Clavadas en las diagonales

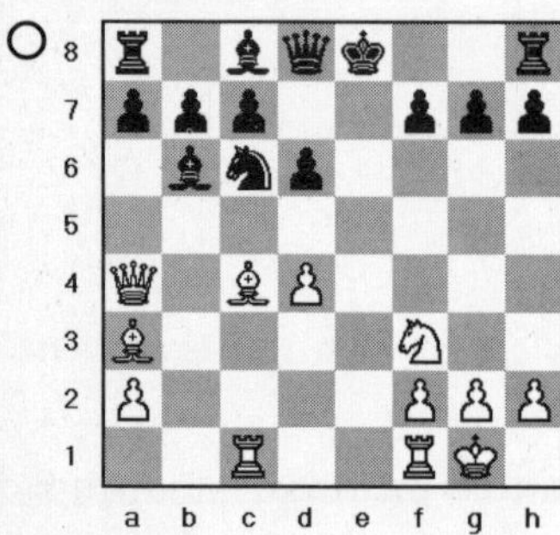

Nuevamente corresponde el turno a las blancas. El caballo negro en c6 está clavado por la dama blanca en a4. Como no puede moverse, las blancas incrementan la presión mediante 1. d4-d5, y el caballo se pierde.

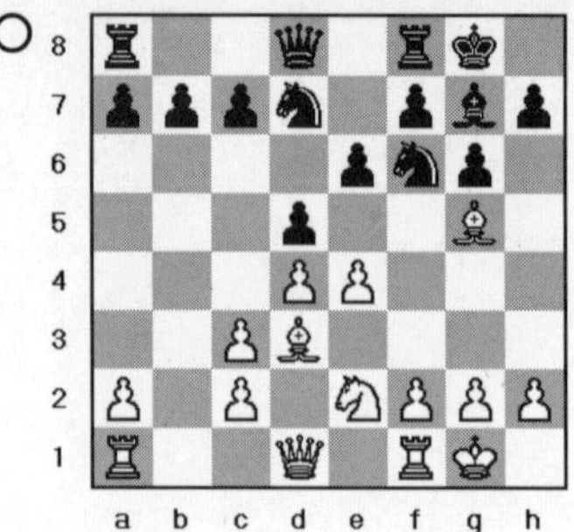

Juegan las blancas. El alfil blanco en g5 clava al caballo negro en f6. Por esa razón, las blancas avanzan el peón: 1. e4-e5. A continuación, el caballo en f6 se perderá, porque las blancas capturarían a la dama si las negras trataran de mover el caballo.

La molesta clavada al caballo de rey

Observa la posición del siguiente diagrama. ¿Qué pieza blanca está clavada?

Juegan las negras. Como habrás comprendido, el caballo blanco en f3 se encuentra clavado por el alfil negro en g4. Por si fuera poco, el caballo negro en d4 también presiona el punto f3. La mejor jugada de las negras consiste en incrementar la presión sobre la pieza clavada mediante 1. ..., Dd8-f6.

Con cierta frecuencia vemos que los principiantes juegan la apertura de esta forma:

1. e2-e4,	e7-e5
2. Cg1-f3,	Cb8-c6
3. Cb1-c3,	Cg8-f6
4. Af1-c4,	Af8-c5
5. d2-d3,	d7-d6
6. Ac1-g5,	0-0

Por lo que llegan a esta posición:

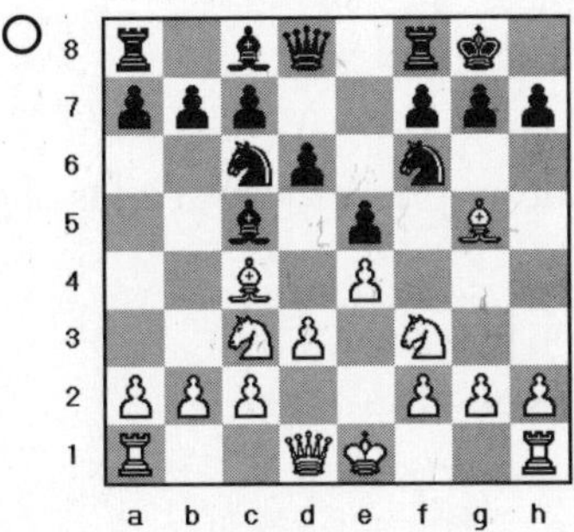

Las blancas aprovechan su clavada si juegan 7. Cc3-d5. Este movimiento resulta muy molesto para las negras, ya que después de 7. ..., Ac8-e6, las blancas responden 8. Cd5xf6+, g7xf6. Al mover 9. Ag5-h6, las blancas logran una excelente posición.

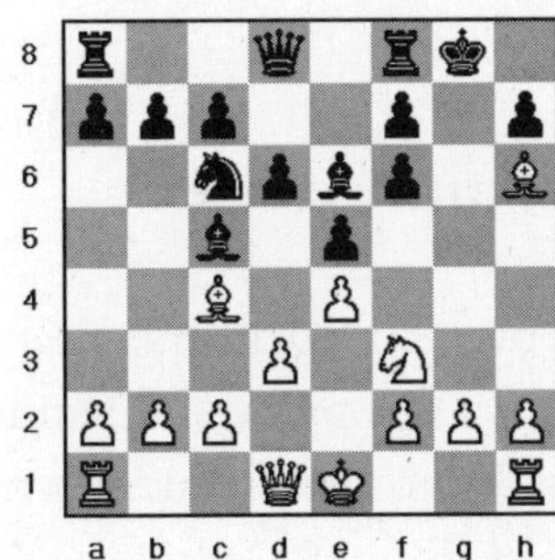

A propósito, los peones negros en f6 y f7 se llaman «peones doblados», porque se encuentran en la misma columna. Con frecuencia resultan débiles.

La «pregunta al alfil»

Las negras pueden neutralizar la clavada sobre su caballo de f6, moviendo su peón hasta h6.

6. ..., h7-h6

A este movimiento se le llama «la pregunta al alfil» ya que esta pieza deberá decidir si captura al caballo o se retira. En caso de capturar, las negras retoman con su dama y alcanzan una buena posición. Si el alfil blanco se retira a h4 para sostener la clavada, las negras pueden ahuyentarlo mediante otro avance de peón.

7. Ag5-h4,	g7-g5
8. Ah4-g3,	Ac8-g4

Y ahora son las blancas quienes padecen la clavada de su caballo en f3. Así pues, «la pregunta al alfil» permitió que las negras rompieran la clavada y pasaran al contraataque.

Más adelante, en el apartado de las «desclavadas», analizaremos otros métodos para evitar o minimizar las clavadas.

Resumen

Los «rayos equis» son ataques a una pieza que se encuentra detrás de otra que ha sido amenazada previamente. Las «clavadas» son ataques a una pieza que se encuentra delante del rey y que no puede moverse debido a que el rey quedaría en jaque. También pueden realizarse clavadas sobre otras piezas.

Cuestionario

1. Los temas tácticos como los «rayos equis» y las «clavadas» pueden presentarse:
A) En la apertura.
B) En el medio juego.
C) En las tres fases de la partida.

2. ¿Qué piezas pueden atacar mediante los «rayos equis»?
A) El caballo y el peón.
B) El rey y el caballo.
C) La dama, la torre y el alfil.

3. Cuando una pieza queda clavada frente a su rey, no puede moverse libremente debido a que:
A) Se perdería.
B) Dejaría al rey en jaque.
C) Tendría que cambiarse.

4. Una forma común de ganar una pieza clavada es:
A) Incrementar la presión sobre ella.
B) Cambiarla por una equivalente.
C) Permitir que se desclave.

5. ¿Qué piezas pueden quedar clavadas?
A) Dama y rey.
B) Todas.
C) Todas menos el rey.

6. ¿Qué piezas pueden clavar a las contrarias?
A) Dama y peón.
B) Torre y caballo.
C) Dama, torre y alfil.

Respuestas

1. C
2. C
3. B
4. A
5. B
6. C

3. Los ataques dobles

Todas tus piezas pueden amenazar simultáneamente a dos piezas del bando contrario. Esto permite frecuentemente la captura de una de ellas. Toma nota de las piezas indefensas de tu contrario, ya que pueden ser objeto de un ataque doble.

De torre:

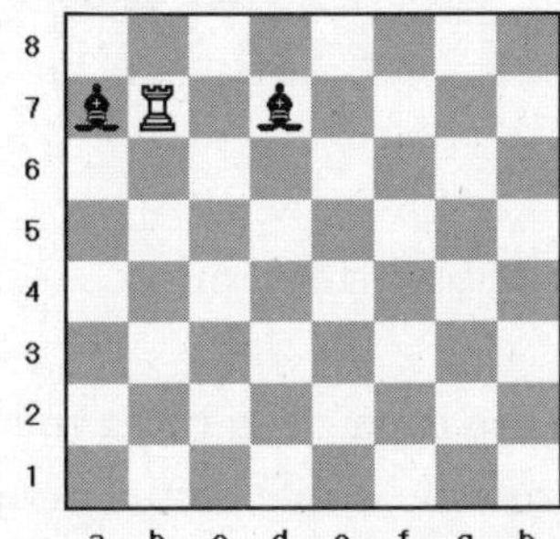

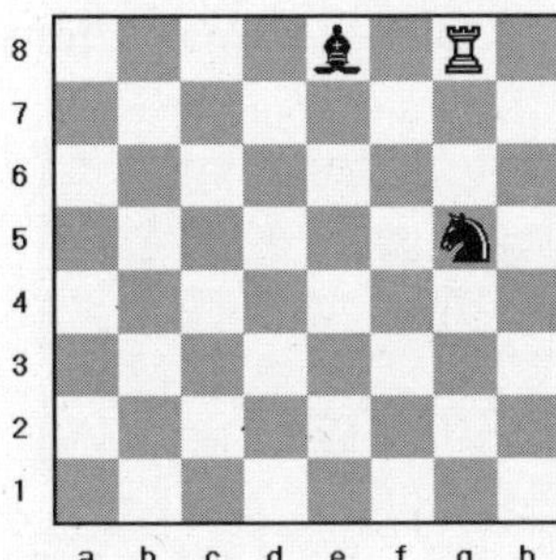

De alfil:

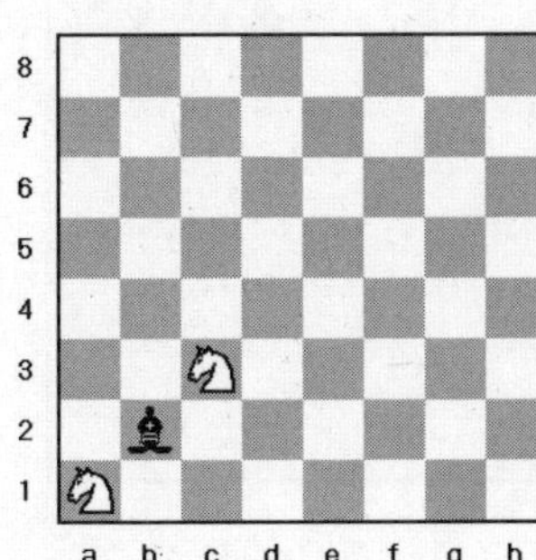

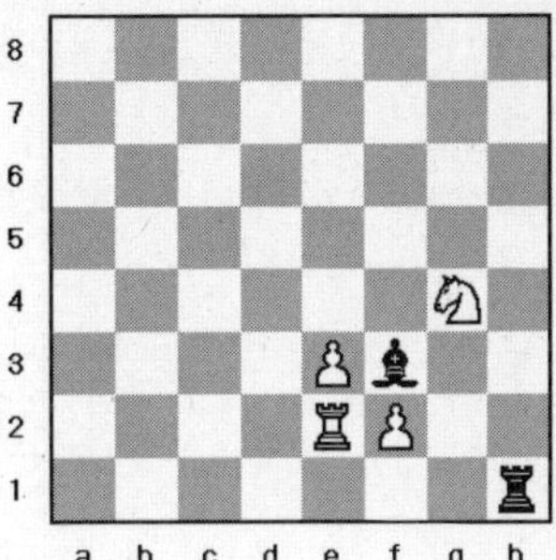

De dama:

De rey:

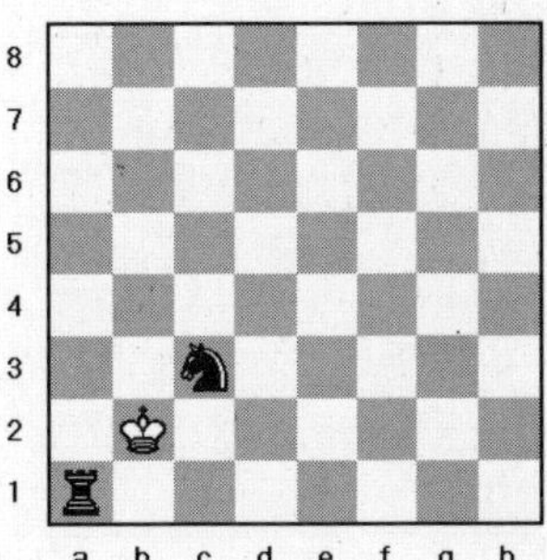

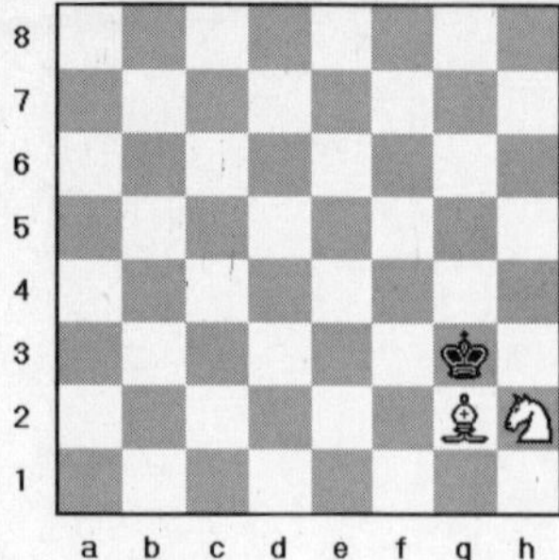

Los ataques dobles realizados por un caballo se conocen como «dobletes» y son un arma poderosa.

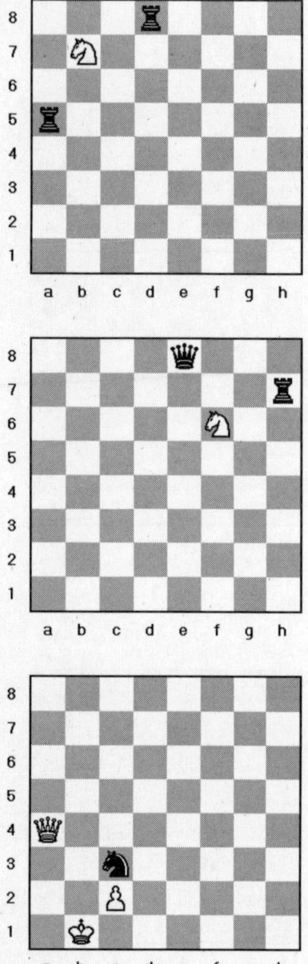

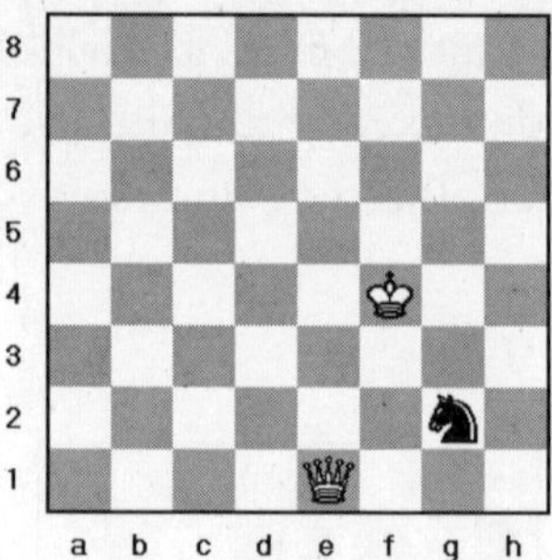

Ataques dobles de peón

Dado que se trata de la pieza menos valiosa, un ataque doble con el peón suele conducir a la ganancia material. Estas amenazas dobles se llaman «horquillas».

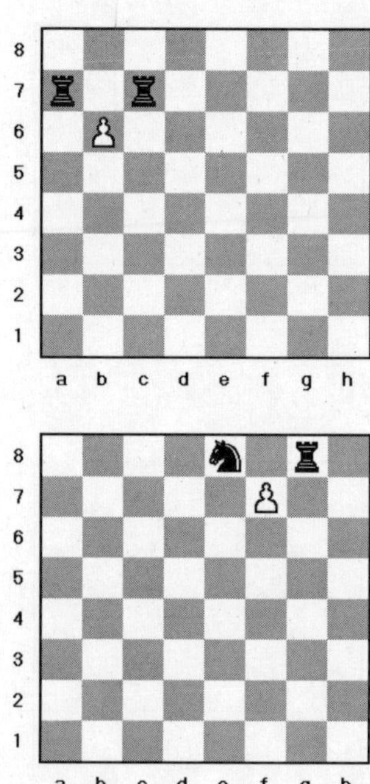

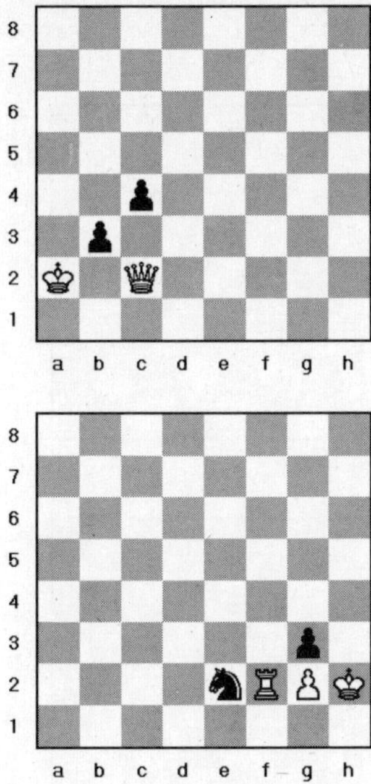

Ejercicios

Tú llevas las blancas. Busca la manera de atacar dos piezas a la vez.

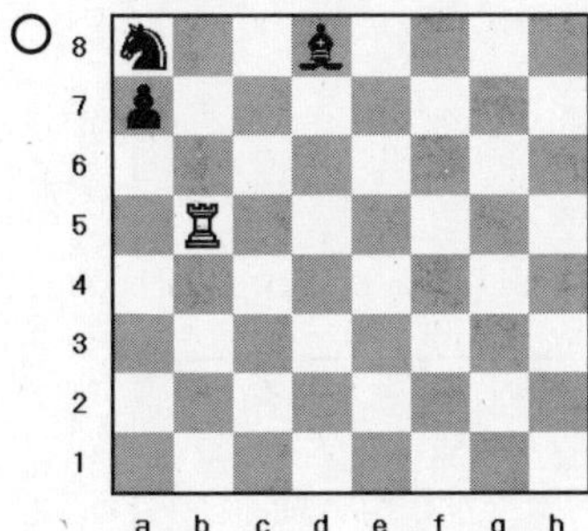

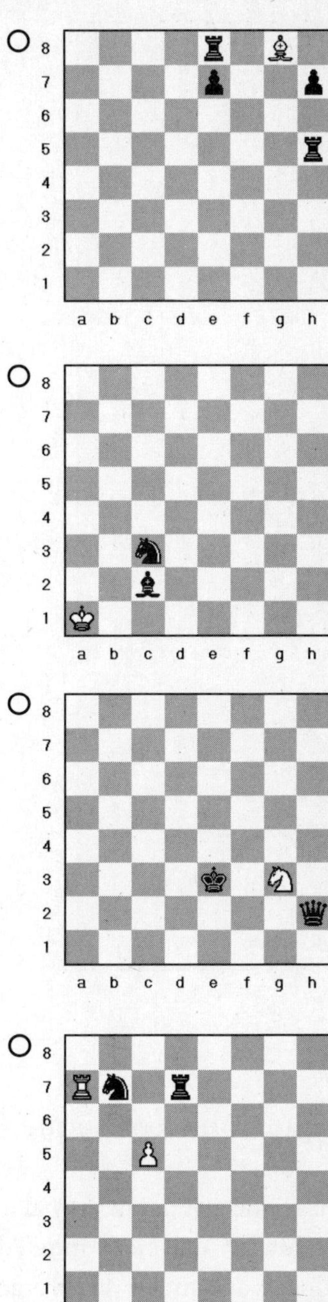

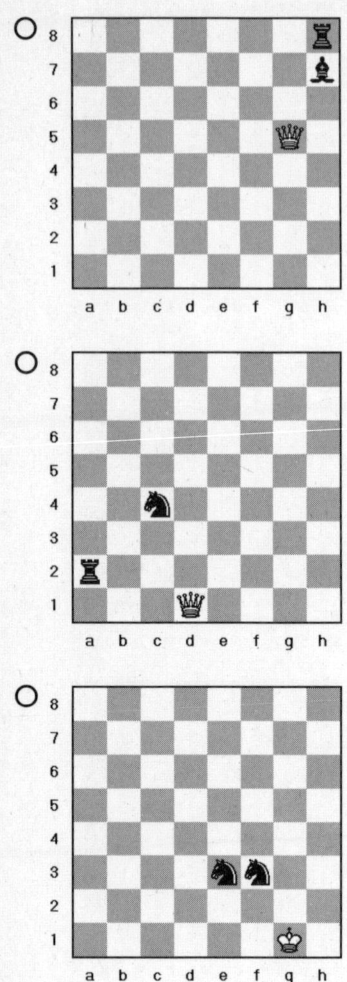

De dama:

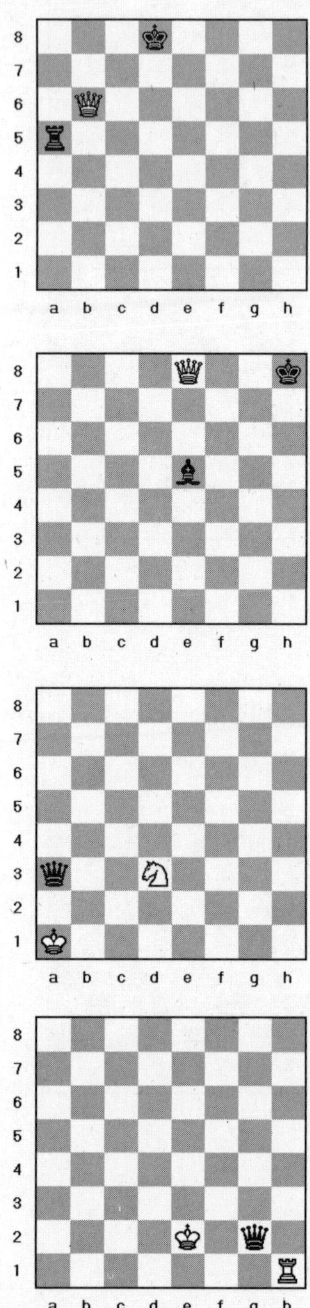

4. El ataque doble con jaque

En ocasiones podemos dar jaque y al mismo tiempo atacar una pieza indefensa. Esta situación es aún mejor que el ataque doble normal, porque el adversario tiene la obligación de responder al jaque, de manera que aprovechamos para capturar la pieza indefensa en el siguiente turno.

De torre o alfil:

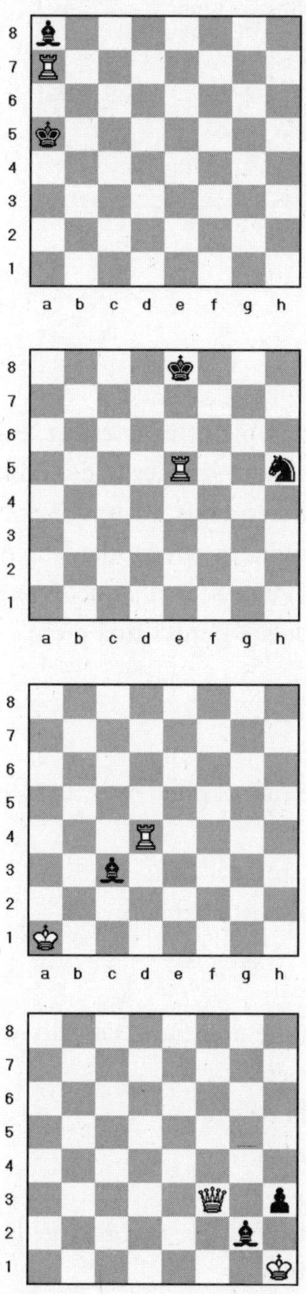

Dobletes de caballo:

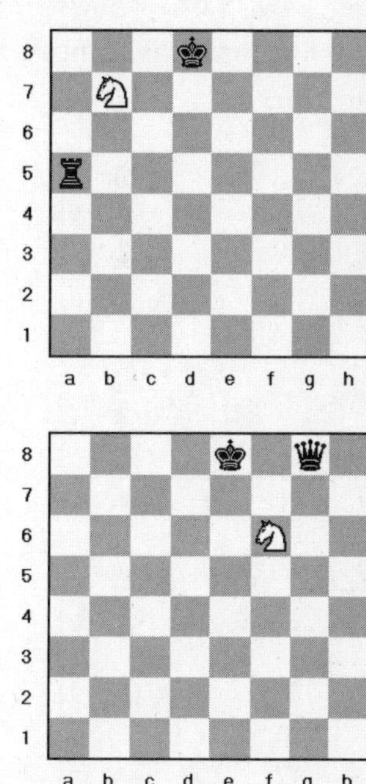

Horquillas de peón:

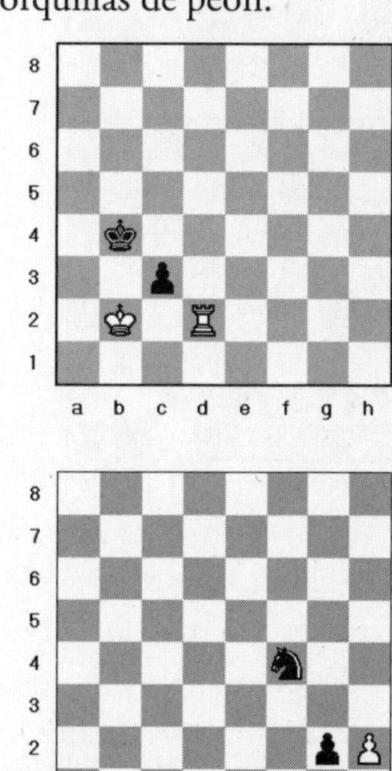

Ejercicios

Supongamos que llevas las blancas. Busca el jaque ganador.

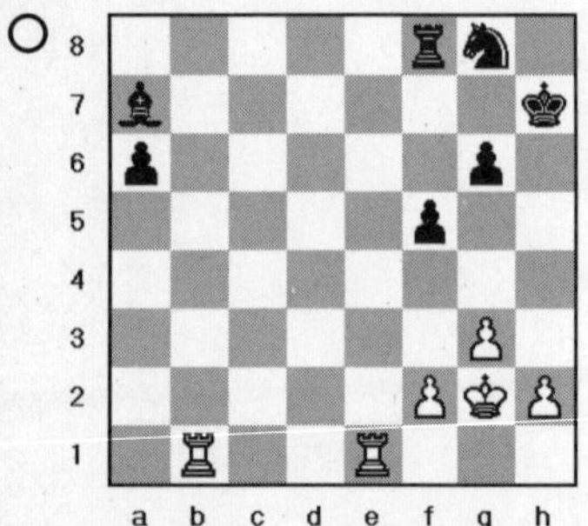

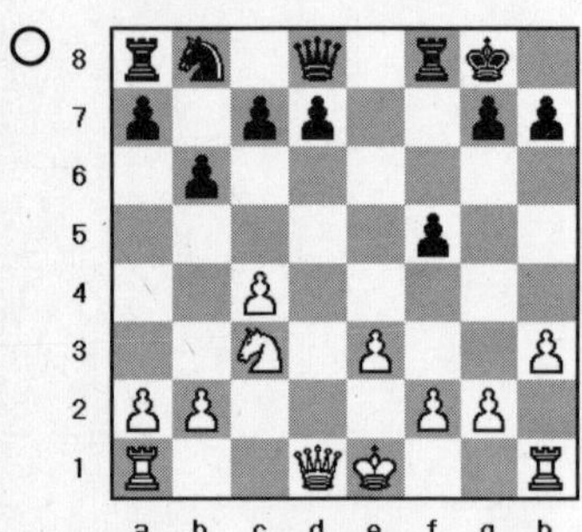

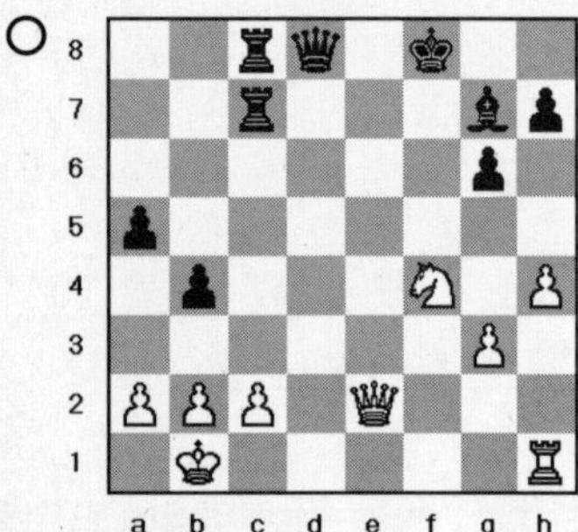

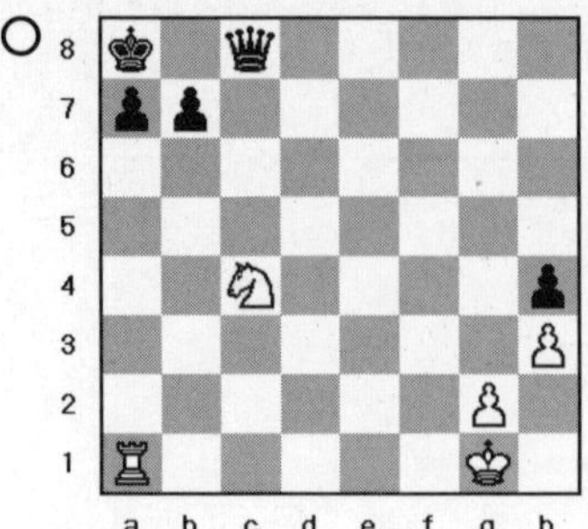

Resumen

El ataque doble es muy eficaz, especialmente cuando las piezas del adversario no están defendidas. El ataque doble con jaque es igualmente poderoso. Ante la obligación de evitar el jaque, nuestro adversario puede perder una pieza.

Cuestionario

1. ¿Qué piezas pueden realizar ataques dobles?
A) Dama, torre y alfil.
B) Peón, dama y caballo.
C) Todas.

2. Un ataque doble con caballo se llama:
a) «Rayos equis».
b) «Patada de mula».
c) «Doblete».

3. Un ataque doble de peón se llama:
A) Horquilla.
B) Tenedor.
C) Calzoncillos.

4. El ataque doble con jaque es muy poderoso porque:
A) Quizá sea mate.
B) Se tiene la obligación de responder al jaque.
C) No se pueden cubrir del jaque.

Respuestas

1. C
2. C
3. Las tres respuestas son correctas. Aunque en este libro empleamos el término «horquilla», los otros también se utilizan en el ajedrez.
4. B

5. Ataque al defensor y piezas sobrecargadas

Una forma común del ataque doble consiste en atacar una pieza que defiende a otra. Cuando la amenaza se concreta hablamos de la «eliminación del defensor».

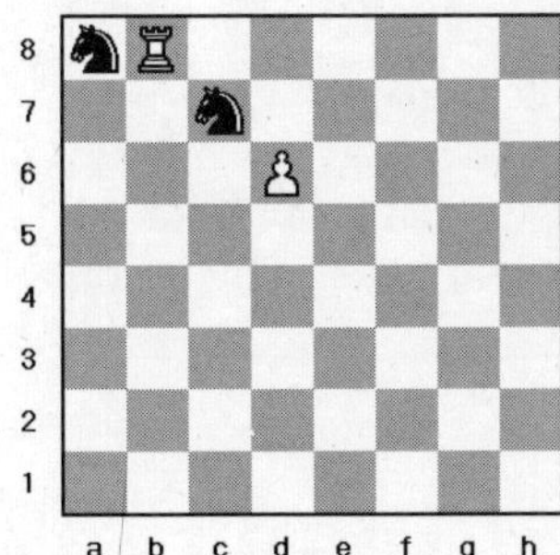

Ejercicios

Con un movimiento certero puedes ganar material. Observa los ocho diagramas que se encuentran en la siguiente página.

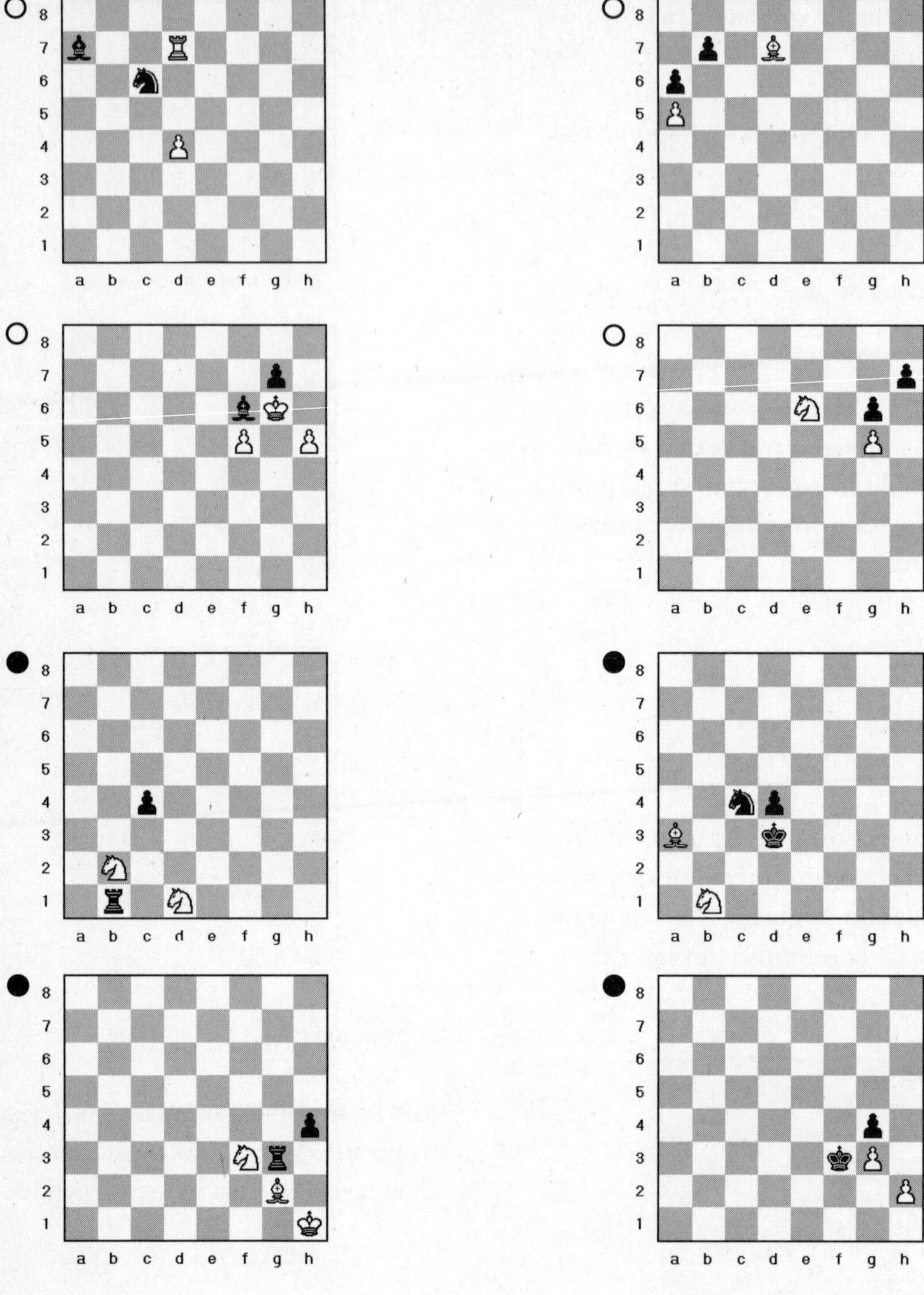

Piezas sobrecargadas

«El que mucho abarca, poco aprieta», dice un refrán que se confirma cuando una pieza intenta defender dos o más puntos y termina sucumbiendo por exceso de obligaciones.

El tema guarda similitudes con la «eliminación del defensor» y con la «desviación», que analizaremos más adelante. En los siguientes ejemplos puedes advertir que uno de los bandos puede ganar pieza si le corresponde el turno. Asegúrate de hallar el orden correcto de las jugadas.

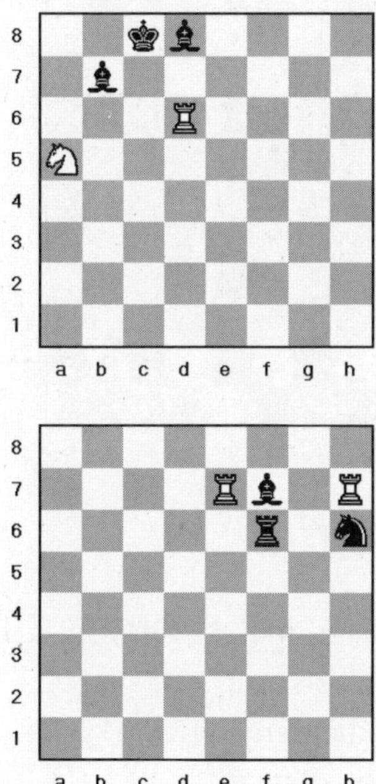

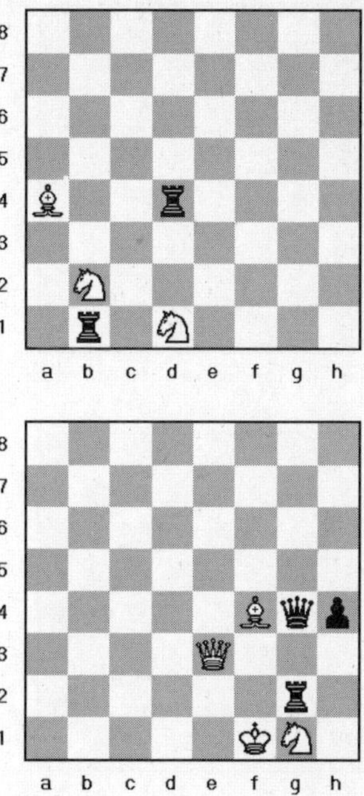

En ocasiones una pieza está «sobrecargada» por tratar de evitar dos amenazas de mate.

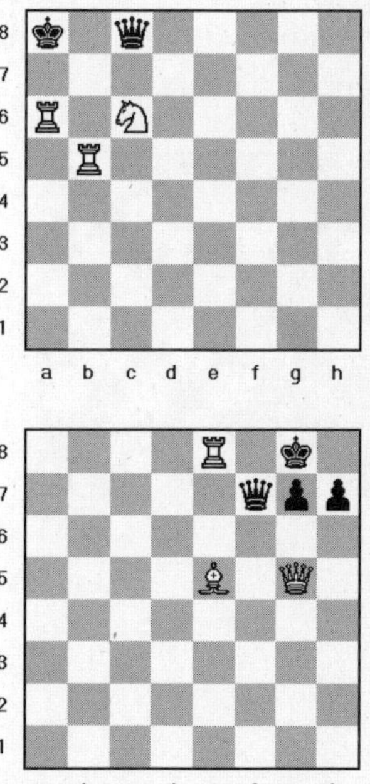

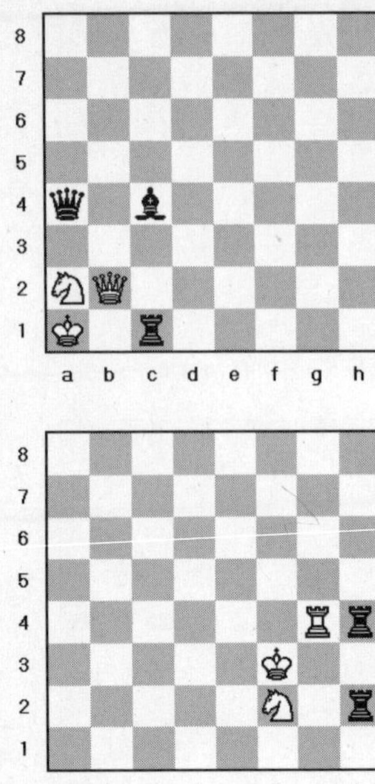

Ejercicios

Intenta dar jaque mate en dos jugadas. En los primeros ejemplos llevas blancas. En los segundos, negras.

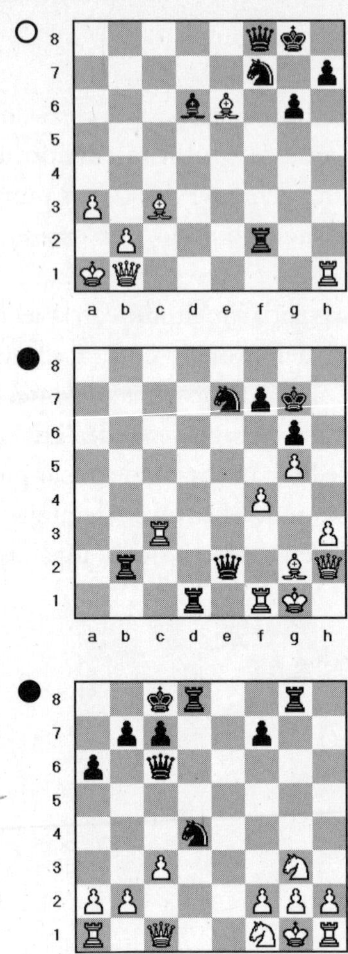

Respuestas

Primer diagrama. 1. Dh7-h8+, Rf8-e7 2. Dh8xg7++

Segundo diagrama. 1. Db1xg6+, h7xg6 2. Th1-h8++.

Tercer diagrama. 1. ..., Td1xf1+ 2. Ag2xf1, De2xh2++.

Cuarto diagrama. 1. ..., Cd4-e2+ 2. Cg3xe2, Dc6xg2++ (ó 2. ..., Tg8xg2++).

Ejercicios

Busca la manera de distraer o desviar a la pieza contraria que se encuentra «sobrecargada».

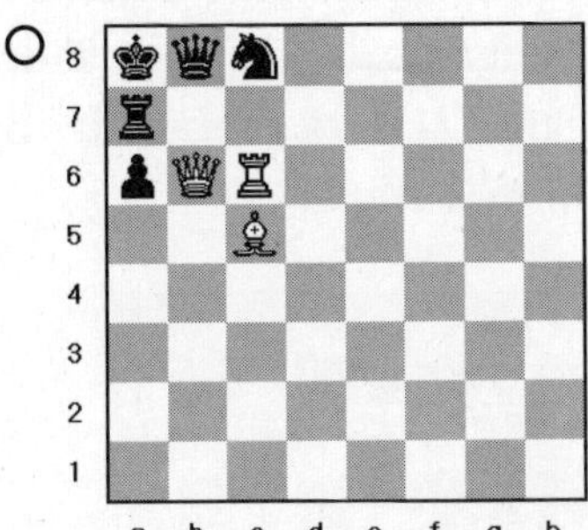

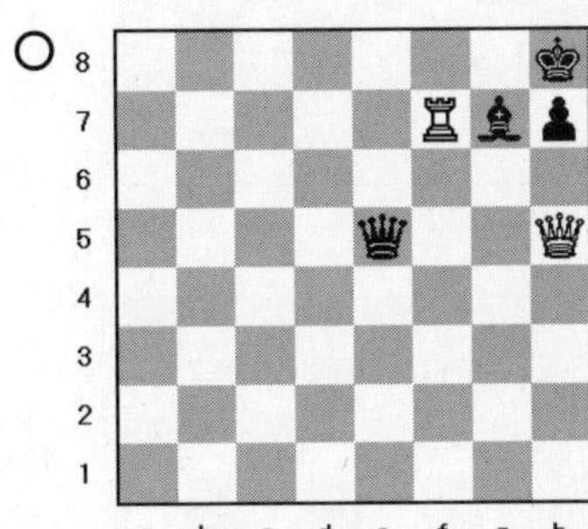

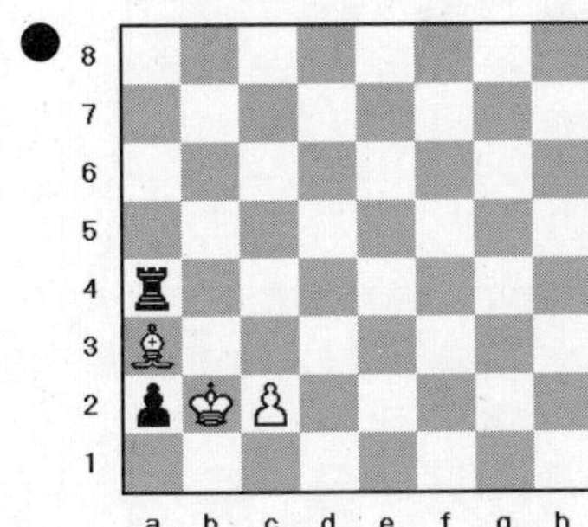

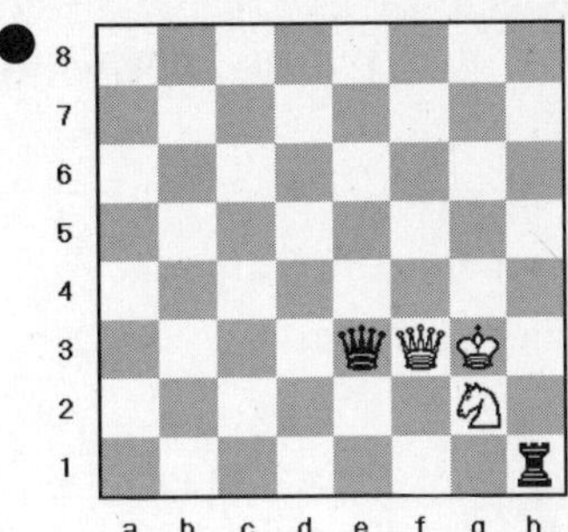

Respuestas

Primer diagrama. 1. Tc6xc8+
Segundo diagrama. 1. Tf7-f8+
Tercer diagrama 1. ..., Ta4xa3. También gana 1. ..., a2-a1=D+ 2. Rb2xb1, Ta4xa3+, pero con la captura directa del alfil quedas con tu peón de a2.
Cuarto diagrama. 1. ..., Th1-h3+

Resumen

El ataque a una pieza defensora le impide cumplir adecuadamente su tarea. Algo similar ocurre cuando una pieza se encuentra sobrecargada: le resulta imposible cubrir dos o más puntos en forma satisfactoria.

Cuestionario

1. Si atacamos una pieza que defiende a otra, lo más probable es que:
A) Ambas se pierdan.
B) Ambas se escapen.
C) Se pierda una de las dos.

2. Mientras más puntos tenga que defender una pieza:
A) Mayor mérito tiene.
B) Puede quedar sobrecargada.
C) Más amenazas crea.

3. A una pieza sobrecargada:
A) Le resulta sencillo defender varios puntos de entrada.
B) Le conviene dar jaque.
C) Le será difícil impedir las incursiones.

4. Un modo de incrementar la fuerza del ataque es:
A) Eliminar o cambiar las piezas defensoras.
B) Buscar un jaque a como dé lugar.
C) Avanzar poco a poco.

Respuestas

1. C
2. B
3. C
4. A

6. El jaque al descubierto

Este jaque ocurre cuando dos de nuestras piezas se encuentran alineadas frente al rey adversario; al mover la más cercana al monarca, «descubre» a la pieza de atrás, que da jaque. Se trata de un recurso muy poderoso, debido a que el contrario se ve obligado a responder al jaque. Mientras tanto, la pieza que movimos originalmente suele causar estragos.

Ejercicios

Estudia los siguientes diagramas. En todos ellos podemos dar un jaque al descubierto y ganar la dama contraria. Busca la solución más eficaz.

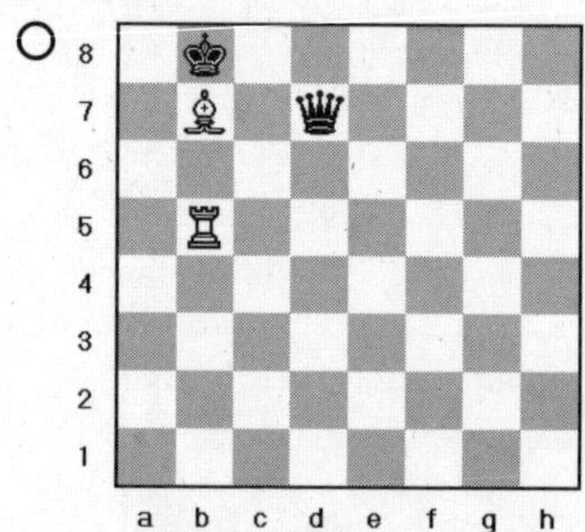

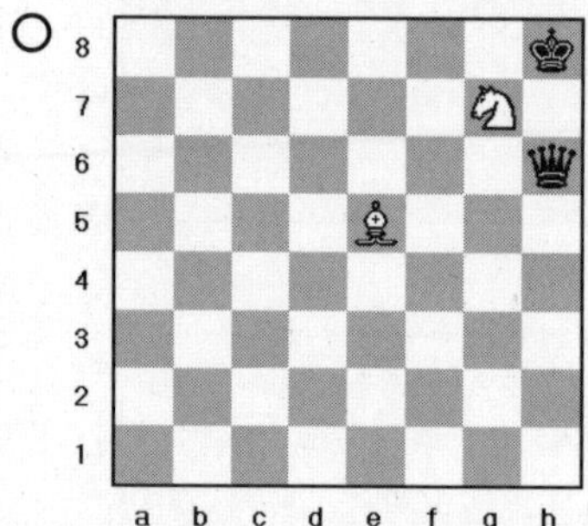

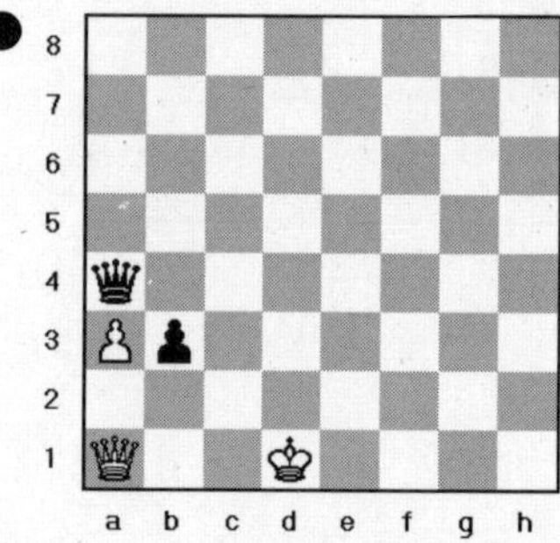

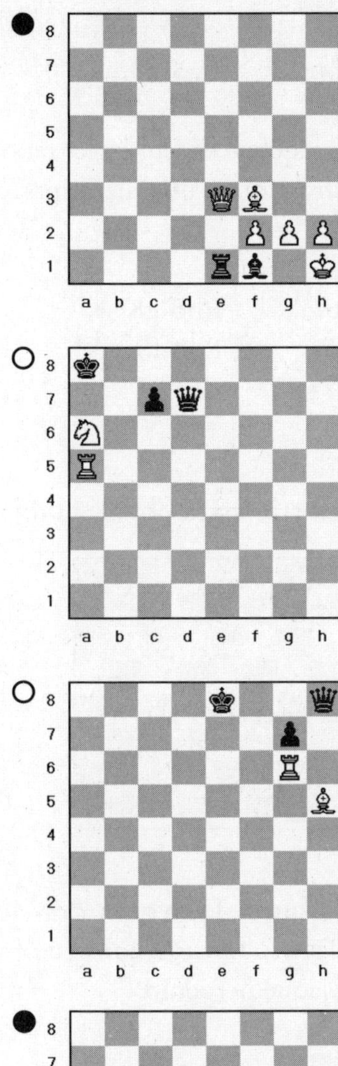

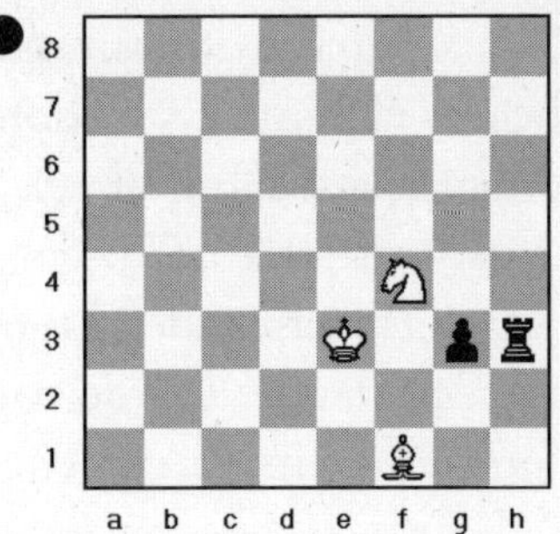

Ejercicio

Supongamos que llevas las blancas en una partida que comenzó así:

1. e2-e4,	e7-e5
2. Cg1-f3,	Cg8-f6
3. Cf3xe5,	Cf6xe4?
4. Dd1-e2,	Ce4-f6??

Ahora, trata de atacar la pieza más valiosa de las negras, a la vez que das jaque al descubierto.

Respuesta

El mejor jaque al descubierto consiste en mover 5. Ce5-c6+. Desde ahí, el caballo ataca a la dama negra en d8 y simultáneamente amenaza el punto e7, en donde la dama se situará para cubrir al rey. Otro jaque al descubierto sería 5. Ce5-g6+, desde donde ataca a la torre indefensa en h8. Sin embargo, estarás de acuerdo con nosotros en que resulta más atractivo ganar la dama.

El «abrecierra» del jaque al descubierto

Este tipo de jaque es frecuentemente un auxiliar en los ataques directos al rey.

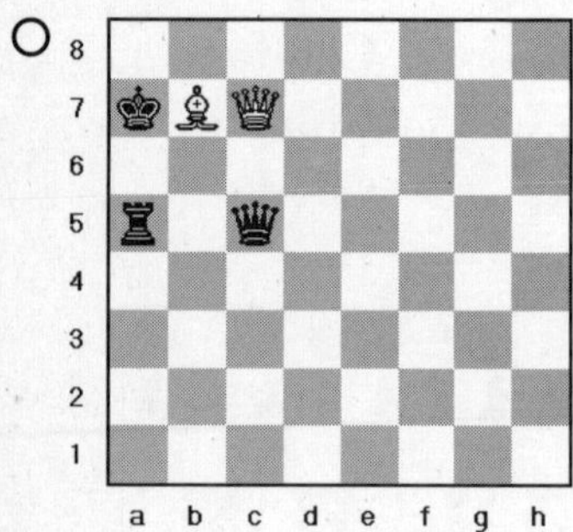

1. Ab7-c6+, Ra7-a6
2. Dc7-b7++.

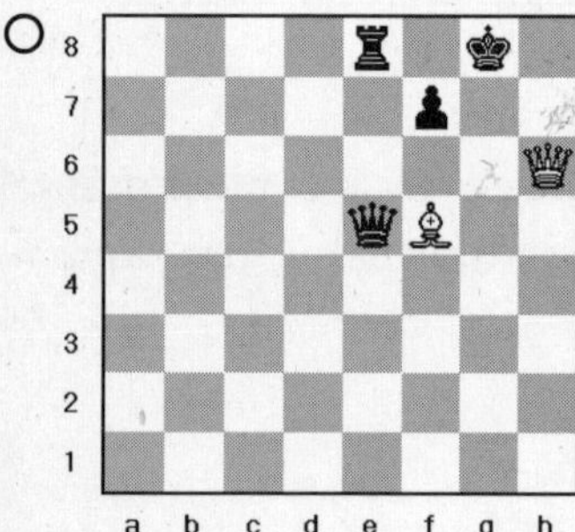

Sería infructuoso el ataque después de 1. Dh6-h7+, Rg8-f8. El orden correcto es:

1. Af5-h7+, Rg8-h8,

Gracias al jaque al descubierto, reubicamos nuestro alfil en una mejor posición ofensiva:

2. Ah7-g6+, Rh8-g8
3. Dh6-h7+, Rg8-f8
4. Dh7xf7++.

El «abrecierra» para obtener tablas

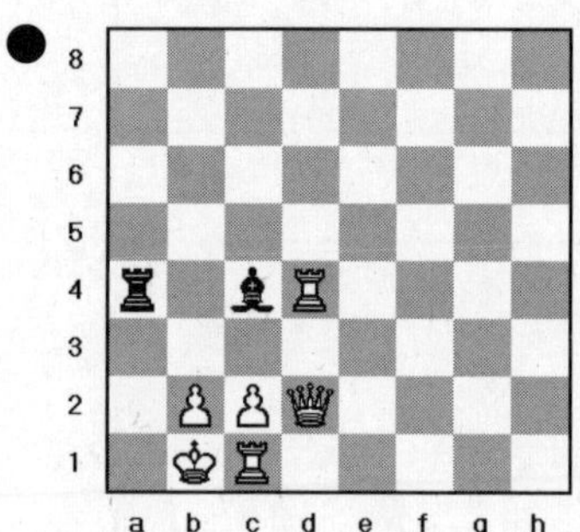

El negro ha quedado en grave desventaja material. Para su fortuna, consigue tablas mediante jaque perpetuo.

1. ..., Ac4-a2+
2. Rb1-a1, Aa2-c4+
3. Ra1-b1, Ac4-a2+,
y así sucesivamente.

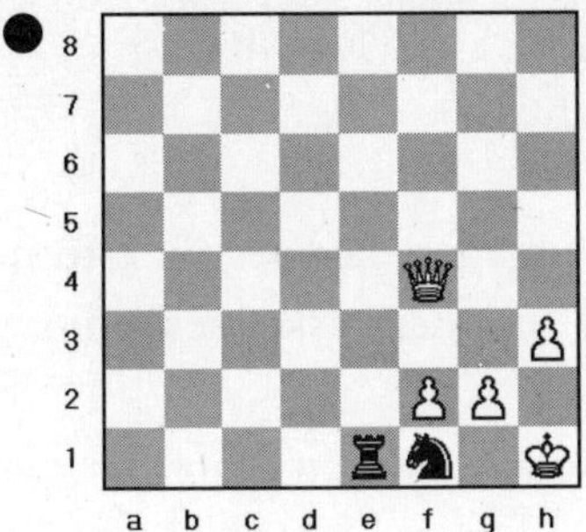

Juegan las negras y empatan.

1. ..., Cf1-g3+
2. Rh1-h2, Cg3-f1+
3. Rh2-g1, Cf1-g3
(También podría ir a e3 o d2)
4. Rg1-h2,

Esta situación lleva a tablas.

La lanzadera o el molino de viento

Se conoce de esa forma a un repetido jaque al descubierto, que barre con las piezas del rival. En el diagrama siguiente, las blancas dan jaque mediante la captura del peón negro a su derecha.

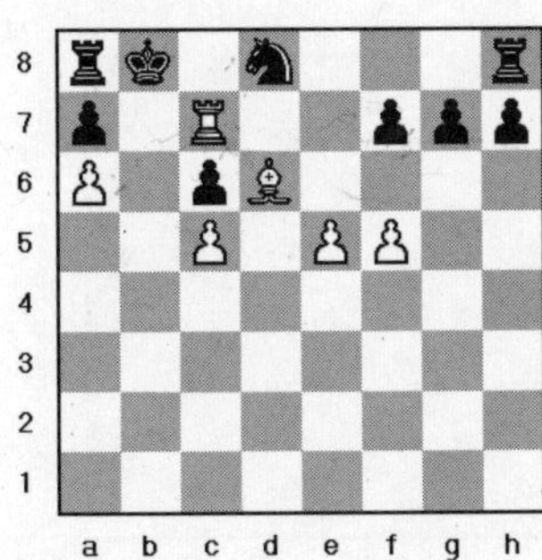

Las blancas tienen una torre de menos, pero comienzan una larga serie de jaques al descubierto. Esta es otra forma del «abrecierra» en que el bando fuerte desdeña el empate para barrer con las piezas contrarias.

1. Tc7xf7+, Rb8-c8
2. Tf7-c7+

Es imprescindible volver a la situación original para asestar el siguiente jaque al descubierto; por esa razón, la torre ha regresado a c7.

2. ..., Rc8-b8
3. Tc7xg7+, Rb8-c8
4. Tg7-c7+, Rc8-b8
5. Tc7xh7+, Rc8-b8.

Una vez concluida la tarea barredora, las blancas juegan 6. Th7xh8, y alcanzan un final ganador.

El molino de Carlos Torre

Con un molino de viento, que más bien parecía un tornado, el mexicano Carlos Torre venció al ex campeón mundial Emanuel Lásker en una partida celebrada en Moscú, en 1925.

1. Ag5-f6!!, Db5xh5
2. Tg3xg7+, Rg8-h8
3. Tg7xf7+, Rh8-g8
4. Tf7-g7+, Rg8-h8
5. Tg7xb7+, Rh8-g8
6. Tb7-g7+, Rg8-h8
7. Tg7-g5+

Un cambio de rumbo para recuperar la dama con gran ventaja material.

7. ..., Rh8-h7
8. Tg5xh5, Rh7-g6

Ataque doble a torre y alfil. Sin embargo, las blancas mantienen la superioridad.

9. Th5-h3, Rg6xf6
10. Th3xh6+,

Unas jugadas después de este movimiento, Emanuel Lásker se rindió.

El ataque al descubierto

No siempre es necesario dar jaque para que un ataque al descubierto funcione. En el diagrama 1, las blancas avanzan el peón de la columna b y descubren la amenaza del alfil a la torre. En el diagrama 2, el avance del peón en la columna f pone al descubierto una amenaza doble, toda vez que se ataca tanto a la dama como a la torre en h5. Trata de encontrar el movimiento ganador en los últimos dos diagramas de esta serie.

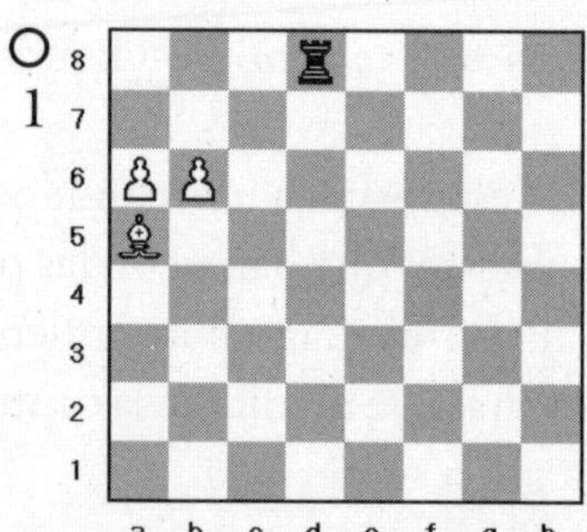

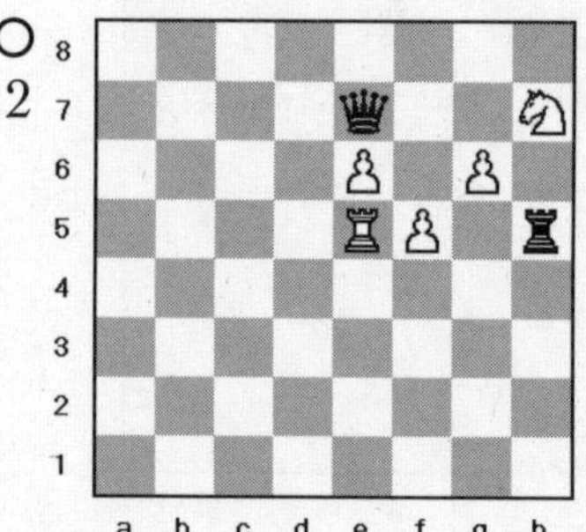

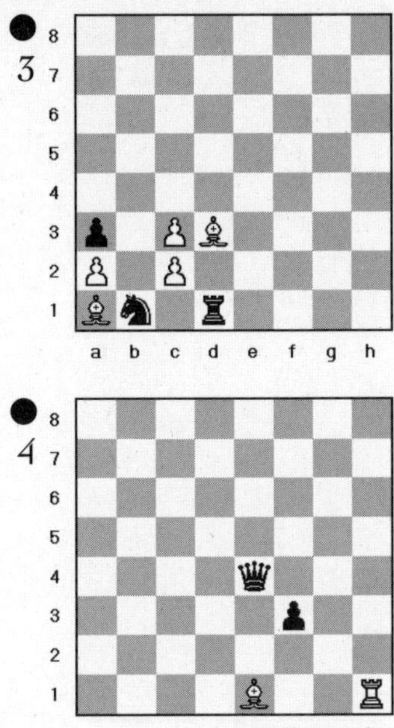

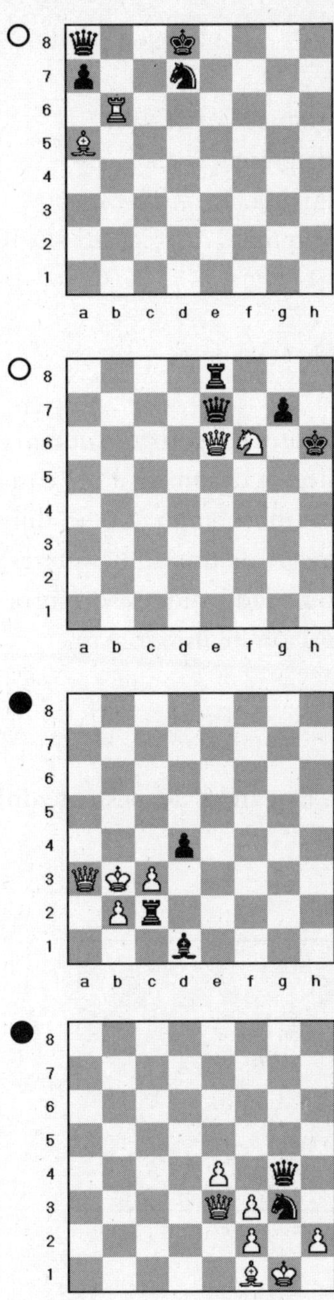

7. El jaque doble

Un jaque con dos piezas suele ser temible, entre otras razones porque ante el jaque doble, la única defensa es mover al rey. Esto permitirá que una o ambas piezas gocen de inmunidad.

Ejercicios

En los dos primeros juegan las blancas. En los siguientes, las negras.

Respuestas

Primer digrama. 1. Tb6-b8+
Segundo diagrama. 1. Cf6-g8+
Tercer diagrama. 1. ..., Tc2xc3+
Cuarto diagrama. 1. ..., Cg3-e2+ 2. Rg1-h1, Dg4-g1++

Mate doble

El jaque doble es tan poderoso que en ocasiones se llega a dar mate al rey con dos piezas al mismo tiempo. Como dijimos antes, es frecuente que ambas piezas gocen de inmunidad, porque el defensor tiene la obligación de mover el rey.

Ejercicios

Encuentra la manera de dar mate doble.

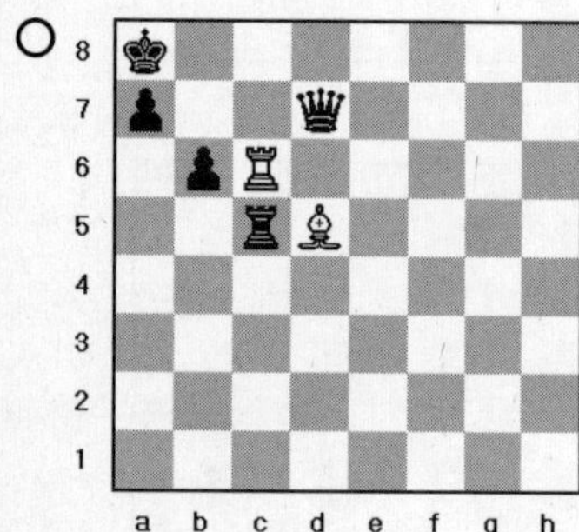

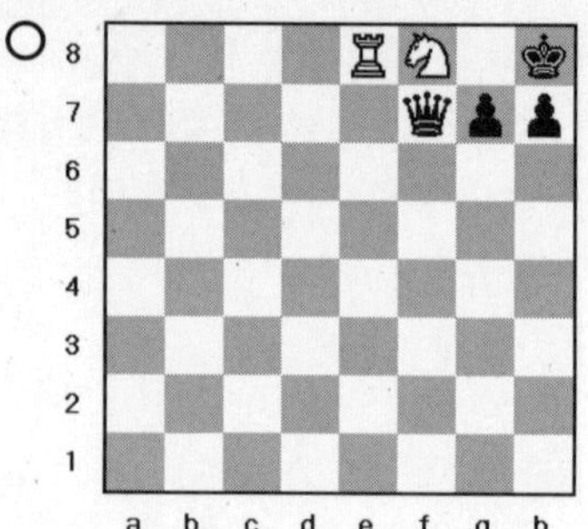

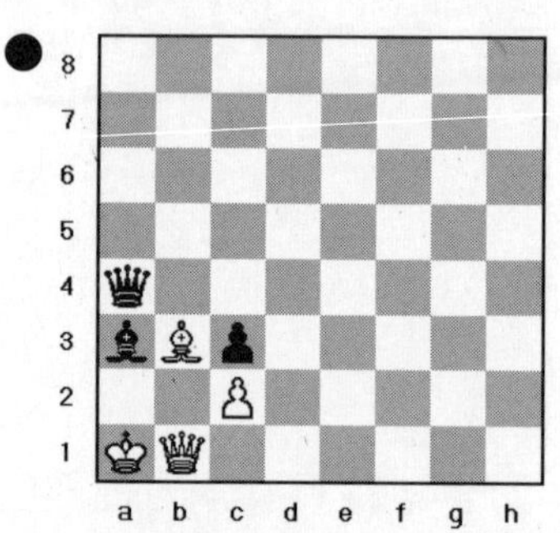

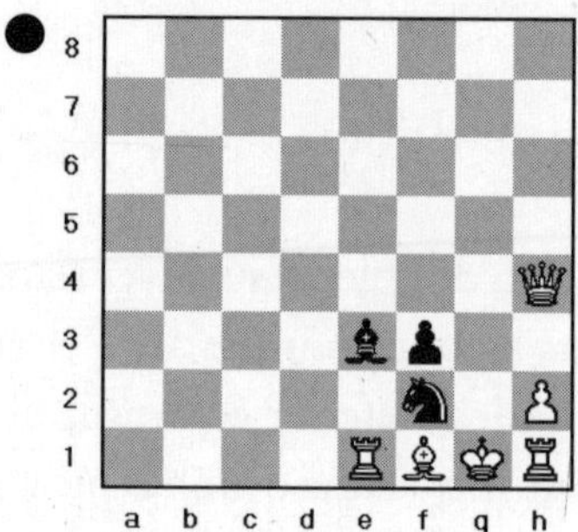

Respuestas

Primer diagrama. 1. Tc6-c8++
Segundo diagrama. 1. Cf8-g6++
Tercer diagrama. 1. ..., Aa3-b2++
Cuarto diagrama. 1. ..., Cf2-h3++

Resumen

Los jaques al descubierto son un recurso táctico muy peligroso. El bando débil se ve obligado a prevenir la amenaza contra su rey, por lo que la pieza libre dispone de un «tiempo» para hacer de las suyas. Las amenazas al descubierto, aún cuando no son jaque, suelen atacar piezas expuestas. Una forma del jaque al descubierto particularmente letal es el jaque doble. Ante esta jugada, la única defensa consiste en mover al rey.

Cuestionario

1. En un jaque al descubierto simple, el jaque lo propina:
A) La pieza que se mueve.
B) La pieza que queda al descubierto.
C) Ninguna de las dos.

2. Al dar jaque al descubierto, la pieza que se mueve a menudo intentará:
A) Atacar una pieza valiosa.
B) Retroceder.
C) Perder tiempo.

3. El gran maestro mexicano Carlos Torre venció al ex campeón mundial Emmanuel Lasker con un tema táctico conocido como:
A) El dobletazo de caballo.
B) El molino de viento.
C) El triple sacrificio de dama.

4. El molino de viento podría definirse como:
A) La antesala del mate.
B) Un intento por ganar la dama.
C) Una larga serie de jaques al descubierto.

5. Contra un jaque doble, la única defensa es:
A) Interponer una pieza.
B) Capturar ambas piezas atacantes.
C) Mover al rey.

6. El jaque doble a menudo permite que:
A) Ambas piezas atacantes se expongan.
B) El rey rival se enroque.
C) Se prepare un doblete.

7. Aunque no sea jaque, un movimiento al descubierto:
A) Nunca debe sorprendernos.
B) Suele atacar dos piezas.
C) Es demasiado riesgoso.

8. En el mate doble:
A) Dos piezas dan mate al mismo tiempo
B) Siempre hay un jaque al descubierto.
C) Las dos piezas que dan jaque gozan de inmunidad.

Respuestas

1. B
2. A
3. B
4. C
5. C
6. A
7. B
8. A, B y C

8. La jugada intermedia

Un excelente recurso táctico es la llamada «jugada intermedia», que consiste en posponer un movimiento evidente para ejecutar una amenaza más fuerte. Cumplida la amenaza, retomamos nuestra intención original. Por su carácter forzado, las jugadas intermedias suelen ser jaques o capturas con jaque.

En el siguiente diagrama las blancas, en vez de capturar la dama inmediatamente, toman la torre en d8 con jaque. Sólo después del movimiento obligado del rey negro, las blancas capturan la dama. En el diagrama 2, diferimos la captura de la torre negra para avanzar el peón, ya que 1. f5-f6+, Te6xe5 2. f7-f8 es jaque mate.

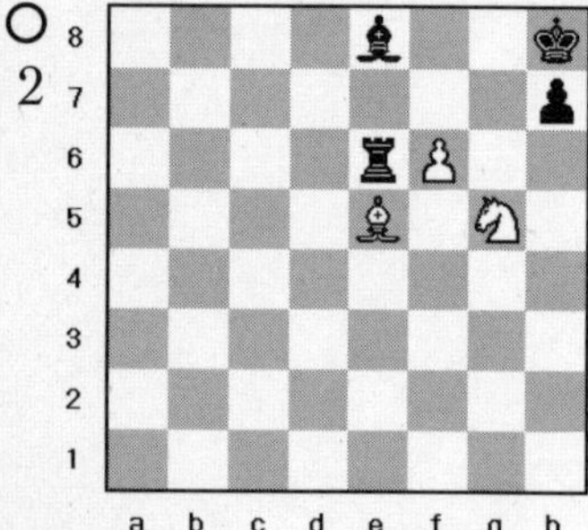

Ejercicios

En los siguientes ejemplos, juegan las negras y ganan merced a un jaque intermedio.

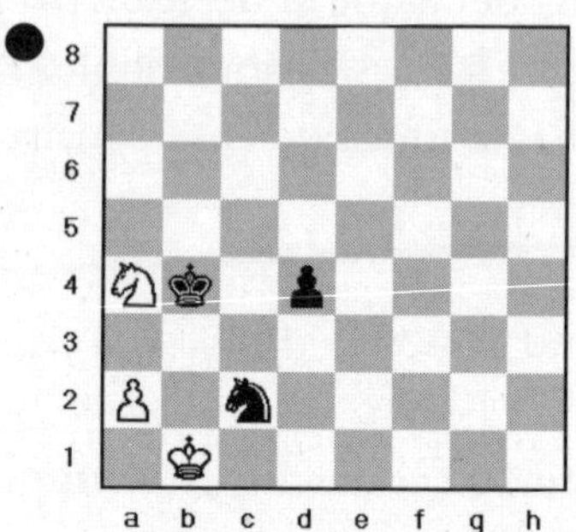

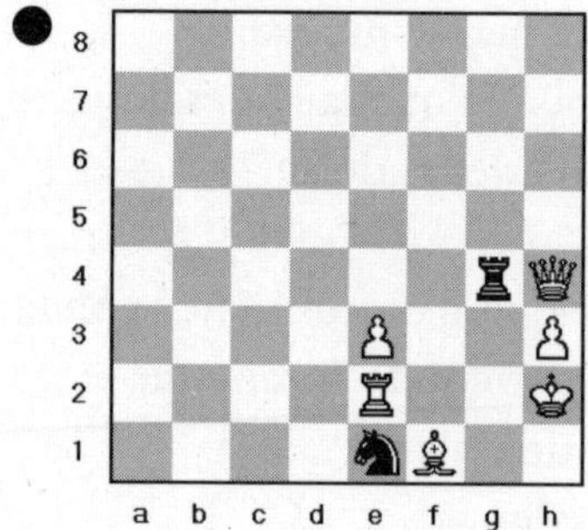

Respuestas

Primer diagrama. Las blancas esperan que el rey negro capture al caballo en a4, para a su vez tomar el caballo en c2. Pero las negras intercalan el movimiento 1. ..., Cc2-a3+, y después de 2. Rb1-b2, Rb4x a4, quedan con pieza de más.

Segundo diagrama. Las blancas esperan que el negro tome la dama en h4 para a su vez capturar el caballo en e1. Pero aparece un jaque intermedio: 1. ..., Ce1-f3+, y después de 2. Rg1-h1 el negro no se conforma con ganar la dama, sino que da jaque mate con 2. ..., Tg4-g1++.

Jugadas intermedias sin jaque

También hay jugadas intermedias sin jaque, como en los siguientes diagramas.

Ejercicios

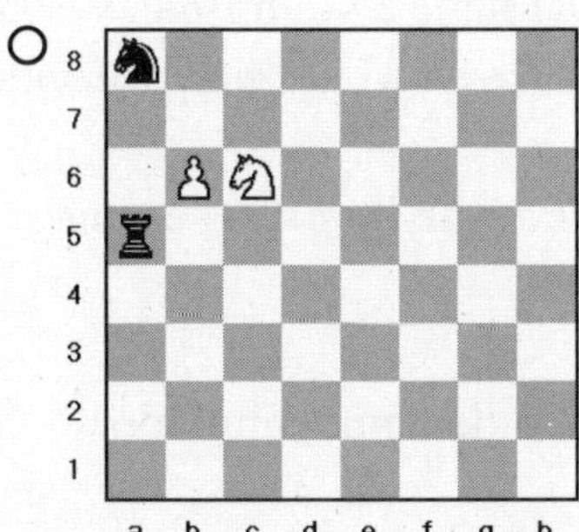

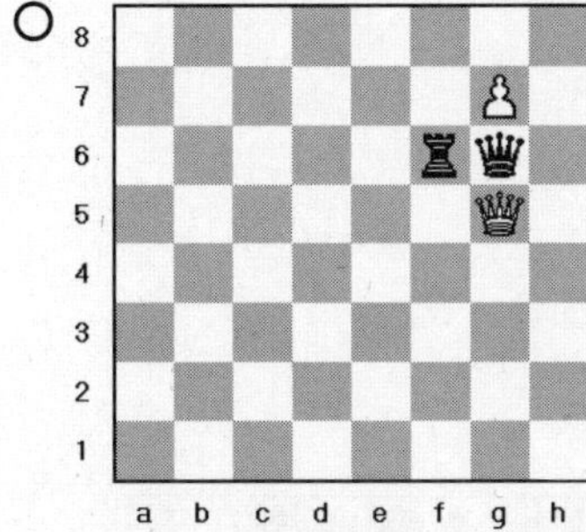

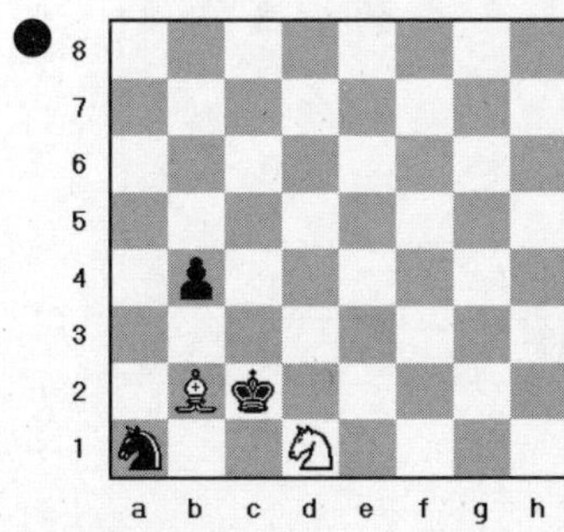

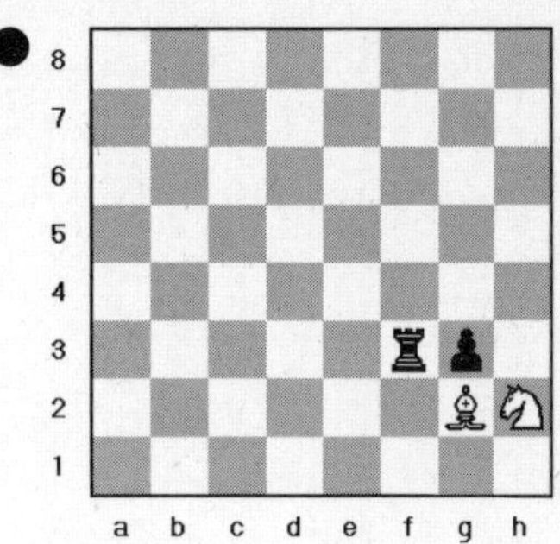

Respuestas

Primer diagrama. 1. b6-b7! Las negras no pueden impedir la coronación.
Segundo diagrama. 1. g7-g8=D. Tras la coronación, una dama defiende a la otra.
Tercer diagrama. 1. ..., Ca1-b3. El rey negro mantiene el ataque doble.
Cuarto diagrama. 1 ..., Tf3-f2. Las negras ganan una pieza.

Ejercicios

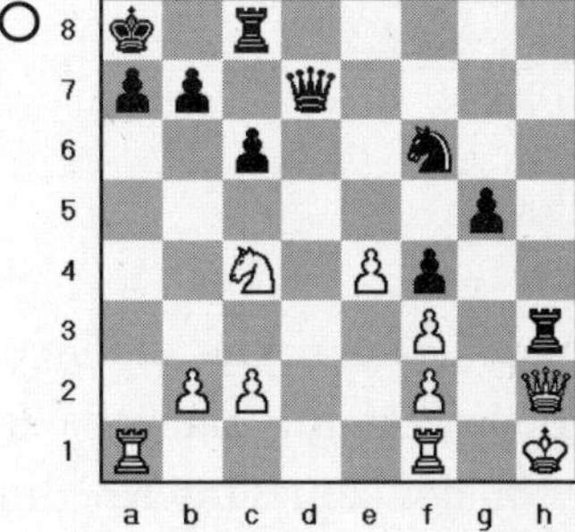

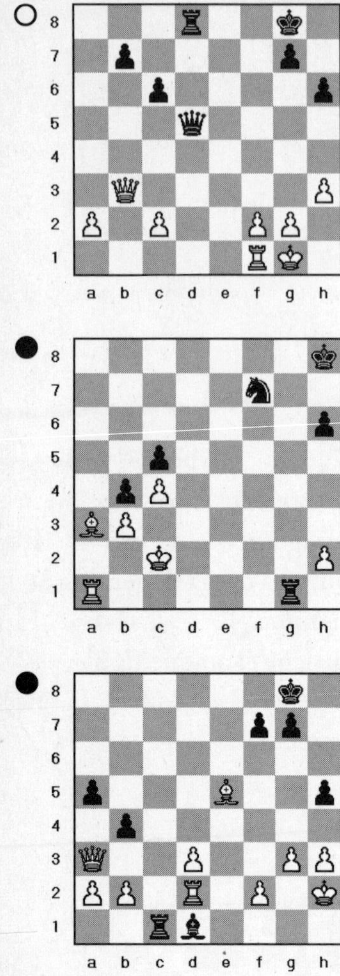

Respuestas

Primer diagrama. Las negras suponen que han clavado a la dama blanca, pero se enfrentan con dos jaques intermedios. 1. Cc4-b6+, Ra8-b8 2. Cb6xd7+, Cf6xd7 3. Dh2xh3, con amplia ventaja.
Segundo diagrama. Una combinación de jugada intermedia con clavada. 1. Tf1-d1!, Dd5xb3 2. Td1xd8+, Rg8-f7 3. a2xb3.
Tercer diagrama. Las blancas esperan a que el contrincante tome su torre para dar jaque con el alfil y llegar a un final equilibrado. Pero después del jaque intermedio 1. ..., Tg1-g2+ y 2. ..., b4xa3, las negras emergen con una pieza de ventaja.
Cuarto diagrama. Las blancas suponen que el adversario capturará su dama, pero es más fuerte la jugada intermedia 1. ..., Ad1-f3, con la amenaza 2. ..., Tc1-h1++. A falta de recursos defensivos, las blancas se ven obligadas a responder 2. g3-g4, ante lo cual sigue 2. ..., h5-h4!, y el jaque mate de torre en h1 se vuelve inevitable.

Una celada que ilustra el jaque intermedio

Gambito de dama rehusado:

1. d2-d4,	d7-d5
2. c2-c4,	e7-e6
3. Cb1-c3,	Cg8-f6
4. Ac1-g5,	Cb8-d7
5. c4xd5,	e6xd5
6. Cc3xd5?,	

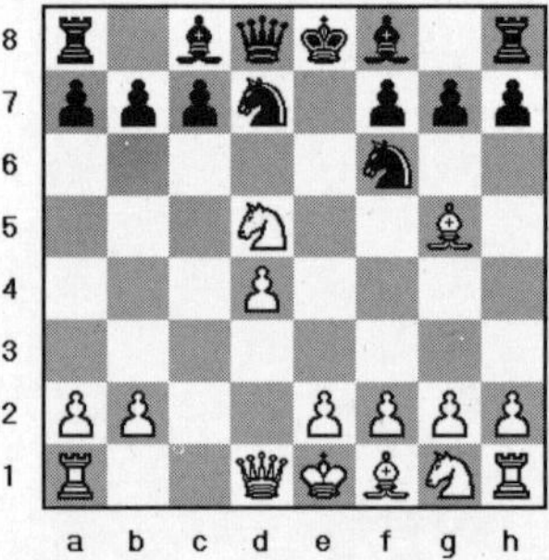

Las blancas confían en la clavada sobre el caballo negro, pero se topan con una respuesta sorprendente.

6. ..., Cf6xd5!
7. Ag5xd8,

En vez de capturar el alfil en d8, las negras dan un jaque intermedio.

7. ..., Af8-b4+

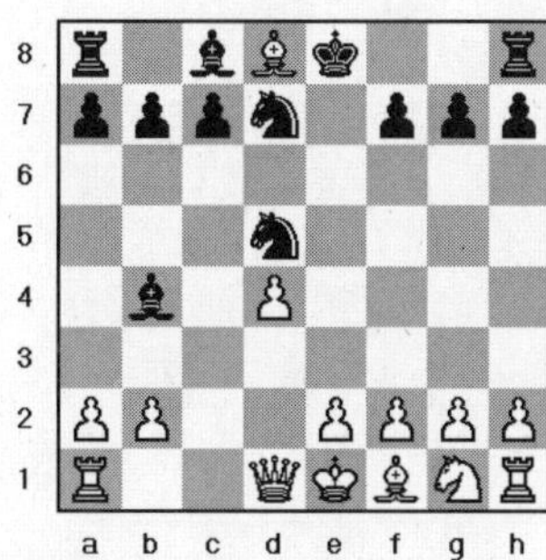

Ante lo cual las blancas se ven obligadas a perder la dama...

8. Dd1-d2, Ab4xd2+
9. Re1xd2, Re8xd8

...y las negras quedan con un caballo a cambio de un peón.

9. El encierro de una pieza

Una forma común de ganar material consiste en encerrar (atrapar) alguna pieza del adversario. Para ello es necesario asegurarse de que las rutas de escape estén cerradas.

De torre:

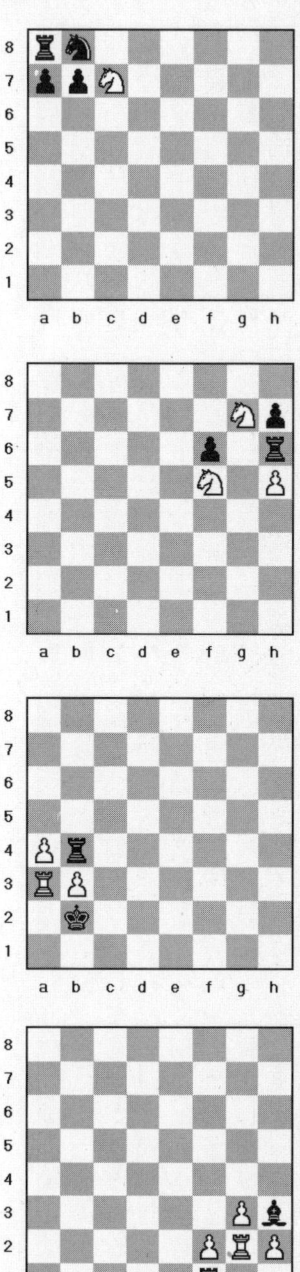

De alfil:

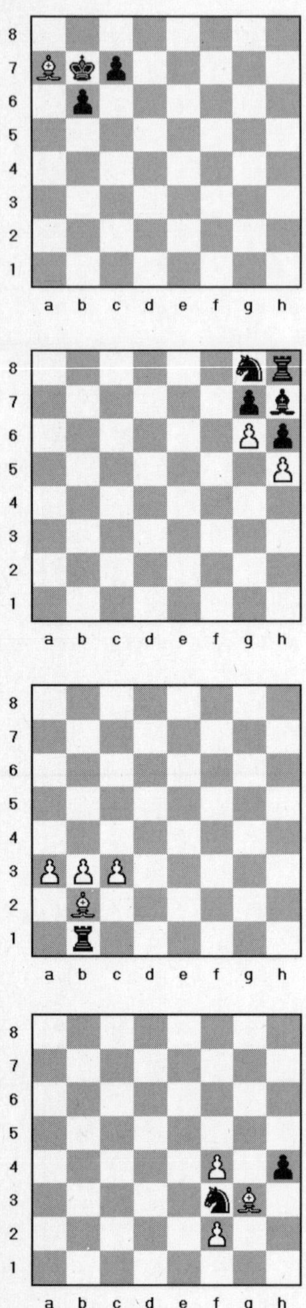

De caballo:

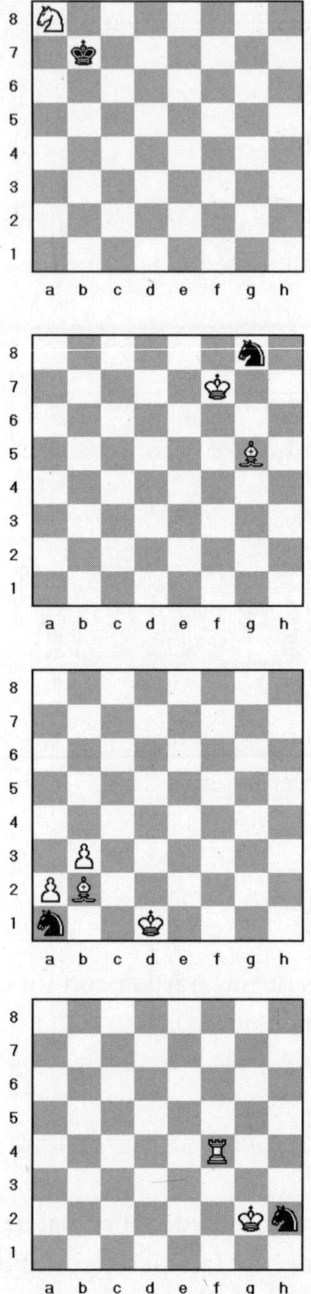

De dama:

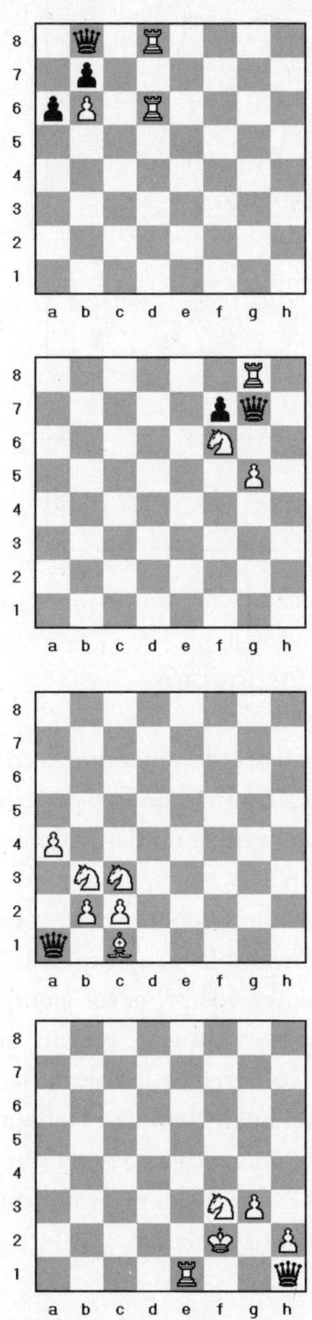

Ejercicios

Encierra o «atrapa» a una pieza contraria.

De torre y alfil:

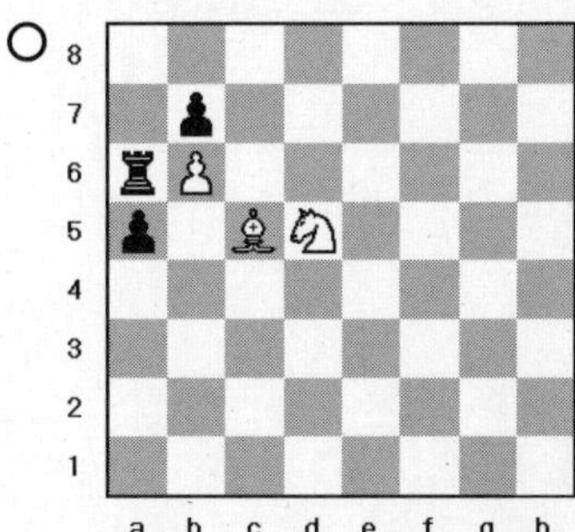

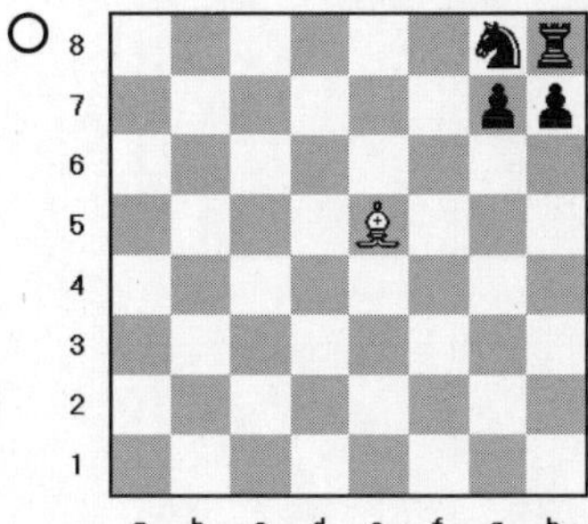

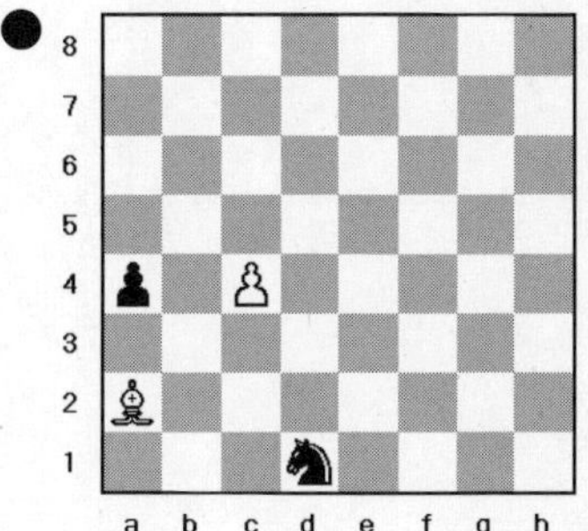

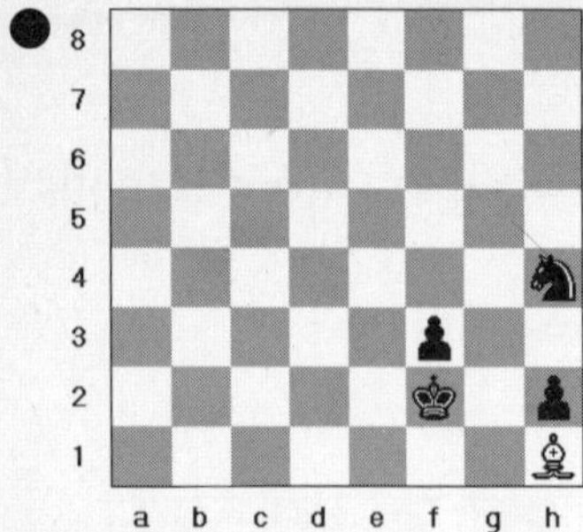

De caballo y dama:

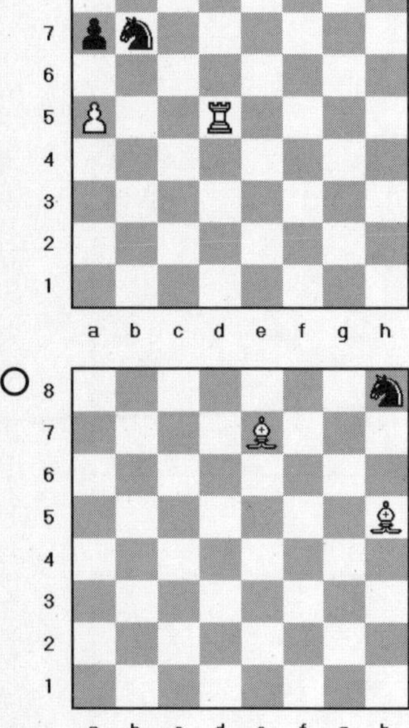

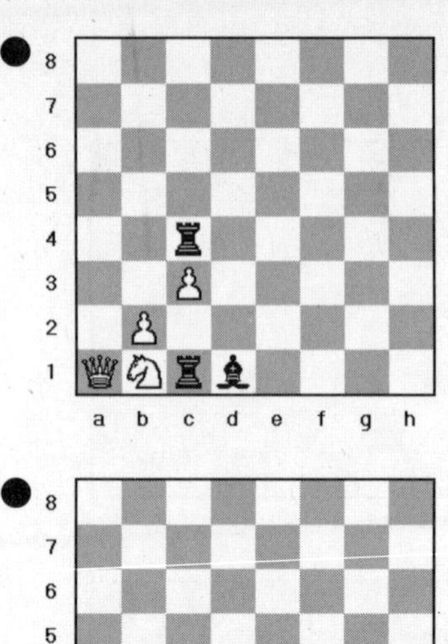

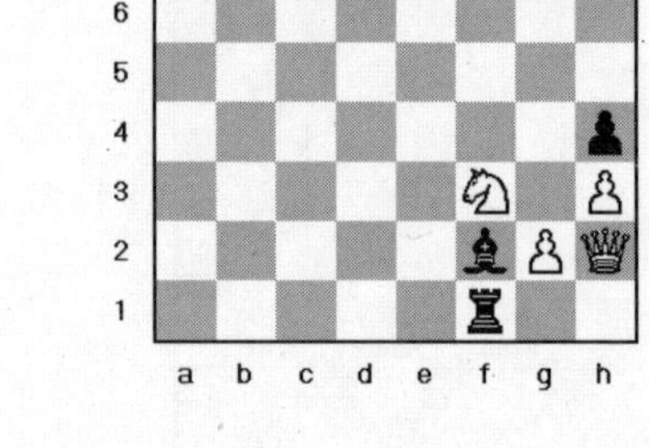

10. La coronación

Este recurso decide a menudo la contienda. Por esa razón, vale la pena eliminar los obstáculos que impidan la coronación de un peón.

En ocasiones debemos elegir entre la coronación simple o con captura. Como puedes ver, en los primeros ejemplos es preferible no capturar, puesto que las negras se comerían a la nueva dama en cuanto ésta apareciera en el tablero. Los dos últimos diagramas de esta serie ilustran casos en los cuales podemos capturar y coronar sin problemas.

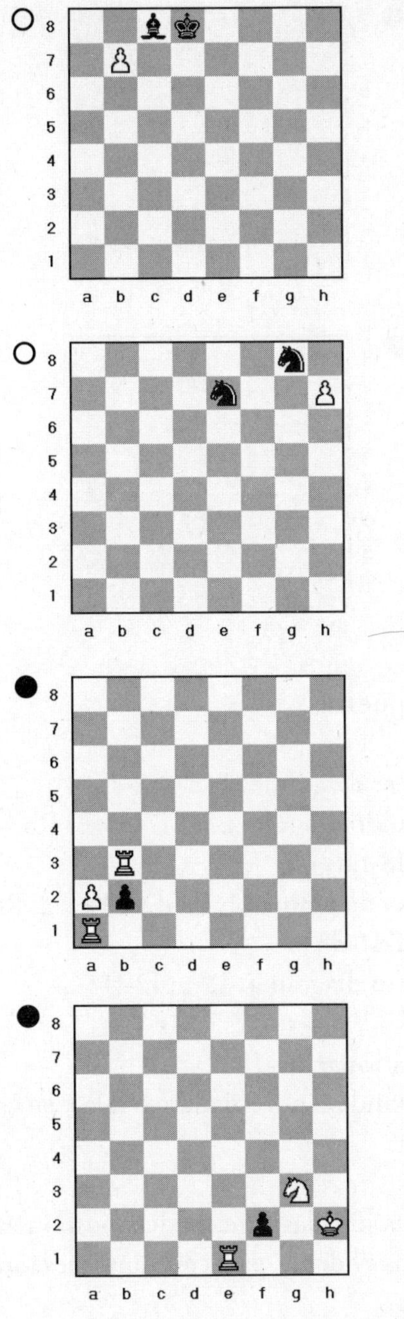

Ejercicios

Busca el modo de coronar tu peón, ya sea mediante la captura o un simple avance.

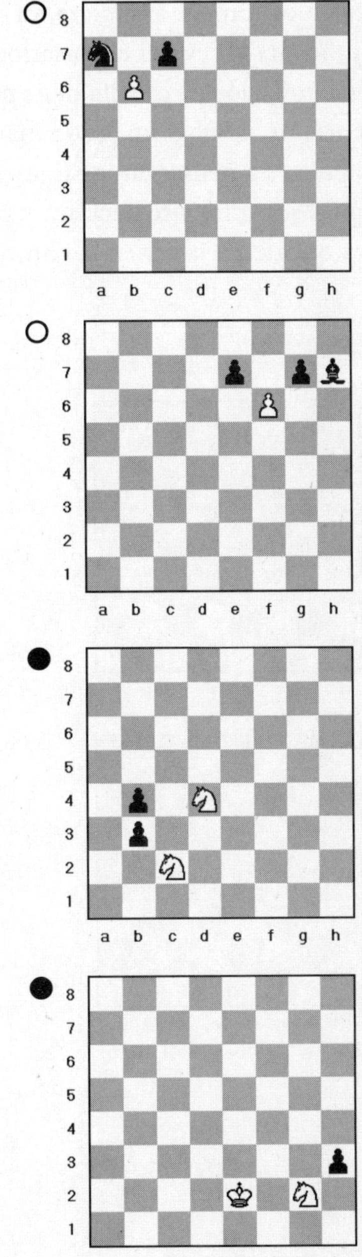

Coronar otra pieza

Aunque en el noventa y nueve por ciento de los casos coronamos dama, eventualmente podemos coronar otra pieza, ya sea para no «ahogar» al rey del adversario, o cuando la coronación de caballo tiene por consecuencia un jaque o un jaque mate.

Si te detienes a pensar en los siguientes ejemplos, seguramente decidirás cuál es la pieza que debes pedir en la coronación.

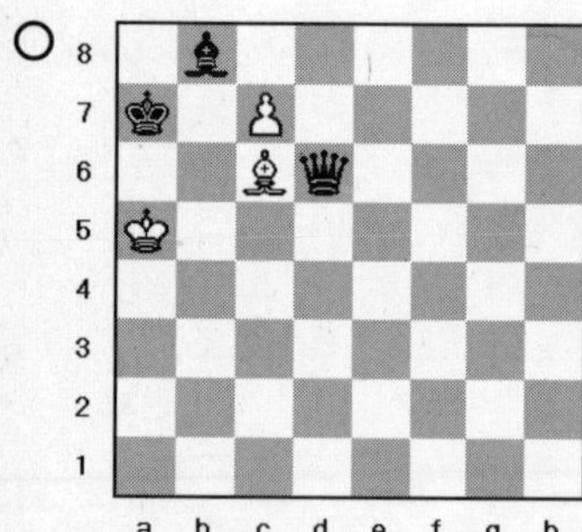

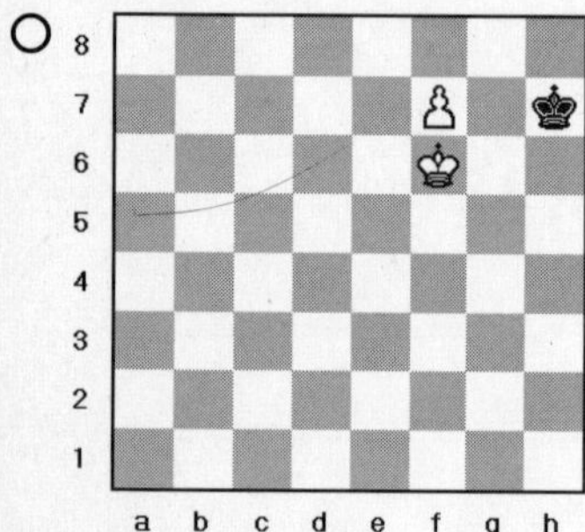

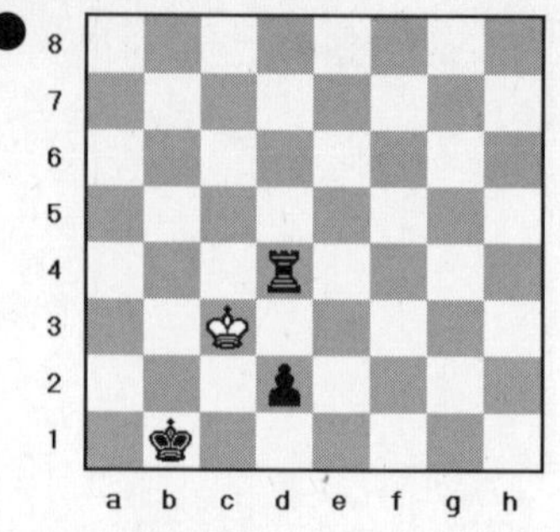

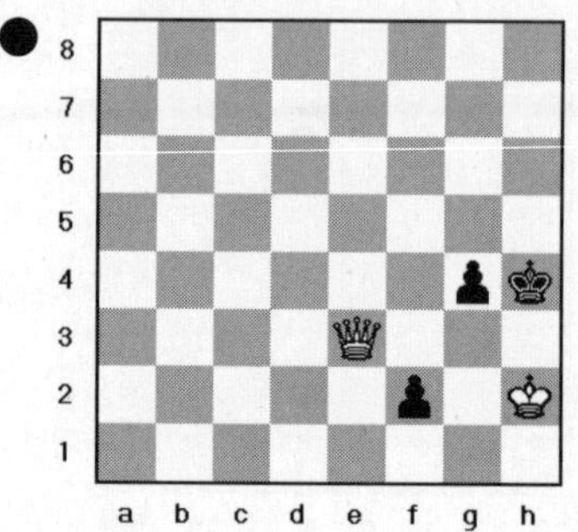

Respuestas

Primer diagrama. 1. c7-c8=C++
Segundo diagrama. 1. f7-f8=T, Rh7-h6 2. Tf8-h8++
Tercer diagrama. 1. ..., d2-d1=T 2. Rc3-b3, Td1-d3++
Cuarto diagrama. 1. ..., f2-f1=C+

Cuestionario

Responde si es verdadero o falso, en cada caso:

1. Las jugadas intermedias posponen la jugada evidente, para crear una nueva amenaza.

A) Verdadero.

B) Falso.

2. Muchas jugadas intermedias son jaques.
A) Verdadero.
B) Falso.

3. Una pieza atrapada siempre puede cambiarse por otra igual.
A) Verdadero.
B) Falso.

4. Si sacas la dama antes de tiempo, tal vez la atrapen.
A) Verdadero.
B) Falso.

5. Siempre es mejor capturar una pieza al coronar.
A) Verdadero.
B) Falso.

6. Siempre debes pedir dama al coronar.
A) Verdadero.
B) Falso.

Respuestas

1. Verdadero.
2. Verdadero.
3. Falso.
4. Verdadero.
5. Falso.
6. Falso.

11. Las amenazas

Ya conoces muchos mates típicos y temas de combinación. Toma en cuenta que ninguna jugada llega sola. En cada partida debes esforzarte por hallar estos temas, previendo las jugadas ulteriores.

Muchas veces amenazamos un golpe táctico y, si el adversario se descuida o no puede evitarlo, ejecutamos esa amenaza.

Amenazas de jaque mate

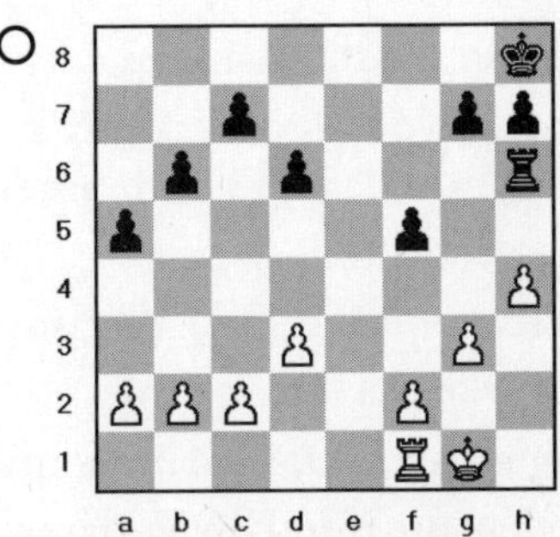

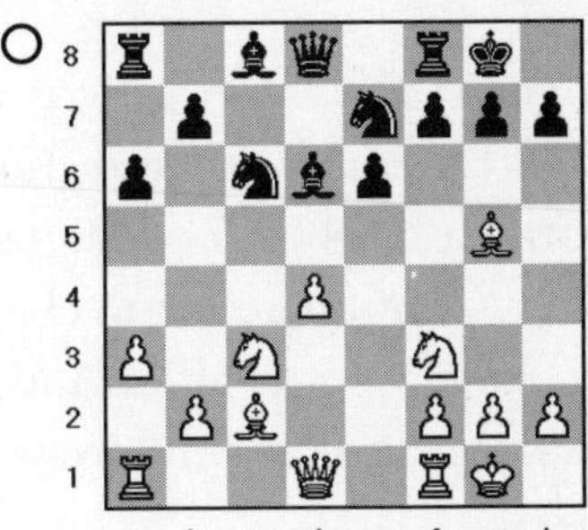

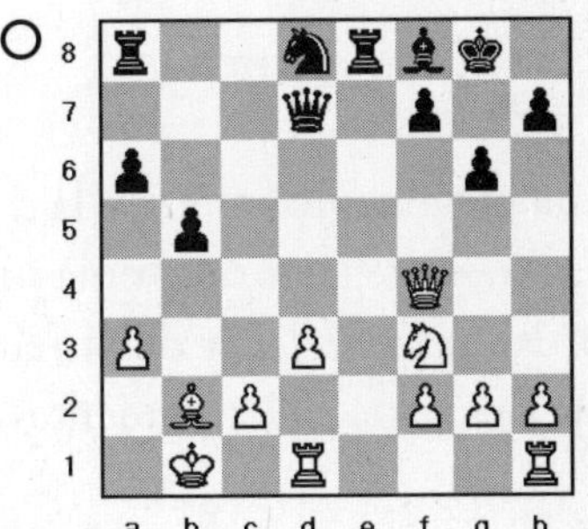

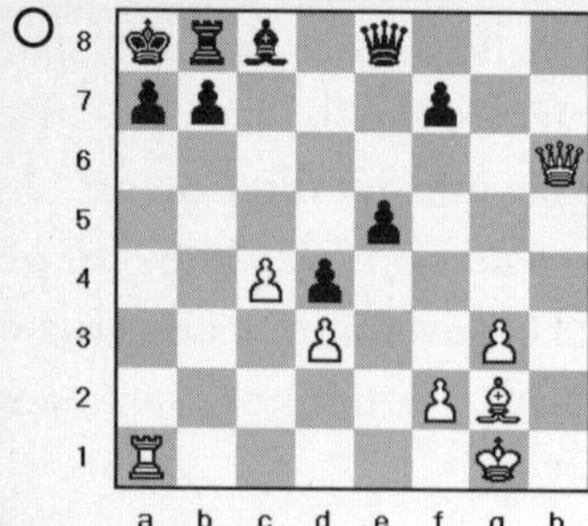

Respuestas:

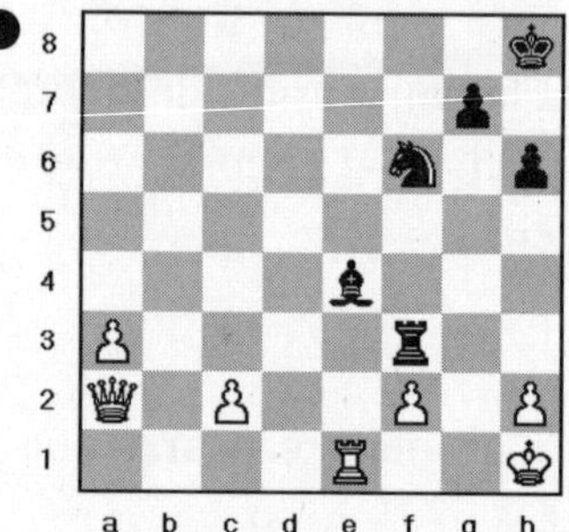

Primer diagrama. 1. Tf1-e1 amenaza mate en la octava fila.
Segundo diagrama. 1. Dd1-d3 Este tipo de ataques se llama «trenecito».
Tercer diagrama. 1. Df4-f6. Nuevamente puedes armar un tren con la dama y el alfil.
Cuarto diagrama. 1. Dh6-b6. ¿Recuerdas que una pieza clavada no se puede mover? Ante la amenaza 2. Db6xa7++, las negras jugarán 1. ..., a7-a6, pero como el peón de b7 está clavado por el alfil blanco en g2, puedes dar mate con 2. Db6xa6++ ó 2. Ta1xa6++.

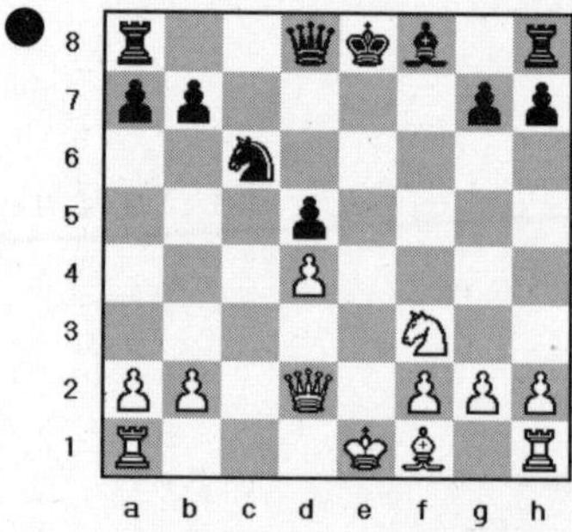

Amenazas contra la dama

Realiza una jugada que amenace la dama del contrario, sin regalar tu propia pieza. Juega con las negras. Trata de visualizar claramente tu jugada en los siguientes diagramas.

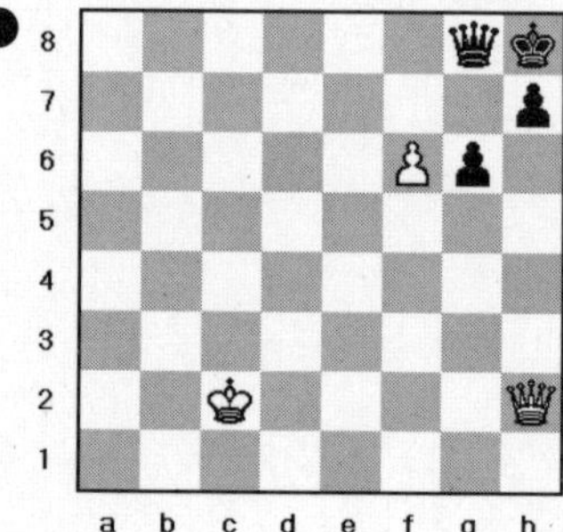

Respuestas

Primer diagrama. Después de 1. ..., e6-e5 el alfil negro en c8 ataca a la dama blanca que no dispone de casillas libres.
Segundo diagrama. 1. ..., Tf3xa3+. Reaparece nuestro conocido tema del jaque al descubierto.
Tercer diagrama. 1. ..., Af8-b4.
Cuarto diagrama. 1. ..., Dg8-a2+.

Amenazas de doblete con caballo

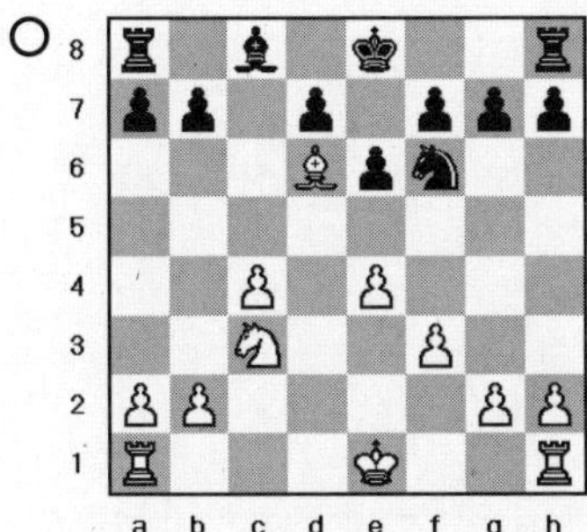

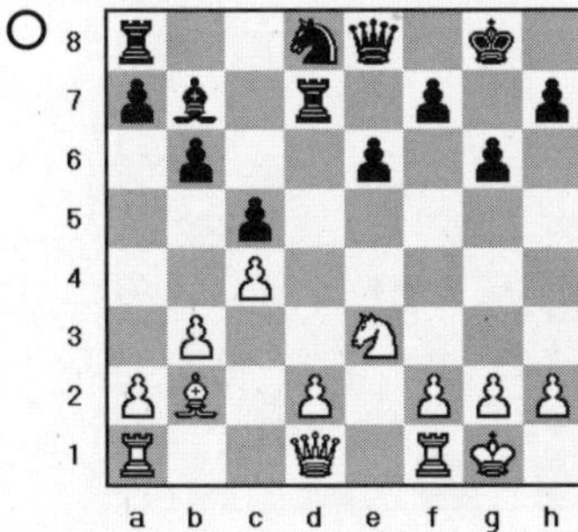

Primer diagrama. 1. Cc3-b5.
Segundo diagrama. 1. Ce3-g4

Amenaza con peón

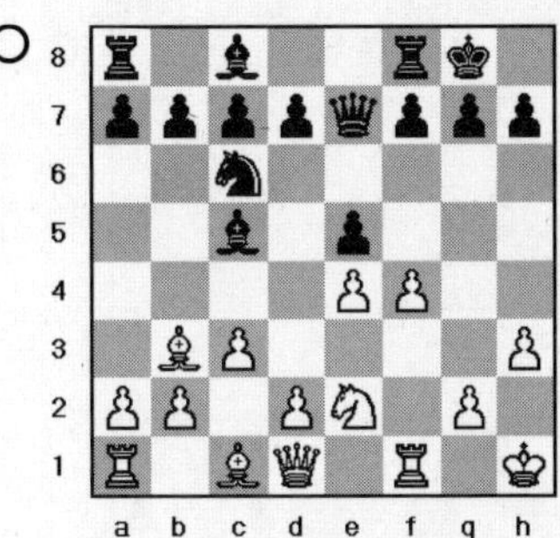

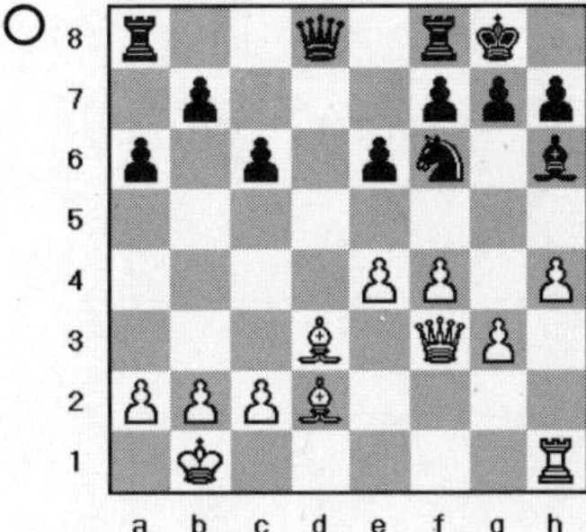

Primer diagrama. 1. f4xe5
Segundo diagrama.1. g3-g4

12. Las redes del mate

Cuando por la disposición de las piezas, tanto propias como contrarias, un rey no puede sino recibir jaque mate en las próximas jugadas, decimos que se halla en «red de mate». Observa los siguientes ejemplos. Aunque le toque jugar al bando débil, no podrá lograr que su rey escape.

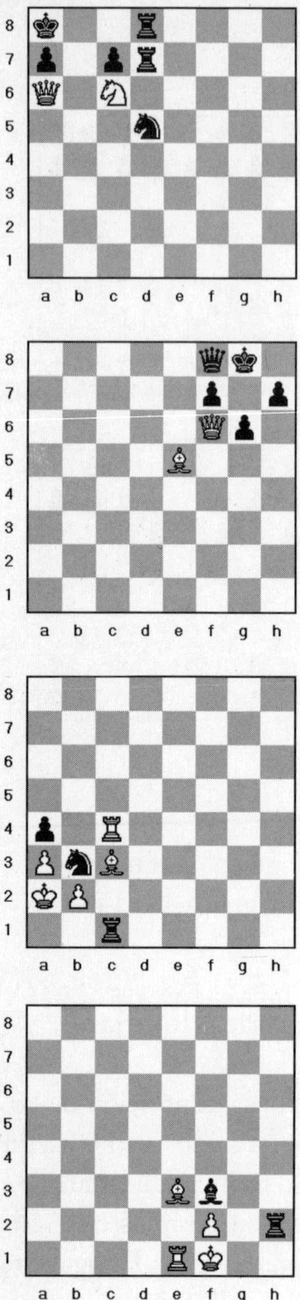

Ejercicios

Busca una jugada que amenace dar jaque mate en el siguiente movimiento.

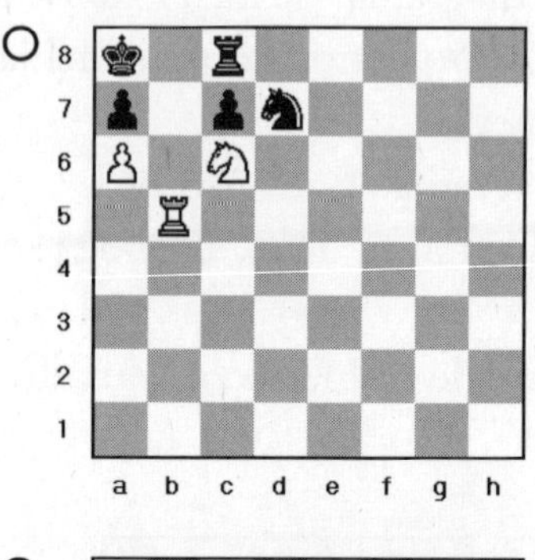

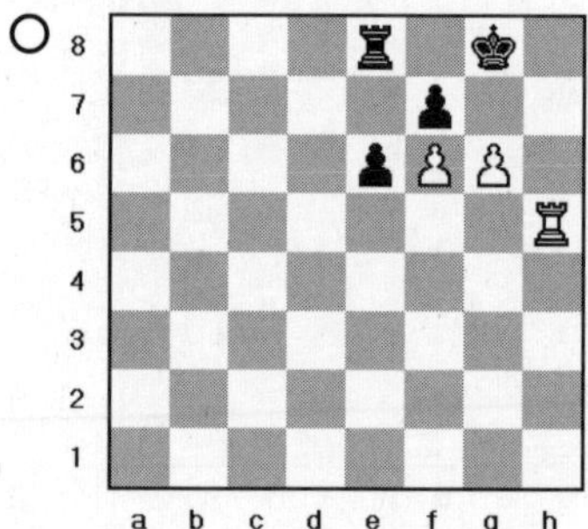

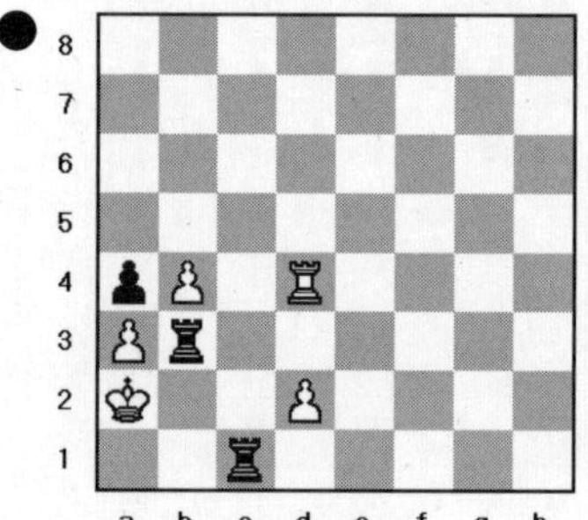

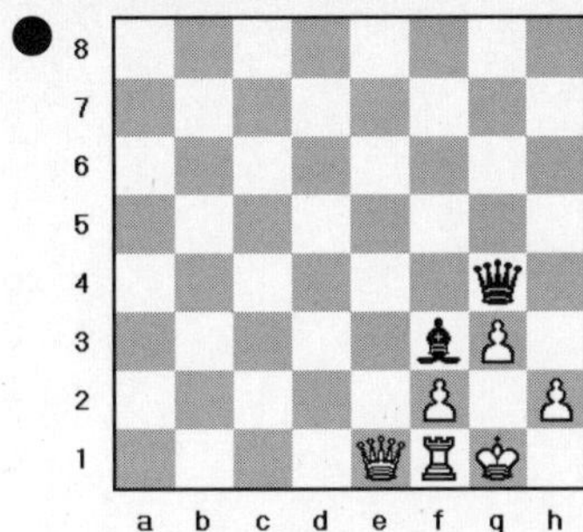

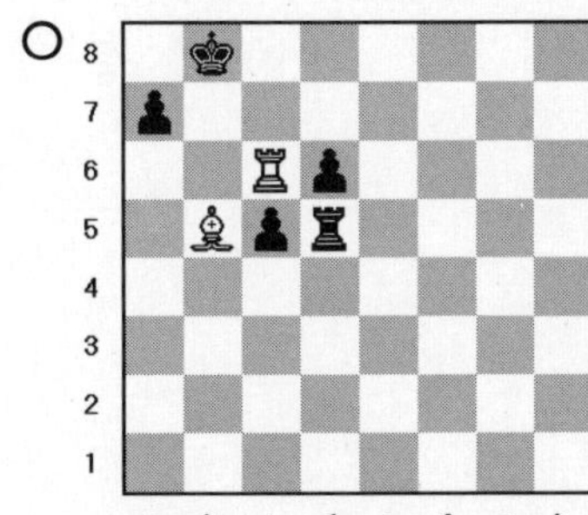

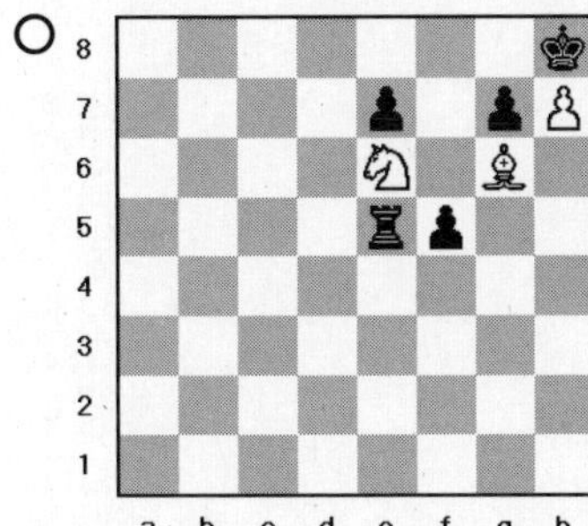

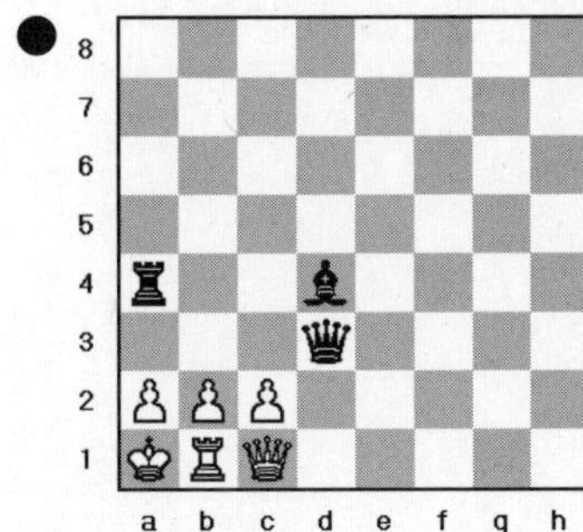

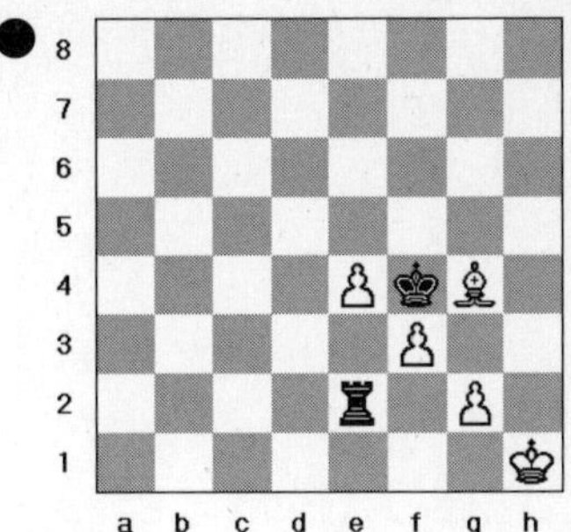

Respuestas

Primer diagrama. 1. Tb5-b7.
Segundo diagrama. 1. g6-g7.
Tercer diagrama. 1..., Tc1-b1.
Cuarto diagrama. 1..., Dg4-h3.
Quinto diagrama. 1. Ab5-a6.
Sexto diagrama. 1. Ce6-g5 ó 1. Ce6-d8.
Séptimo diagrama. 1. ..., Dd3-a3.
Octavo diagrama. 1 ..., Rf4-g3.

Capítulo VIII

Algunos recursos defensivos

1. Amenazas y réplicas

Los principiantes pasan por alto muchas amenazas sobre el tablero. Si la dama corre peligro, no la mueven. Si están en riesgo de mate, no hacen nada al respecto. Esto se debe a que su mente todavía no trabaja en función de los esquemas característicos del ajedrez. El primero de éstos es el de amenaza y réplica.

Cuando nuestro adversario realiza una jugada, lo primero que debemos preguntarnos es: «¿Qué amenaza con su movimiento?» La mayoría de los errores graves pueden evitarse si ponemos en práctica este consejo. Cuando existe una amenaza concreta, nuestro deber es evitar que se lleve a cabo. El rival no tiene por qué capturar nuestras piezas ni darnos un jaque mate «bobo».

Si tras considerar el movimiento del adversario llegamos a la conclusión de que no amenaza nada en concreto, sigamos adelante con nuestros planes. Veamos ahora algunos ejemplos sencillos de medidas precautorias.

A) Ante la amenaza de mate con torre en la octava fila, adelanta un peón o aproxima al rey.

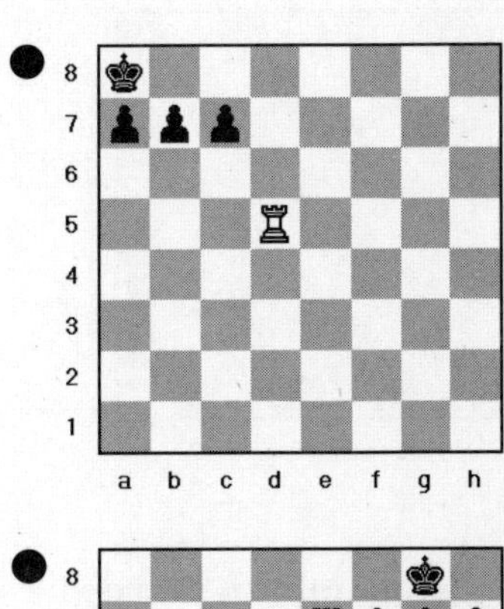

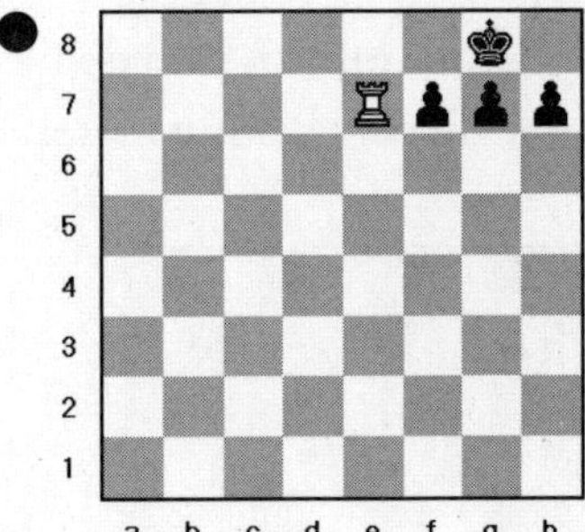

B) Contra la amenaza de mate con dama apoyada por su peón, captura el peón o, como en el segundo ejemplo, defiende la casilla en donde podrías recibir mate. Acércala a tu rey para impedir el mate.

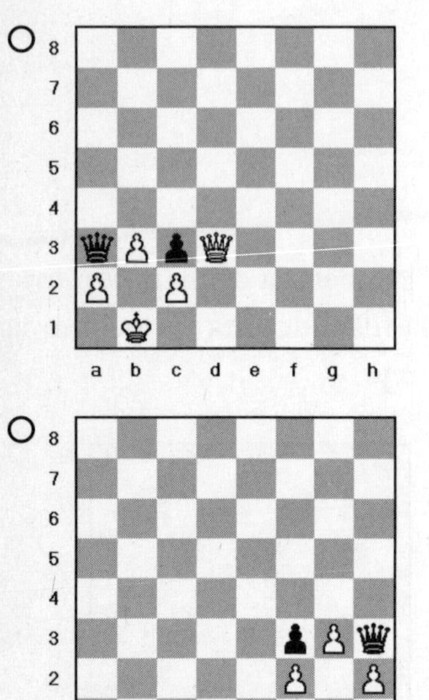

C) Si defiendes los puntos más débiles de tu posición, evitarás el jaque mate.

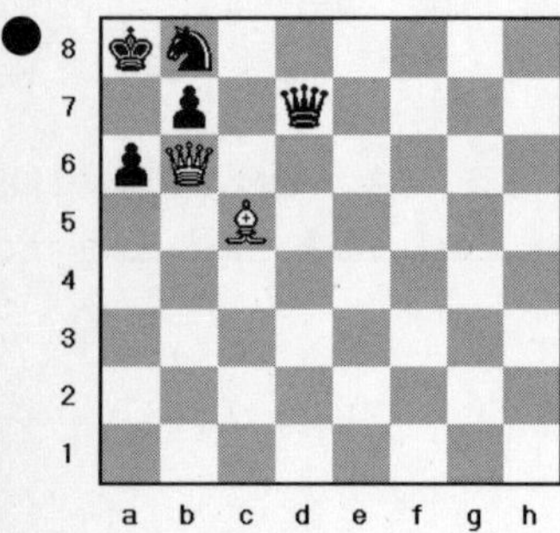

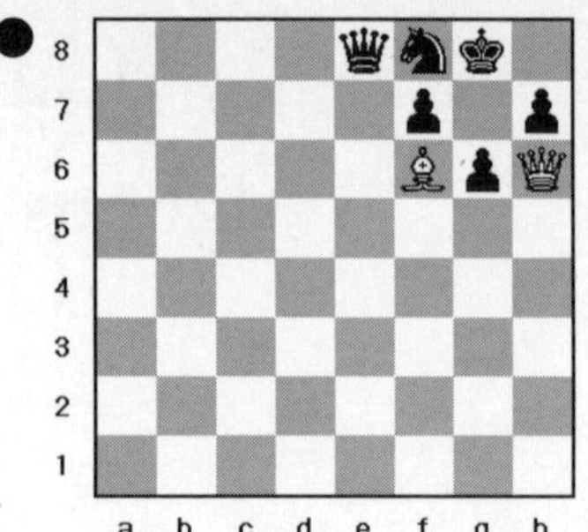

D) Busca las mejores defensas para evitar el jaque mate.

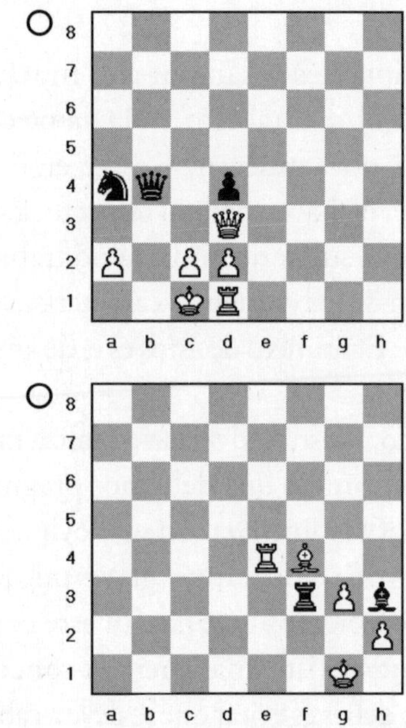

Ejercicios

En los siguientes diagramas conducimos las negras. Todas estas posiciones entrañan una amenaza directa contra nuestro rey o nuestra dama. Es preciso adoptar una medida defensiva.

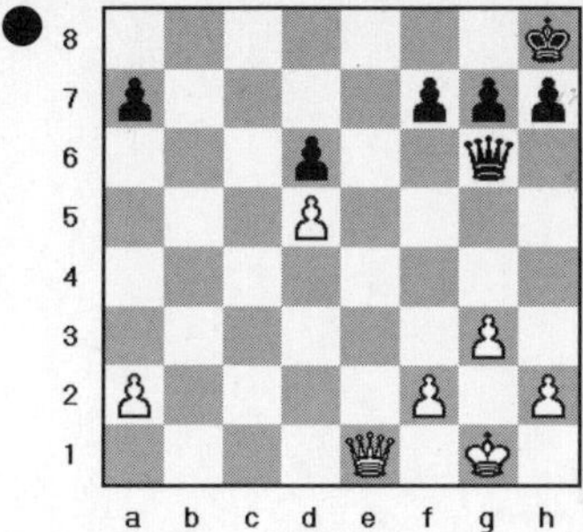

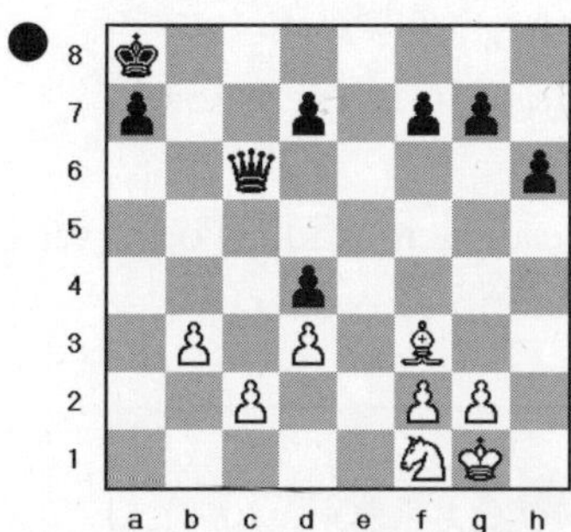

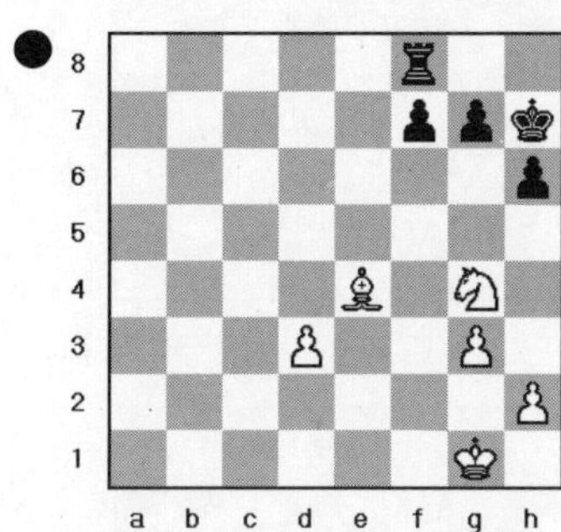

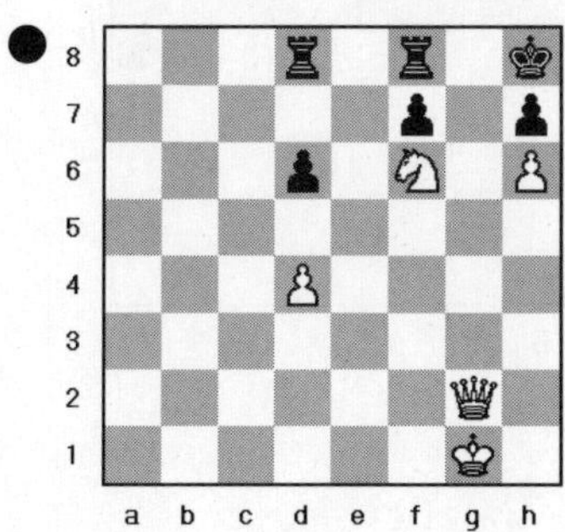

Respuestas

Primer diagrama. Le damos «aire» al rey con 1. ..., h7-h6 o 1. ..., h7-h5.
Segundo diagrama. 1. ..., d7-d5 «rompe» la clavada y preserva la ventaja material.
Tercer diagrama. 1. ..., f7-f5 propicia una horquilla favorable.
Cuarto diagrama. Las blancas amenazan con dar un mate de dama apoyada, pero con 1. ..., Tf8-g8 las negras anteponen una clavada a la dama blanca. Una vez realizados los cambios quedan con un final ventajoso.

2. ¿Cambio o captura?

Algunos principiantes suelen confundirse por el número de piezas que atacan y defienden. Para ganar una pieza, el número de atacantes debe ser mayor al número de defensores. Por lo tanto, para que una pieza no se pierda, el número de defensores ha de ser igual al de los atacantes.

Ataca una, defiende una

Si las piezas son de igual valor, podrán cambiarse, pero el atacante no ganará material.

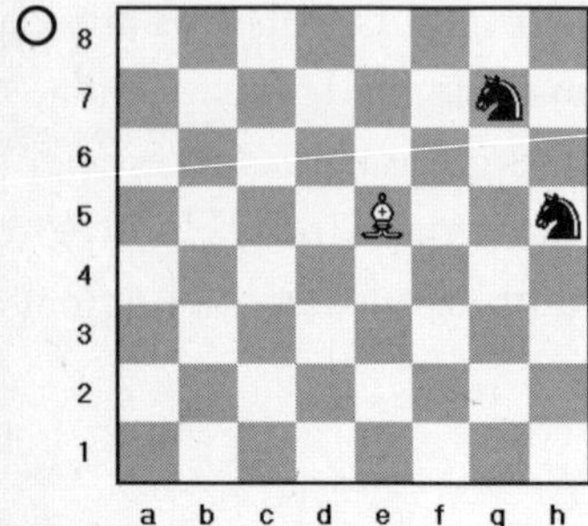

Atacan dos, defiende una

Si le corresponde el turno, el atacante ganará el peón.

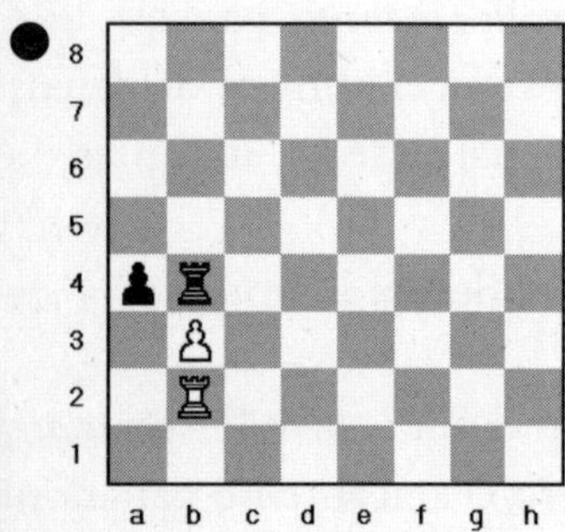

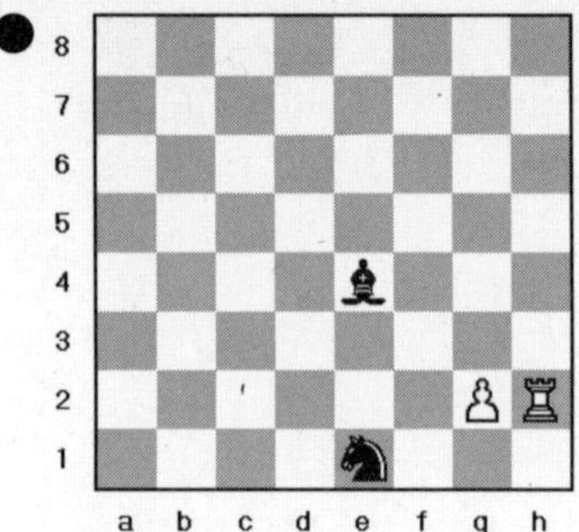

Atacan dos, defienden dos

La pieza está defendida. Podrá ser cambiada, pero no se perderá.

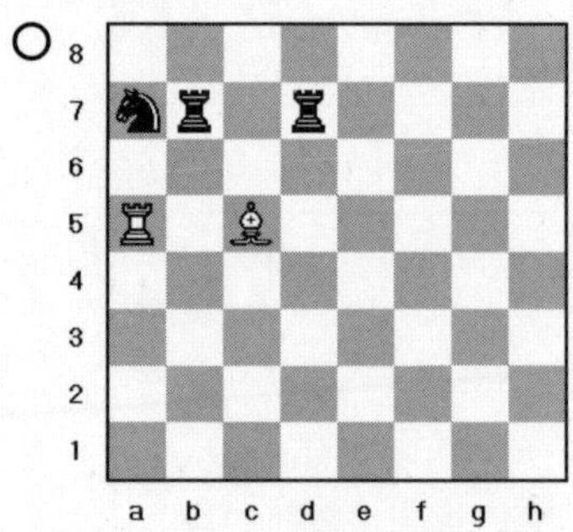

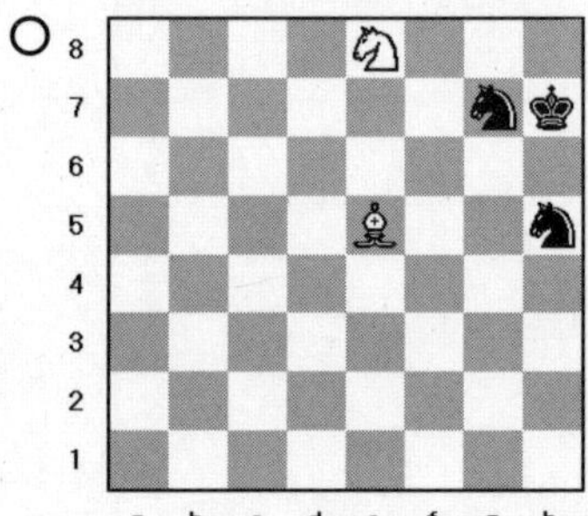

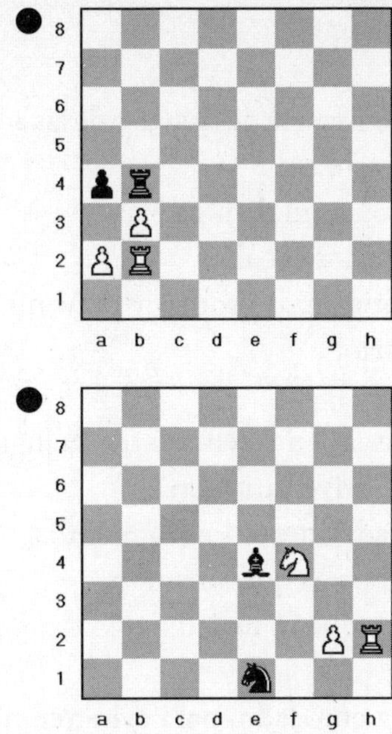

Atacan tres, defienden dos

Si le toca jugar al atacante, ganará la pieza en disputa.

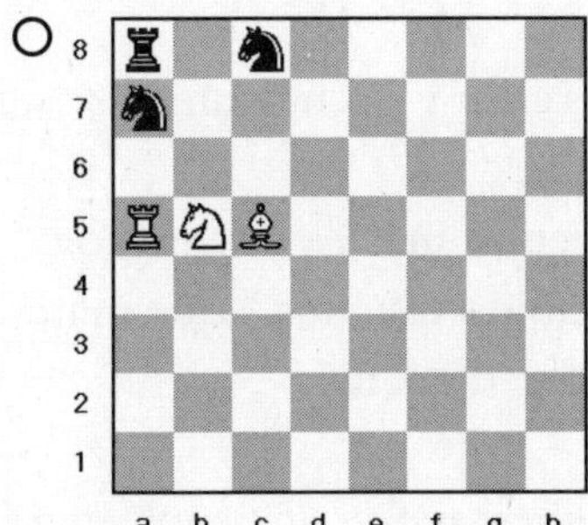

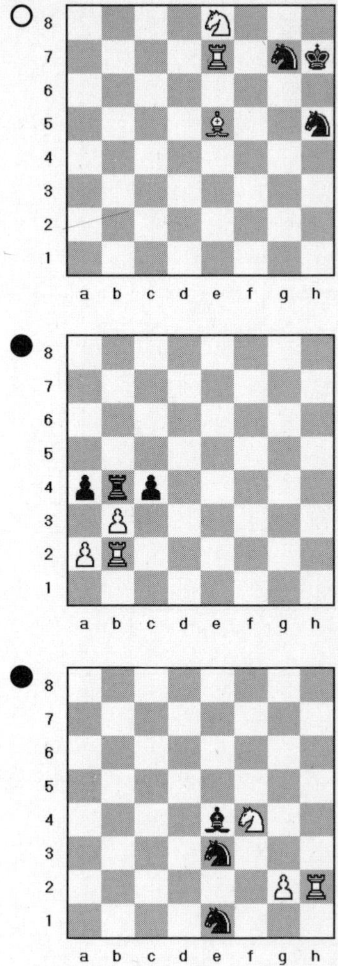

La cuenta se incrementa en forma proporcional. Si atacan cuatro y defienden cuatro, la pieza quedará defendida.

Es de vital importancia contemplar los valores de las piezas en estos cambios o capturas. En los ejemplos siguientes un bando posee mayor número de atacantes, pero no se produce la ganancia material debido al valor de las piezas en juego.

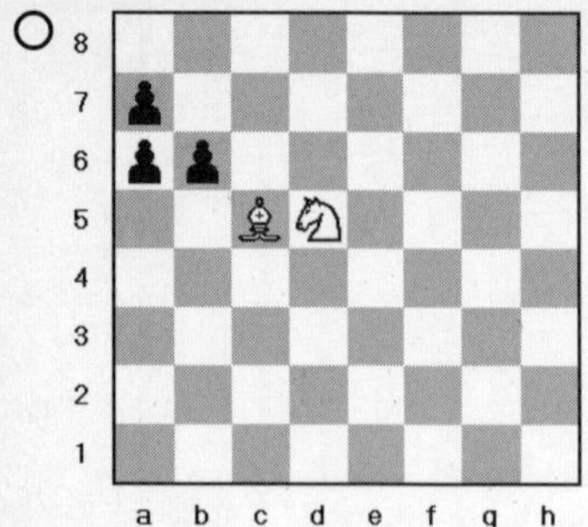

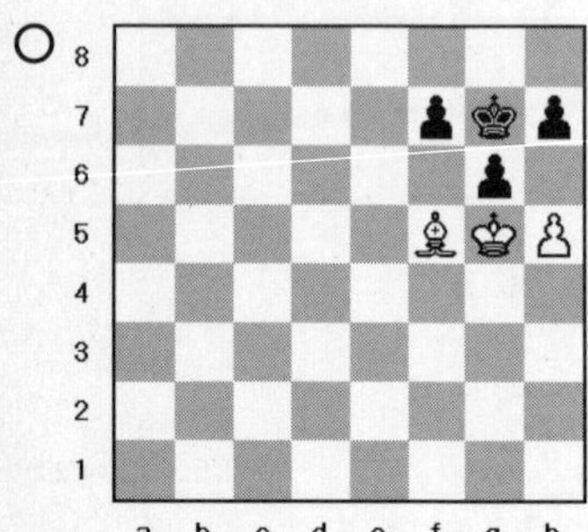

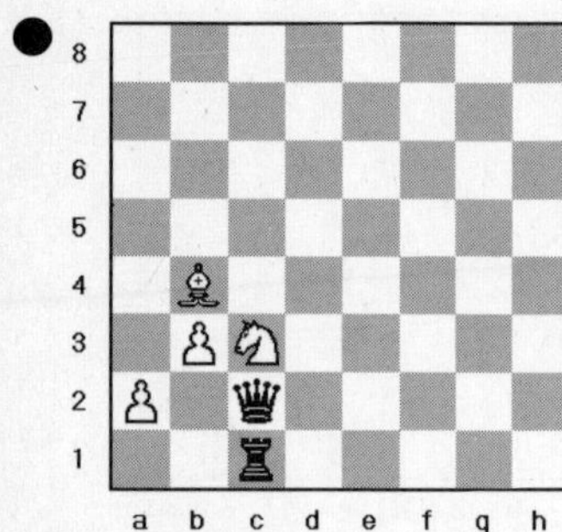

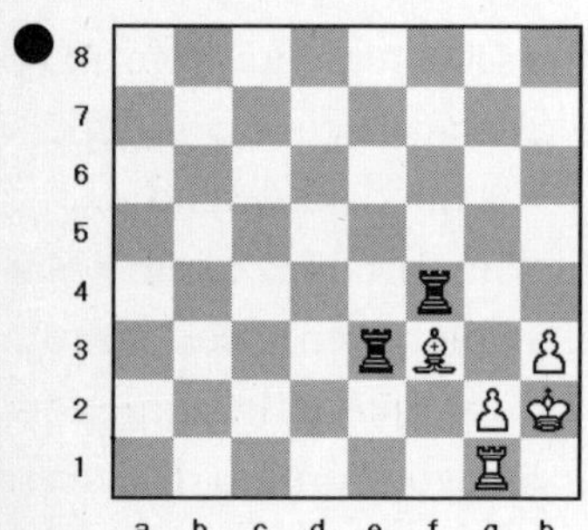

Cuestionario

1. La mejor manera de cuidarse de las amenazas consiste en:
A) Atacar a como dé lugar.
B) Cambiar los caballos.
C) Crear amenazas propias y prevenir las del contrario.

2. Un pensamiento sensato tras la jugada de nuestro adversario sería:
A) Seguir adelante sin miramientos.
B) Preguntarnos qué amenaza.
C) Suponer que es mala.

3. Una vez enrocado, para evitar el mate en la octava horizontal, puede ser conveniente:
A) Esconder el rey en la esquina.
B) No mover la torre del enroque.
C) Darle «aire» al rey al avanzar un peón del enroque.

4. Si logras crear y ejecutar amenazas, será señal de que:
A) Estás viendo más de una jugada.
B) Has recibido muchos jaque mates.
C) Tu rival se descuidó.

5. Si tres piezas atacan un peón defendido por dos, el resultado de la captura será:
A) Ganancia material para el atacante.
B) Cambios sin ganancia de material.
C) Inferioridad para el atacante.

6. Si el blanco ataca un alfil con dos torres, y dos torres negras defienden este alfil, el resultado de las capturas será:
A) El blanco ganará el alfil.
B) El negro ganará la calidad.
C) El negro quedará con una torre de ventaja.

7. Si dos peones blancos atacan a un peón negro, defendido a su vez por dos peones, el resultado de las capturas será:
A) Ganancia material para el blanco.
B) Cambios de igual valor.
C) Ganancia material para el negro.

8. Si una dama blanca, apoyada por la torre, captura una torre negra defendida por la dama, el resultado será:
A) Ganancia de material para el blanco.
B) Igualdad.
C) Ganancia de material para el negro.

1. C
2. B
3. C
4. A
5. A
6. B
7. B
8. A

3. Algunos recursos tácticos defensivos

Las «desclavadas»

Las clavadas son un recurso ofensivo tan poderoso, que a menudo es necesario romperlas. Existen varios métodos para lograrlo.

A) La captura de la pieza que clava la nuestra.
B) La interposición.
C) La contraclavada.
D) El movimiento de la pieza trasera.
E) El movimiento de la pieza clavada.
F) La distracción a la pieza clavante.
G) La pregunta a la pieza clavante.
H) La anticipación de la clavada.

Ejemplos de captura, interposición y contraclavada

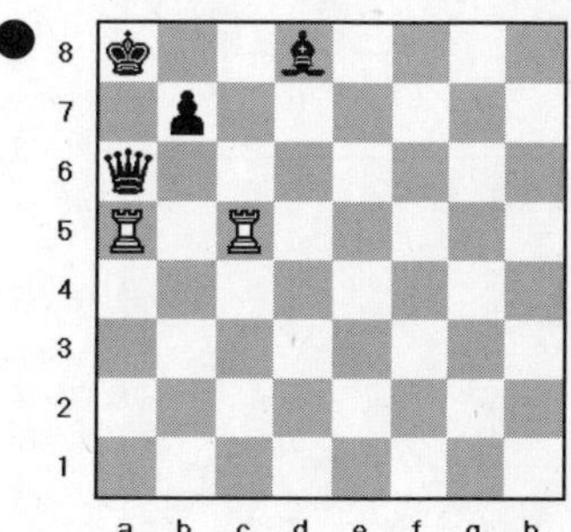

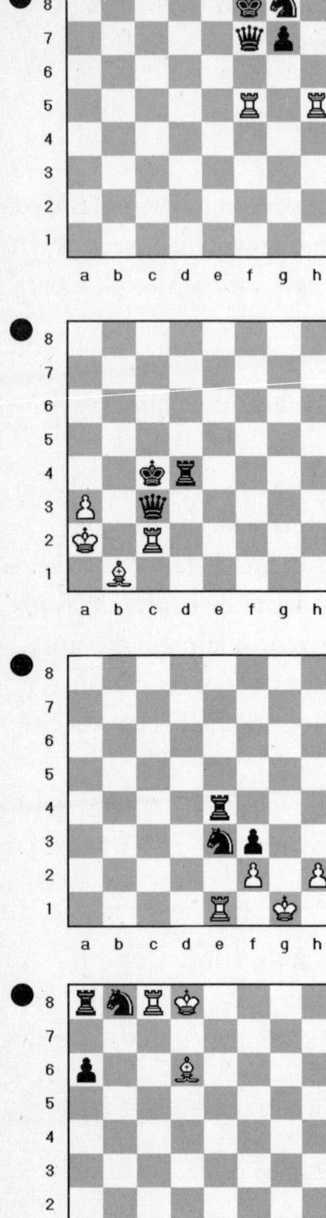

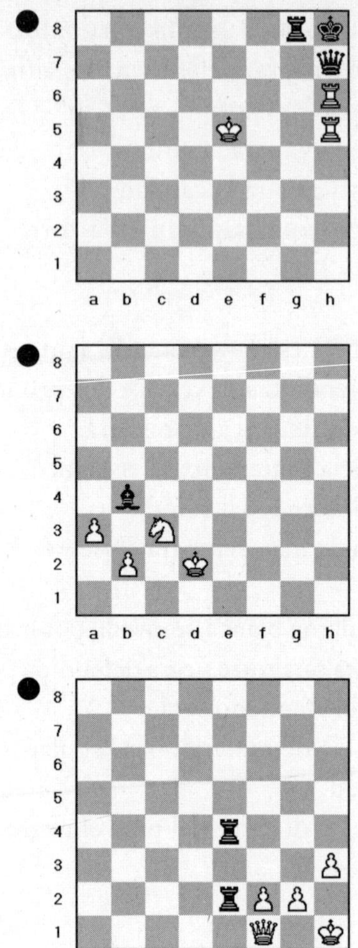

Ejercicios

Estudia las siguientes posiciones y descubre la manera de «desclavarte».

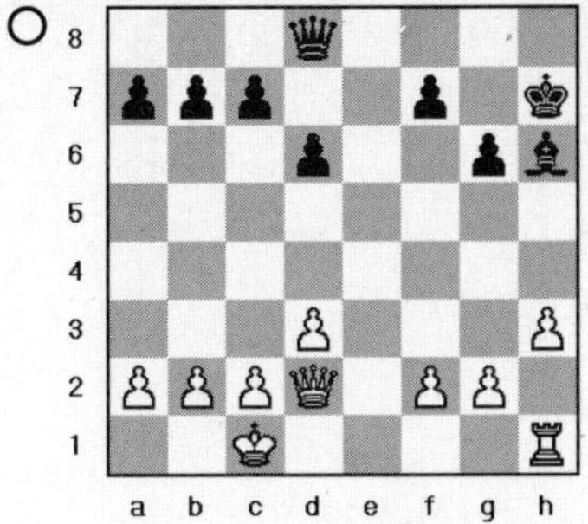

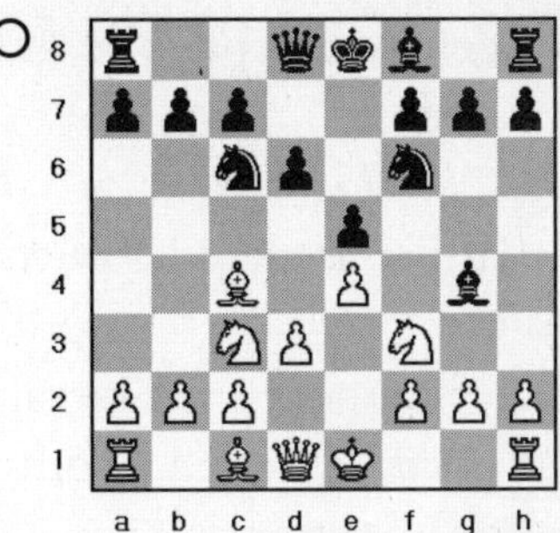

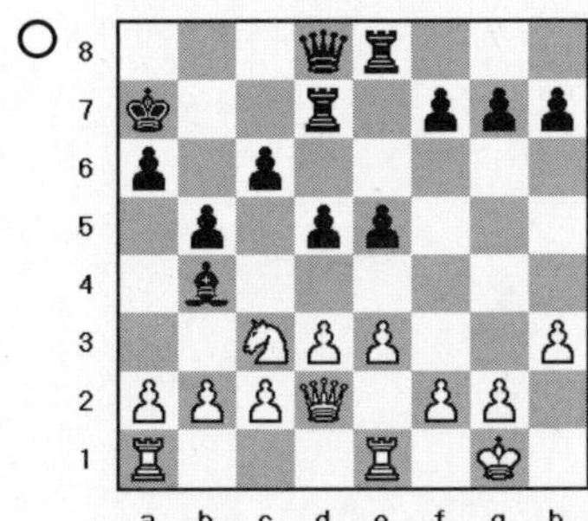

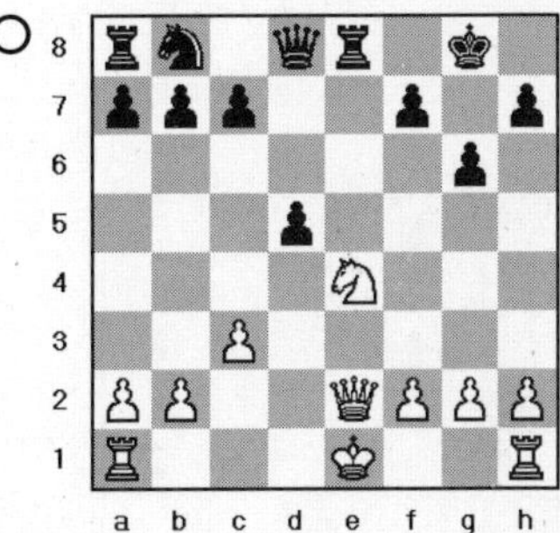

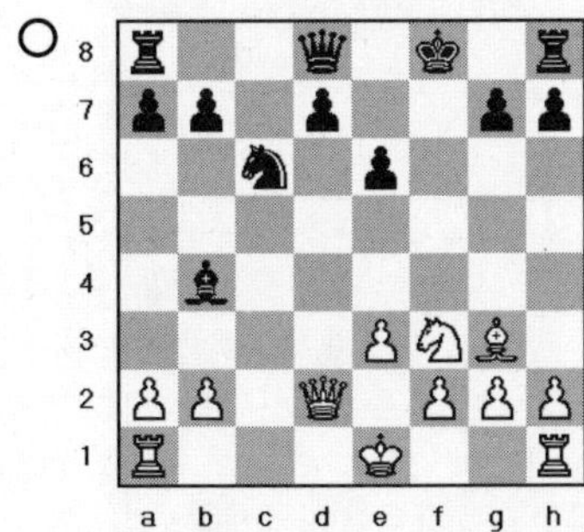

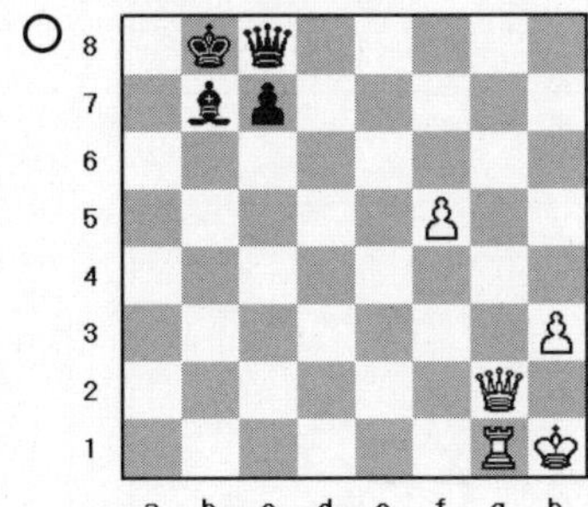

Respuestas

Primer diagrama. 1. f2-f4.
Segundo diagrama. 1. Cc3xb5+.
Tercer diagrama. 1. Ag3-d6+.
Cuarto diagrama. Las blancas «contraclavan» al alfil negro con 1. Tg1-b1.
Quinto diagrama. 1. h2-h3.
Sexto diagrama. 1. Ce4-f6+. De esta forma atacan a la torre y al rey de las negras. En caso de que éstas respondan 1. ..., Dd8xf6, la dama blanca captura la torre en e8.

Defensas contra el ataque doble

Aunque el ataque doble es una poderosa arma táctica, no siempre es decisiva. En ciertos casos el defensor dispone de recursos para hacerle frente:

A) Una de las piezas atacadas puede defender a la otra.
B) Es posible interponer una pieza.
C) También puede lanzarse un contraataque de mayor importancia.

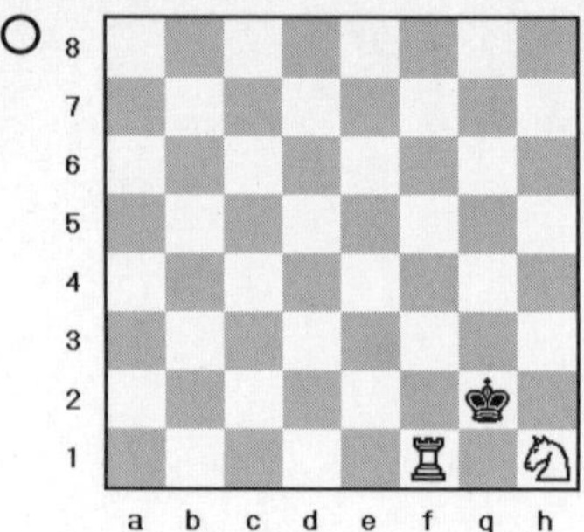

Una pieza defiende a la otra

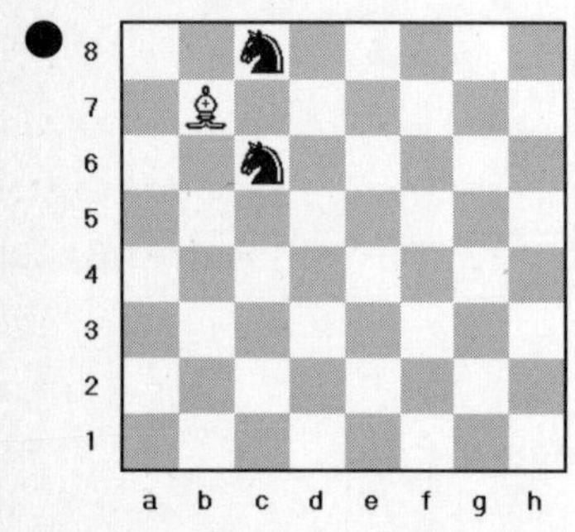

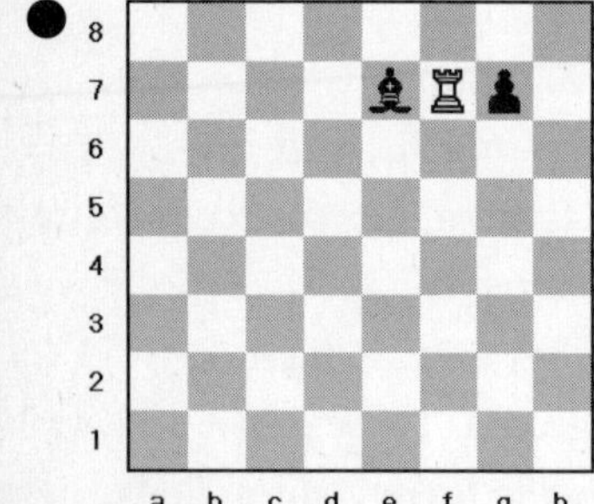

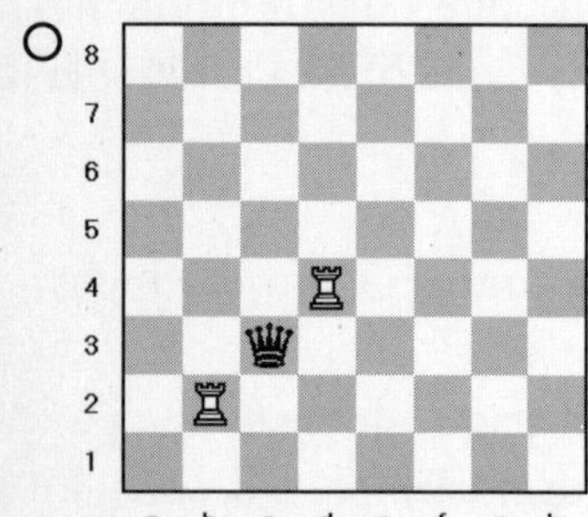

Se interpone una pieza

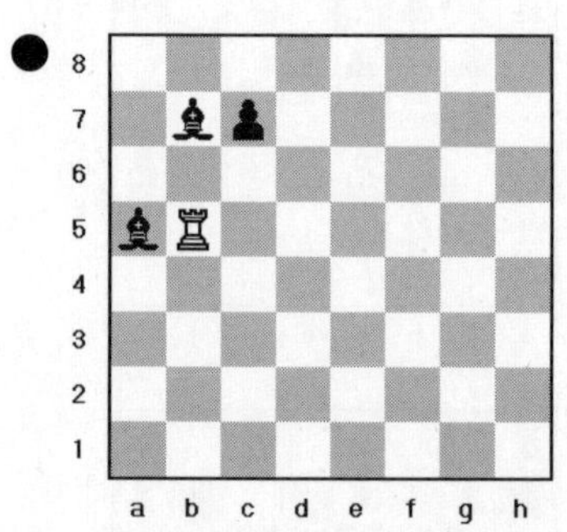

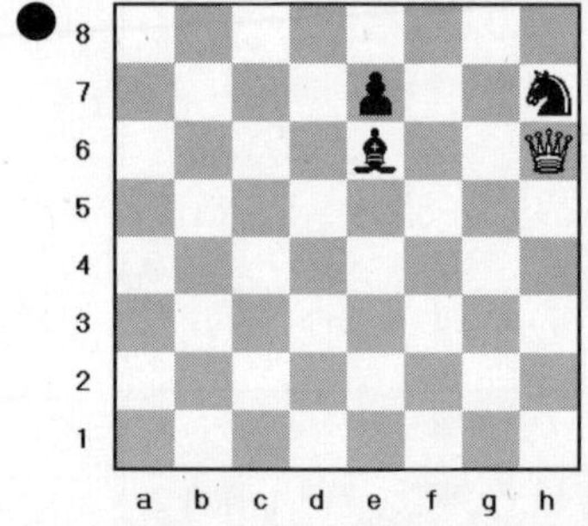

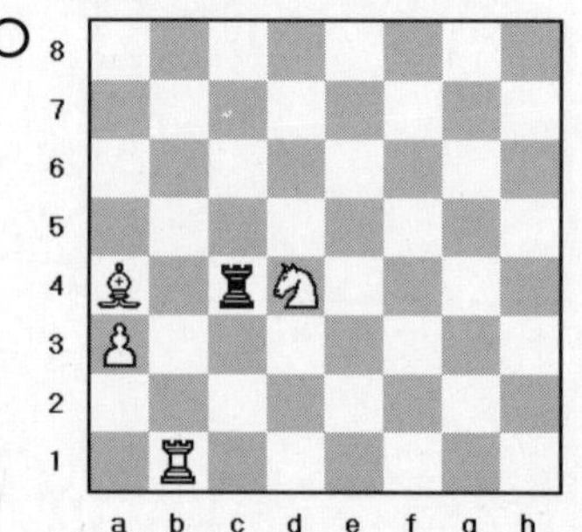

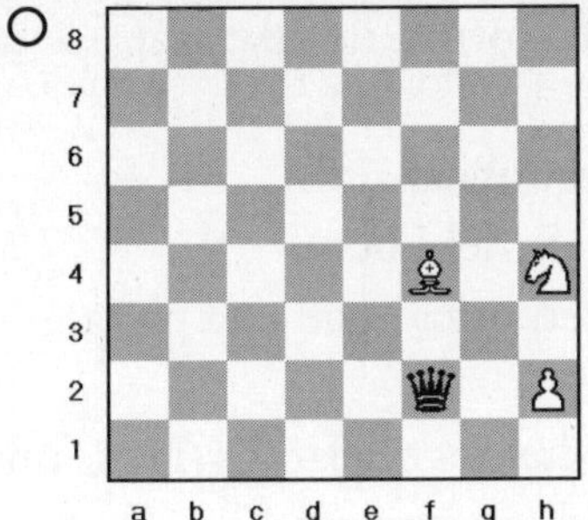

Se lanza un contraataque de mayor importancia

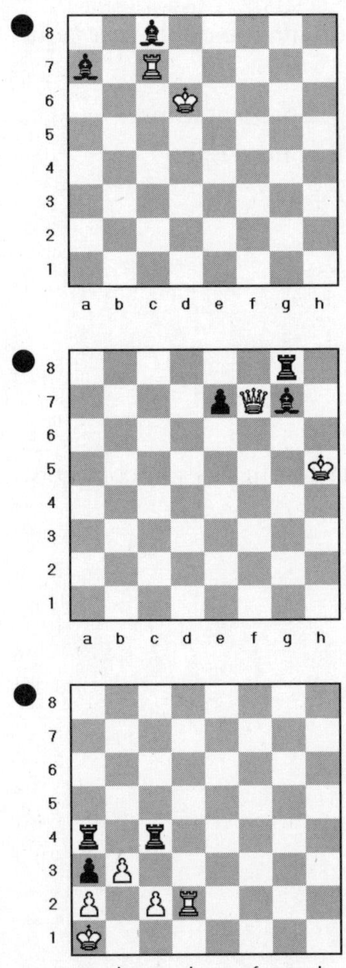

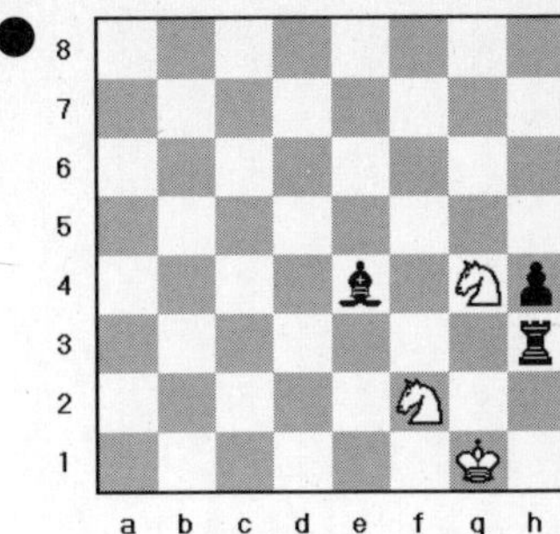

Defensa al ataque doble con jaque

Ante todo debemos responder al jaque. Pero en algunos casos, la defensa pudiera valerse de una «clavada» o de un contrataque. Veamos dos ejemplos de cada caso.

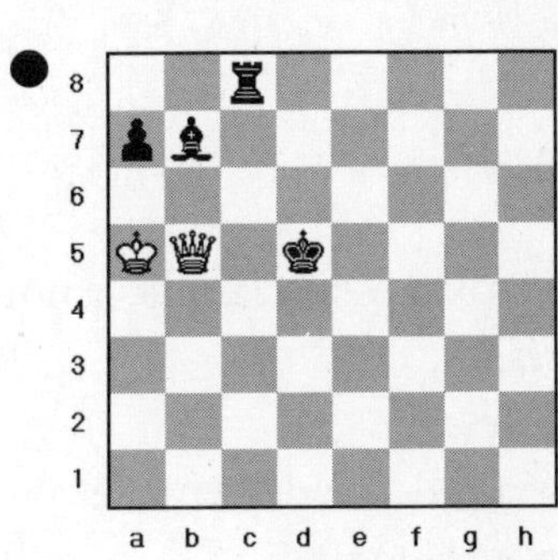

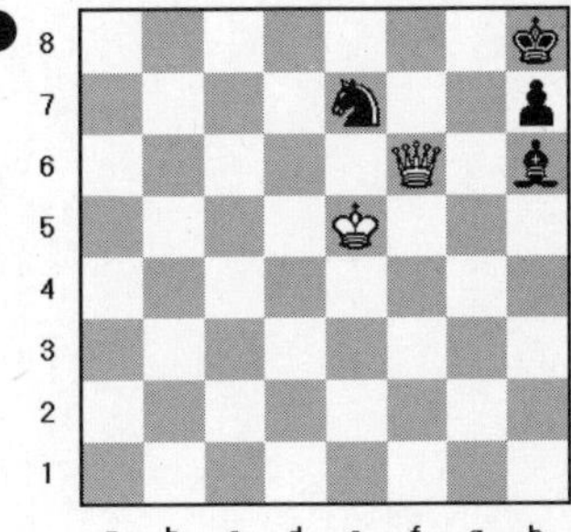

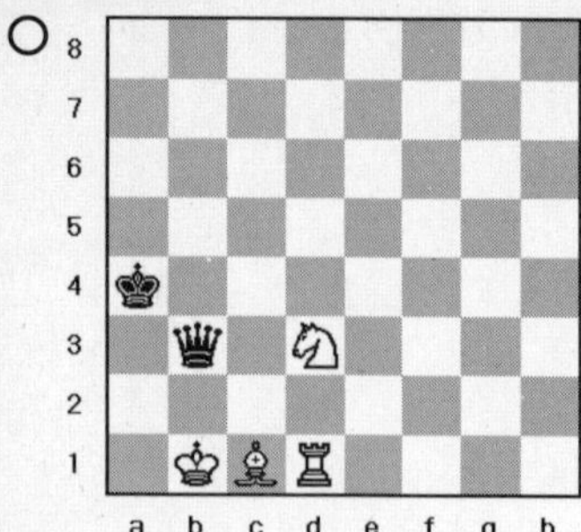

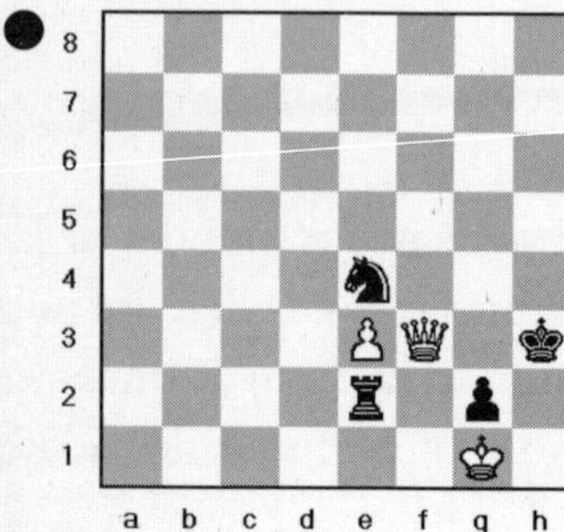

Cuestionario

1. Si tenemos una pieza clavada, la norma sensata sería:
A) No hacerle caso.
B) Buscar el modo de desclavarse.
C) Lanzarnos al ataque.

2. Entre las formas de desclavarse se cuentan:
A) La pregunta al alfil.
B) El «Mate del Loco».
C) La interposición de una pieza.

3. No podremos quejarnos si ante un ataque doble conseguimos:
A) Salvar una de las piezas atacadas.
B) Clavar la pieza atacante.
C) Proteger una pieza con la otra.

4. Ante un ataque doble con jaque, nos gustaría:
A) Clavar la pieza atacante.
B) Dar un contrajaque.
C) Mover el rey.

Respuestas

1. B
2. C
3. C
4. Las tres respuestas son correctas.

Capítulo IX
Los sacrificios

En un capítulo anterior analizamos el valor de las piezas. Sin embargo, es necesario aclarar que los valores asignados no son absolutos, a excepción del rey. En el ajedrez se presentan a menudo soluciones inesperadas que trastocan los valores de las piezas.

Si entregamos nuestra dama —que vale 9— a cambio de un caballo —que vale 3—, aparentemente hemos realizado un mal negocio. ¿Pero qué ocurre si en la siguiente jugada logramos dar jaque mate? En ese caso, el sacrificio de la dama no habría sido en vano, puesto que sirvió para alcanzar un objetivo superior: el jaque mate.

Una vez que se lanzan al ataque, muchos jugadores sacrifican peones o piezas con el fin de abrir líneas e intensificar su ofensiva. El sacrificio puede ser la única manera de abrir una posición y conseguir una ventaja decisiva. Cuando es correcto redundará en ganancia material o en jaque mate. Si resulta equivocado, el atacante se lamentará por las piezas que sacrificó y seguramente pagará las consecuencias. Por eso debemos sacrificar sólo cuando estemos convencidos del provecho que obtendremos del sacrificio.

Los sacrificios dotan de belleza a las partidas de ajedrez y dejan un rastro de satisfacción en quienes juegan, presencian o reproducen posteriormente la partida.

1. Sacrificios de dama

En las siguientes posiciones se entrega la dama en la primera jugada para dar mate con otra pieza en el siguiente movimiento.

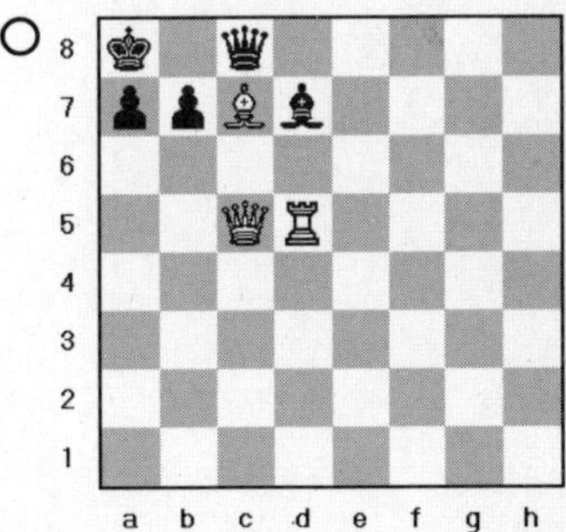

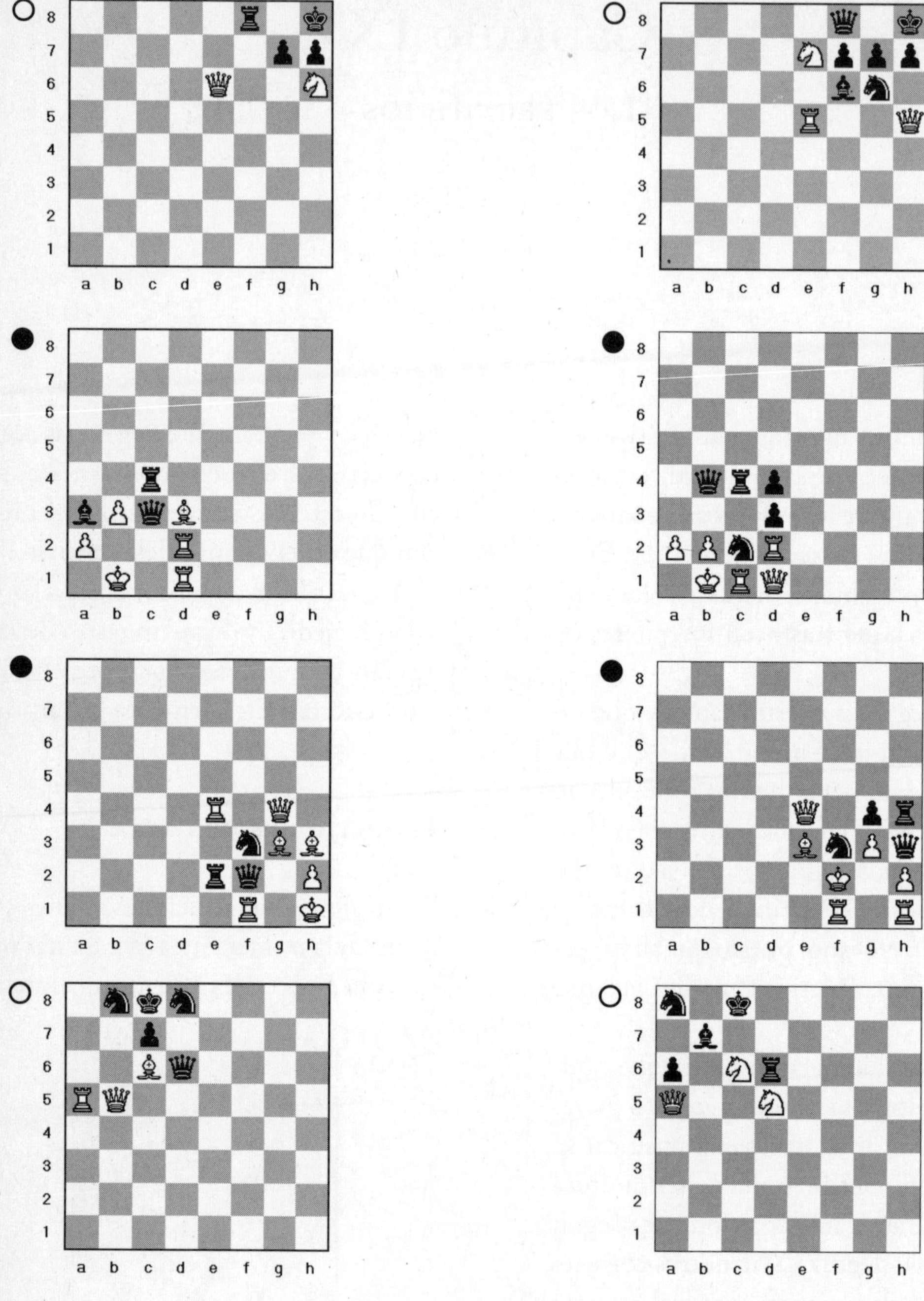

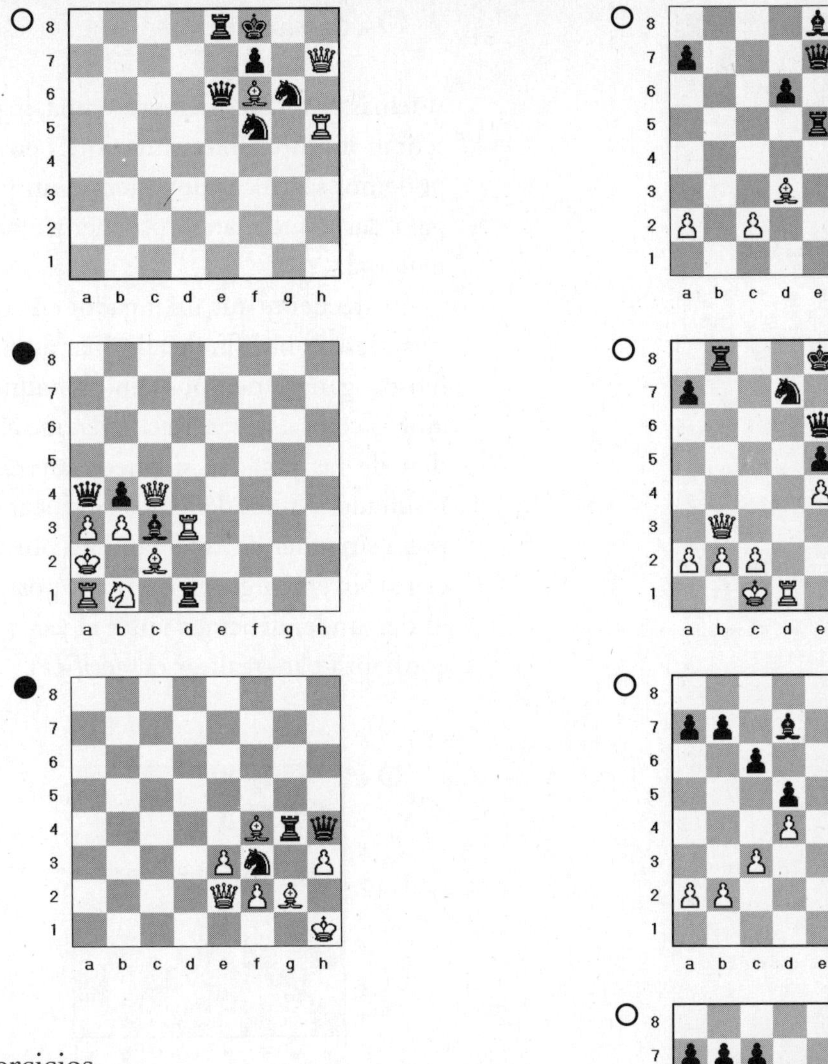

Ejercicios

Busca la manera de dar jaque mate en dos jugadas con sacrificio de dama.

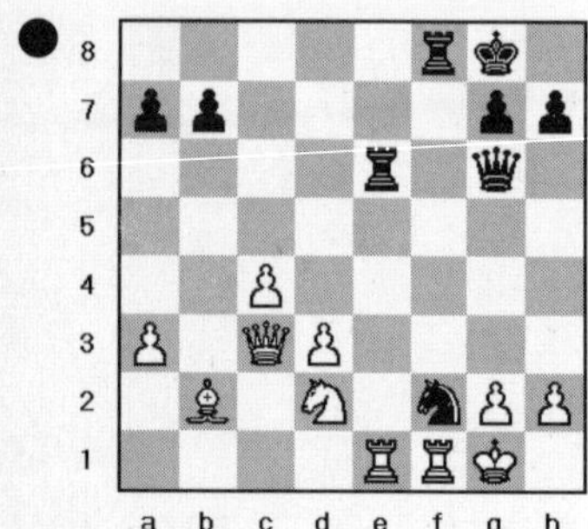

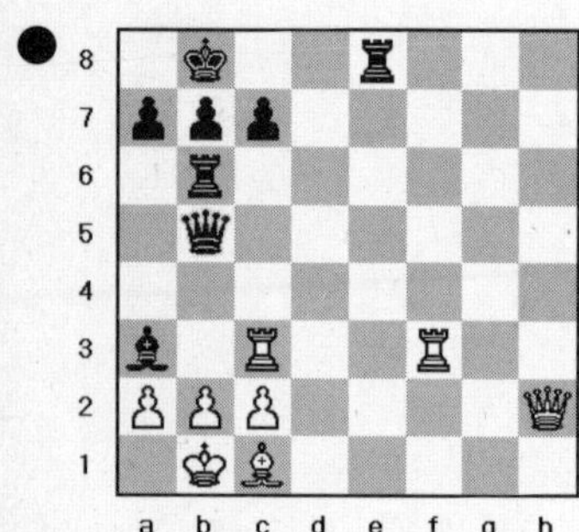

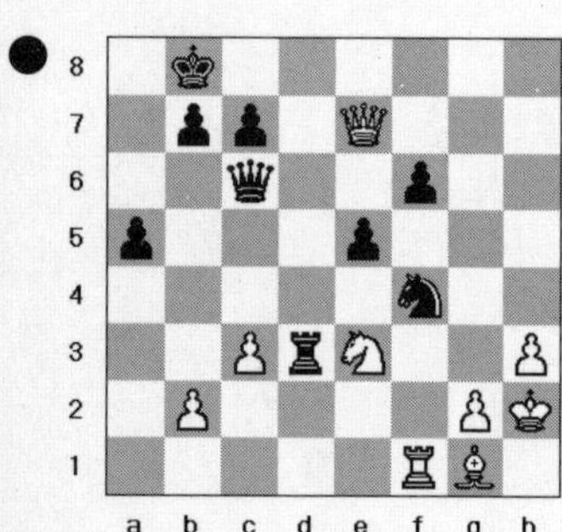

2. Otros sacrificios

Además de los sacrificios de dama, se presentan innumerables situaciones en que podemos sacrificar una pieza o un peón para dar jaque mate u obtener ganancia material.

Es frecuente que un jugador entregue una pieza con el fin de eliminar a un defensor, ganar «tiempos» en el ataque, o ambas cosas a la vez. Recuerda que el orden de las jugadas sí puede alterar el resultado. Nunca debemos sacrificar una pieza sin tener de antemano un objetivo claro. Sin embargo, en cuanto la posición lo demande, debemos tener el valor y la confianza para realizar el sacrificio.

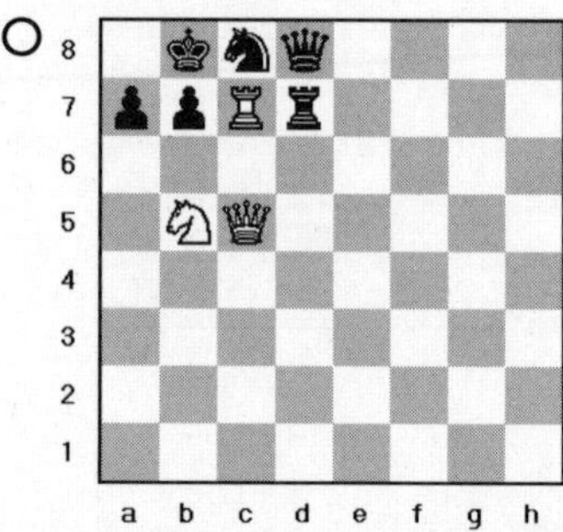

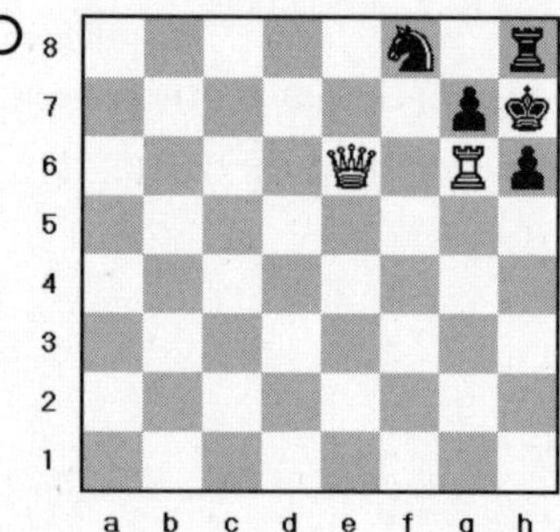

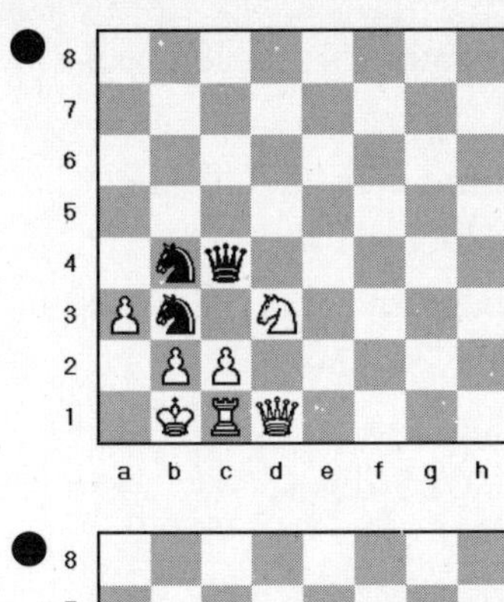

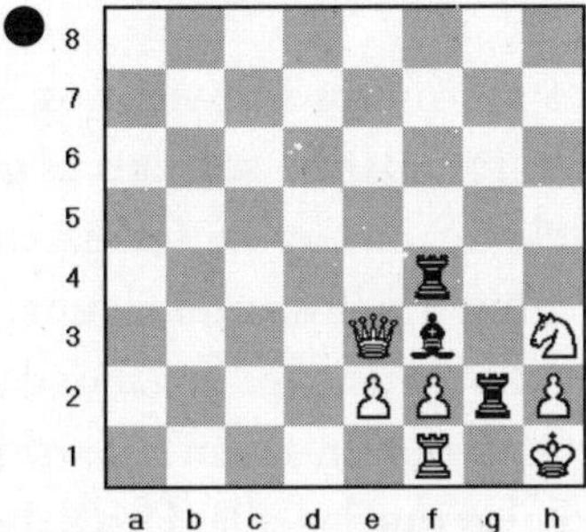

Ejercicios

Descubre la forma de dar mate en dos jugadas a partir de un sacrificio.

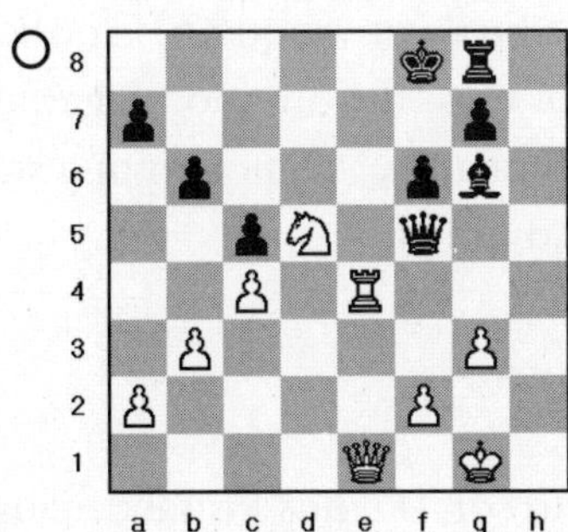

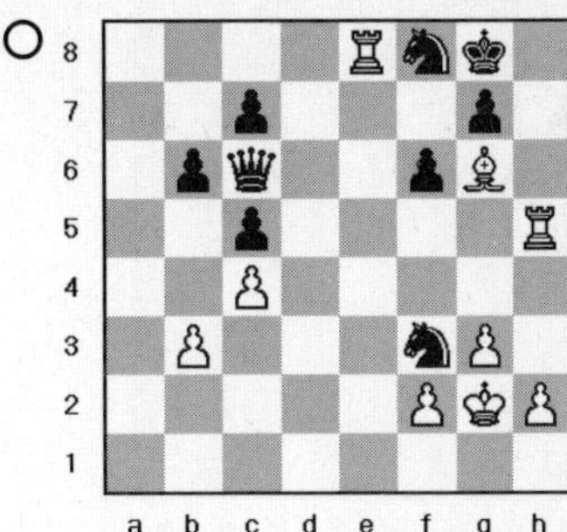

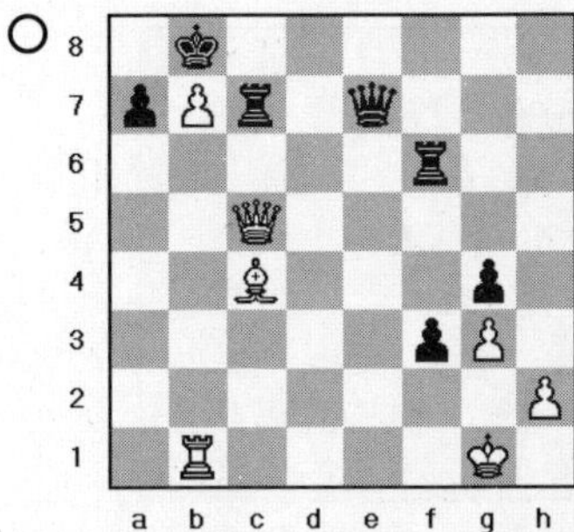

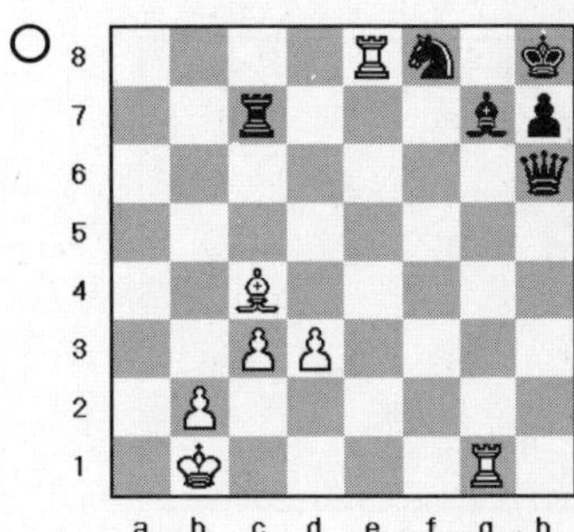

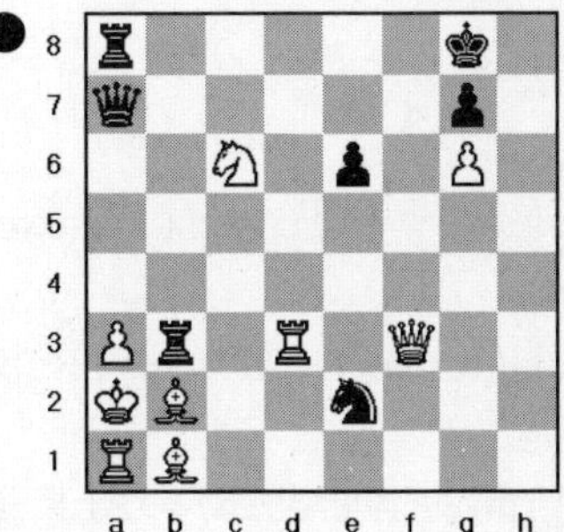

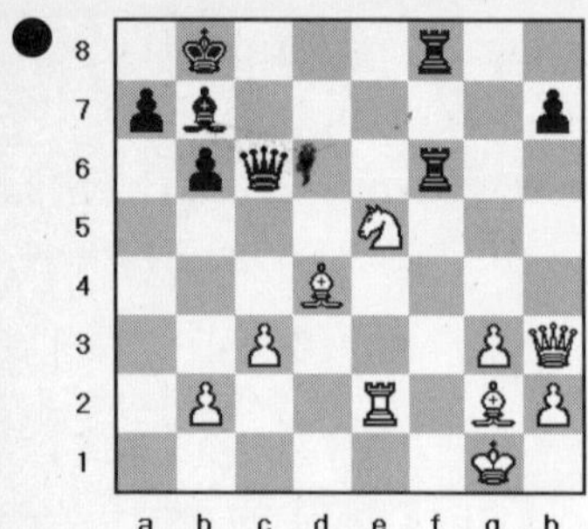

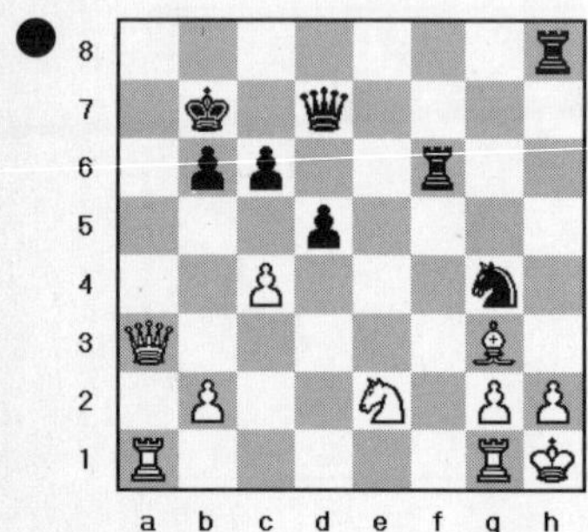

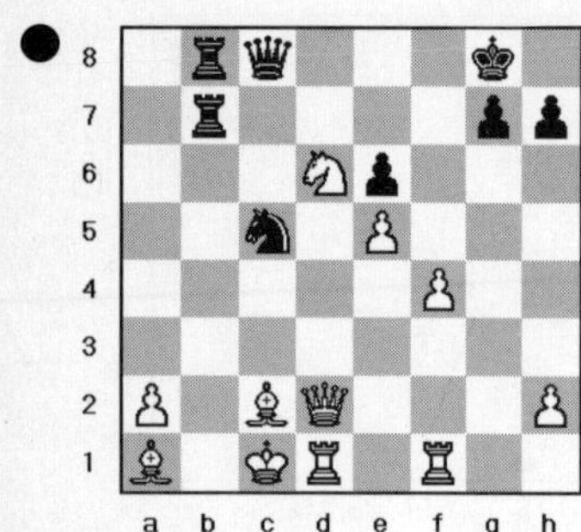

Respuestas

Primer diagrama. 1. Te4-e8+, Ag6xe8 2. De1-e7++.
Segundo diagrama. 1. Th5-h8+, Rg8xh8 2. Te8xf8++.
Tercer diagrama. 1. Dc5xa7+, Rb8xa7 2. b7-b8++.
Cuarto diagrama. 1. Te8xf8+, Ag7xf8 2. Tg1-g8++.
Quinto diagrama. 1. ..., Da7xa3+ 2. Ab2xa3, Ta8xa3++.
Sexto diagrama. 1. ..., Tf6-f1+ 2. Ag2xf1, Dc6-h1++.
Séptimo diagrama. 1. ..., Th8xh2+ 2. Ag3xh2, Cg4-f2++.
Octavo diagrama. 1. ..., Tb7-b1+ 2. Ac2xb1, Cc5-d3++.

Aunque los sacrificios son vistosos, sólo deben realizarse cuando sean necesarios. Un sacrificio realizado en forma incorrecta no demuestra brillantez alguna. Por el contrario, habla de superficialidad y de un afán frívolo por entregar la partida.

Recordemos que la belleza no debe de estar reñida con la verdad. Si la posición es propicia para atacar, debemos hacerlo con todas nuestras fuerzas; pero si «nos pide» llegar a un final tranquilo debemos estar dispuestos a hacerlo.

Nuestra prioridad en el medio juego es obtener la iniciativa y, de ser posible, ganar por medio de un ataque. Si la posición no permite más, buscaremos llegar al final con ventaja, o al menos en una situación de equilibrio.

Cuestionario

1. ¿Cuándo son buenos los sacrificios de piezas?

A) Siempre.

B) Nunca.

C) A veces.

2. Un sacrificio incorrecto es señal de:

A) Brillantez.

B) Imprudencia.

C) Audacia.

3. Se producen más sacrificios cuando una posición es:

A) Superior.

B) Inferior.

C) Pareja.

4. Muchos sacrificios funcionan porque:

A) Abren líneas de ataque.

B) Permiten atacar más rápidamente.

C) Eliminan piezas defensoras de importancia.

Respuestas:

1. C

2. B

3. A

4. Las tres respuestas son correctas.

Breve historia del ajedrez

Durante el Renacimiento se modificaron algunas reglas para imprimirle mayor dinamismo al ajedrez. Gracias a ello, la dama y el alfil obtuvieron su actual poderío; se determinó la posibilidad de avanzar un peón dos casillas en su movimiento inicial, y se aceptó el enroque y la captura de peón por peón al paso.

En los siglos XVI y XVII surgieron maestros italianos y españoles de renombre como El "Greco", Ruy López y Paolo Boi. El francés André Danicán "Philidor" (1726-1795) fue el primer gran teórico e investigador del ajedrez. A su muerte, Inglaterra y Francia disputaron la supremacía de los tableros y hacia mediados del siglo XIX se organizó, en Londres, el primer torneo internacional.

En 1858 el estadounidense Paul Morphy viajó a Europa, donde se impuso a todos sus contrincantes. Por desgracia, su carrera fue muy breve, ya que al año siguiente prácticamente se retiró. En 1866 el austriaco Wilhelm Steinitz derrotó al alemán Adolph Anderssen y se proclamó campeón del mundo. En artículos publicados en su revista, Steinitz estableció las bases del juego posicional.

En 1883 el reloj mecánico reemplaza al de arena. En 1894, a una edad avanzada, Steinitz pierde el campeonato ante Emanuel Lásker, que lo retendrá hasta 1921, cuando pierde con el cubano José Raúl Capablanca.

Otros grandes maestros que realizaron aportaciones fundamentales en las primeras décadas del siglo XX fueron: Siegbert Tarrasch, Harry Pillsbury, Gueza Maroczy, Mijaíl Chigorin, Frank Marshall, Ricardo Reti, Aarón Nímzovich y Akiba Rubinstein. Aunque sólo jugó en Europa el año de 1925, el mexicano Carlos Torre también aportó su granito de arena. La checa Vera Ménchik es la primera mujer en rivalizar con los grandes maestros.

Tercera parte
Aperturas

Capítulo X
Aperturas

1. Algunos consejos para tus primeros movimientos

Si juegas con blancas:

1. Comienza la partida con el peón de rey: 1. e4. Esta jugada facilitará la salida de tu alfil de f1 y en algunos casos de la dama.
2. No intentes dar «Mate del Pastor». Recuerda que es muy fácil evitarlo.
3. Desarrolla tus piezas con la mira puesta en el centro del tablero. Los caballos casi siempre salen por f3 y c3. A veces lo hacen por e2 y d2, pero casi nunca por h3 o a3.
4. Trata de enrocar en las primeras diez jugadas.
5. No realices movimientos inútiles con los peones. Avances como h4 o a4 rara vez tienen sentido.
6. No saques la dama antes de tiempo. Las piezas menores podrían atacarla y forzarla a retroceder, por lo que perderías «tiempos».
7. Sigue un plan previamente trazado. En la apertura, el plan más común consiste en desarrollar caballos y alfiles, enrocarse y juntar las torres al centro.
8. Lucha por llevar la iniciativa.
9. Aprovecha cualquier error de tu adversario, crea amenazas y lanza ataques directos al rey.

Si juegas con negras:

1. Considera que el punto más débil de tu posición es f7.
2. Atiende las amenazas directas contra tu rey.
3. Desarrolla tus piezas lo más pronto posible.
4. Te conviene enrocar rápidamente.
5. Al igual que en el caso de las blancas, el plan general de desarrollo consiste en sacar los caballos y los alfiles, enrocarse, y juntar las torres al centro.
6. Como las blancas salen primero, llevan una pequeña ventaja. Las negras deben luchar por conseguir la igualdad y, eventualmente, por tomar la iniciativa.

7. Aprovecha los errores de tu adversario y trata de crear amenazas.

Además de seguir estos consejos, debes familiarizarte con las aperturas más comunes. A lo largo del siglo y medio que ha transcurrido desde que se llevaron a cabo los primeros torneos de ajedrez, se han bautizado prácticamente todos los sistemas de juego. Muchas aperturas llevan el nombre de algún jugador; otras, las del país o ciudad donde se originó dicho esquema (apertura inglesa, escocesa, italiana, etcétera).

Se denomina «apertura» a las primeras jugadas de quien lleva las piezas blancas. Se conoce como «defensa» a las jugadas iniciales de quien conduce las negras. Aunque las blancas disfrutan de la ventaja de salir primero, quien lleva las negras puede responder con la defensa que más le agrade. De nueva cuenta, son muchos los nombres con que se conocen estos sistemas (defensa francesa, siciliana, Alekhine, etcétera).

Por ejemplo, las blancas abren con su peón de rey y las negras se defienden del mismo modo:

1. e2-e4, e7-e5

Las blancas pueden elegir entre distintas aperturas:

La Apertura vienesa: 2. Cb1-c3
La Apertura de alfil: 2. Af1-c4
El Gambito de rey: 2. f2-f4

A continuación te presentaremos numerosos esquemas para que te familiarices con ellos. Más adelante analizaremos algunas de las líneas principales para que comprendas lo importante que es elegir una buena defensa y conocerla a fondo.

2. Aperturas abiertas

Son aquellas que se inician con 1.e2-e4, e7-e5. En muchas de ellas se «abre el centro», dando paso a un veloz juego de piezas.

Gambito de rey aceptado

Muy utilizado en el siglo XIX; las blancas entregan un peón en su intento de fortalecer su ataque.

1.e2-e4, e7-e5
2.f2-f4, e5xf4
3. Cg1-f3, g7-g5
4. h2-h4, g5-g4
5. Cf3-e5, d7-d6
6. Ce5xg4, Cg8-f6

Defensa Petroff

1. e2-e4, e7-e5
2. Cg1-f3, Cg8-f6
3. Cf3xe5, d7-d6

4. Ce5-f3,	Cf6xe4
5. d2-d4,	d6-d5
6. Af1-d3,	Cb8-c6

Apertura italiana

1. e2-e4,	e7-e5
2. Cg1-f3,	Cb8-c6
3. Af1-c4	Af8-c5
4. c2-c3,	Cg8-f6
5. d2-d4,	e5xd4
6. c3xd4,	Ac5-b4+

Apertura española

1. e2-e4,	e7-e5
2.Cg1-f3,	Cb8-c6
3.Af1-b5,	a7-a6
4. Ab5-a4,	Cg8-f6
5. 0-0,	Af8-e7
6. Tf1-e1,	b7-b5

3. Aperturas semi-abiertas

Se trata de defensas en que las negras no responden a 1. e2-e4 con 1. ..., e7-e5, sino con otras jugadas.

Defensa francesa

1.e2-e4,	e7-e6
2.d2-d4,	d7-d5
3. Cb1-c3,	Cg8-f6
4. Ac1-g5,	Af8-e7
5. e4-e5,	Cf6-d7
6. Ag5xe7,	Dd8xe7

Defensa Caro-Kann

1.e2-e4,	c7-c6
2.d2-d4	d7-d5
3. Cb1-c3,	d5xe4
4. Cc3xe4,	Ac8-f5
5. Ce4-g3,	Af5-g6
6. h2-h4,	h7-h6

Defensa siciliana

1.e2-e4,	c7 c5
2. Cg1-f3,	d7-d6
3. d2-d4,	c5xd4
4. Cf3xd4,	Cg8-f6
5. Cb1-c3,	a7-a6
6. Ac1-g5,	e7-e6

Defensa Alekhine

1.e2-e4,	Cg8-f6
2. e4-e5,	Cf6-d5
3. d2-d4,	d7-d6
4. Cg1-f3,	Ac8-g4
5. Af1-e2,	e7-e6
6. c2-c4,	Cd5-b6

Defensa Pirc

1.e2-e4,	d7-d6
2. d2-d4,	Cg8-f6
3. Cb1-c3,	g7-g6

4. Cg1-f3,	Af8-g7
5. Af1-e2,	0-0

4. Aperturas cerradas y otras menos recomendables

Las aperturas cerradas son aquellas en que las blancas inician con 1. d4. Mencionaremos las más importantes.

Gambito de dama rehusado

1. d2-d4,	d7-d5
2. c2-c4	e7-e6
3. Cb1-c3,	Cg8-f6
4. Ac1-g5,	Af8-e7
5. e2-e3,	Cb8-d7
6. Cg1-f3,	0-0

Gambito de dama aceptado

1. d2-d4,	d7-d5
2. c2-c4,	d5xc4
3. Cg1-f3,	Cg8-f6
4. e2-e3,	e7-e6
5. Af1xc4,	c7-c5
6. 0-0,	Cb8-c6

Defensa india de rey

1. d2-d4,	Cg8-f6
2. c2-c4,	g7-g6
3. Cb1-c3,	Af8-g7
4. e2-e4,	d7-d6
5. Cg1-f3,	0-0
6. Af1-e2,	e7-e5

Defensa nimzoindia

1. d2-d4	Cg8-f6
2. c2-c4	e7-e6
3. Cb1-c3	Af8-b4
4. e2-e3,	c7-c5
5. Af1-d3,	0-0
6. Cg1-f3,	d7-d5

Defensa Benoni

1. d2-d4,	Cg8-f6
2. c2-c4,	c7-c5
3. d4-d5,	e7-e6
4. Cb1-c3,	e6xd5
5. c4xd5,	g7-g6
6. Cg1-f3,	Af8-g7

Apertura inglesa

1. c2-c4

Apertura Reti

1. Cg1-f3

Otras aperturas menos recomendables:

Apertura Bird:	1. f2-f4
Apertura Larsen:	1. b2-b3

Apertura Anderssen:	1. a2-a3
Apertura Orangután:	1. b2-b4

5. Los gambitos

Se llama «gambito» al sacrificio de uno o más peones en la apertura, con objeto de realizar un ataque u obtener otro tipo de ventaja. En el siglo XIX los ajedrecistas avezados recurrían con frecuencia al Gambito de rey, el escocés, el Evans, y otros afines.

De cualquier modo, la jugada más común es 2. Cg1-f3, que desarrolla una pieza y ataca el peón negro en e5. ¿Recuerdas qué importante es cuidarnos de las amenazas? Pues bien, las negras deberán defender su peón de rey.

Una forma de hacerlo es mediante la Defensa Philidor, que consiste en mover 2. ..., d7-d6. Otra, sin duda la mejor, es optar por 2. ...Cb8-c6, con lo que logramos desarrollar una pieza.

6. La defensa Damiano

Es un error grave jugar, 2. ...f7-f6? porque debilita el flanco de rey y permite un sacrificio muy fuerte e instructivo, como se muestra a continuación:

1. e2-e4,	e7-e5
2. Cg1-f3,	f7-f6?

3. Cf3xe5!,

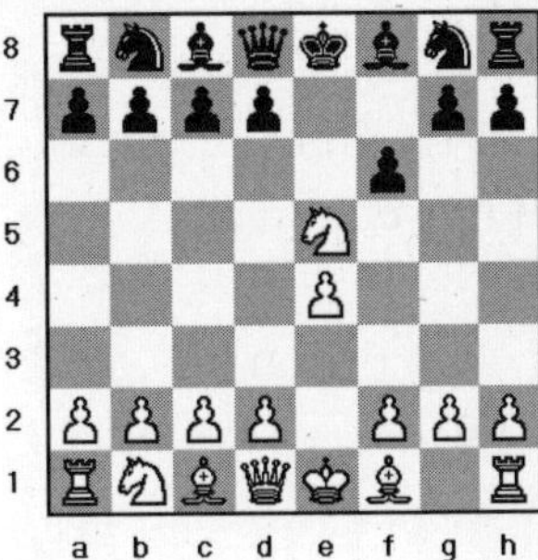

3. ...,	f6xe5
4. Dd1-h5+,	Re8-e7

(O bien 4. ..., g7-g6; 5. Dh5xe5+, que ataca la torre desprotegida en h8.)

5. Dh5xe5+,	Re8-f7
6. Af1-c4+,	Rf7-g6
7. De5-f5+,	Rg6-h6
8. d2-d4+,	g7-g5
9. h2-h4!	

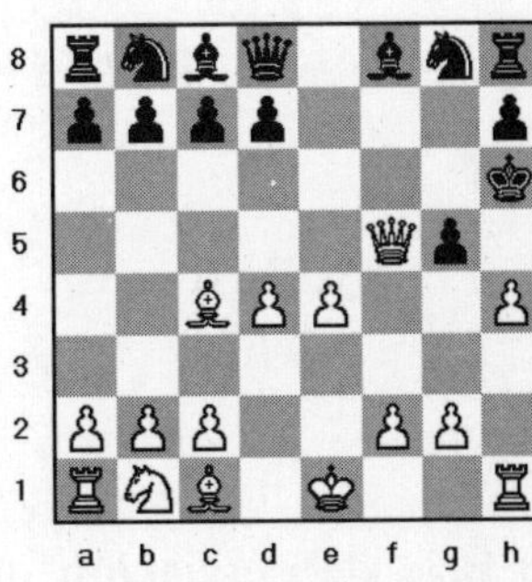

Este último movimiento permitirá incorporar la torre de h1 al ataque. Las negras no tienen defensa. Una línea probable sería:

9. ..., Af8-e7
10. h4xg5+,

Jaque doble. La única respuesta posible consiste en mover al rey.

10. ..., Rh6-g7
11. Df5-f7 ++

Así no se debe jugar con las negras. Una segunda posibilidad defensiva es:

6. ..., d7-d5,

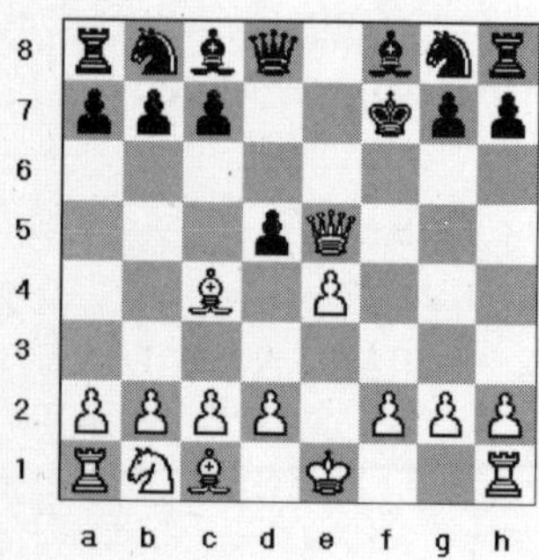

A lo que las blancas deben jugar de esta manera:

7. Ac4xd5+, Rf7-g6
8. h2-h4!, h7-h5
9. Ad5xb7!,

Es un sacrificio de desviación que no puede ser aceptado:

9. ..., Ac8xb7
10. De5-f5+, Rg6-h6
11. d2-d4+, g7-g5
12. Ac1xg5+,

Y ganan la dama. Si las negras intentan la jugada intermedia 9. ..., Af8-d6 10. De5-b5 mantiene la amenaza sobre la torre de a8. Quizá las negras logren evitar el ataque de mate, pero quedarán con una grave desventaja material.

Repasa las secuencias anteriores y trata de comprenderlas. Las negras cometieron un error que dejó expuesto a su rey. Las blancas aprovecharon rápidamente el descuido y atacaron con la fuerza combinada de sus piezas.

7. La Giuoco piano

Volvamos a la posición básica después de 1. e2-e4, e7-e5 2. Cg1-f3, Cb8-c6. ¿Qué deben hacer ahora las blancas? Algunos ajedrecistas juegan 3. Cb1-c3, un movimiento de desarrollo que no es malo. Sin embargo, la mayoría de los jugadores prefiere desarrollar su alfil de f1 a c4 ó b5. Desde c4, el alfil ataca el punto f7. ¿Recuerdas el Mate del Pastor? Aunque ya sabes que no es recomendable intentarlo, nos ayudó a comprender la debilidad inicial en f7, casilla que solamente defiende el rey negro.

Luego de 3. Af1-c4, el segundo jugador dispone de dos buenas jugadas de desarrollo: 3. ..., Af8-c5 y 3. ..., Cg8-f6.

Contra 3. ...Af8-c5 el blanco puede enrocar, sacar su caballo a c3 o jugar modestamente 4. d2-d3. Sin embargo, un movimiento más agresivo es 4. c2-c3, con el fin de apoyar el avance central 5. d2-d4, y atacar el alfil negro en c5.

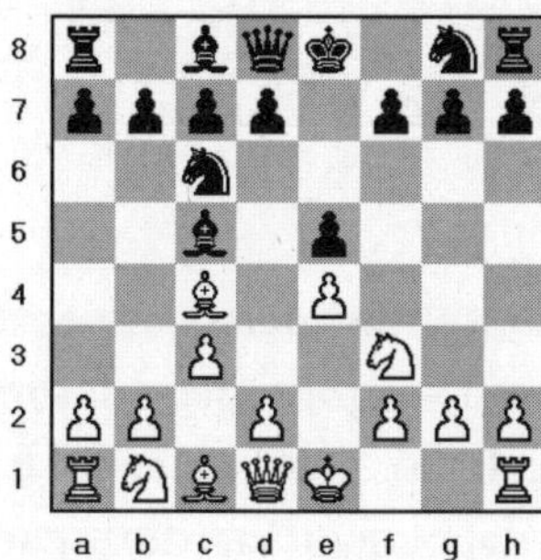

Como las negras no pueden evitar esta amenaza, harán bien en desarrollar sus piezas con 4. ..., Cg8-f6. Las blancas juegan 5. d2-d4, y alcanzan su objetivo de atacar el alfil en c5. Si las negras hacen retroceder a su alfil, por ejemplo, a e7, las blancas jugarán 6. d4xe5, y si optan por 6. ..., Cf6xe4, sobreviene un movimiento muy poderoso: 7. Dd1-d5!

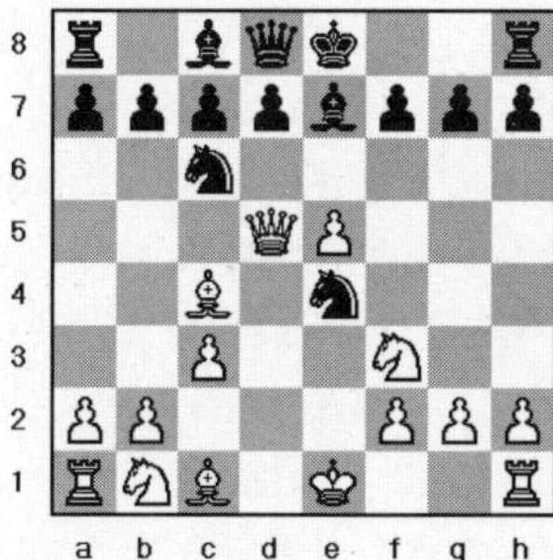

Observa cómo la dama blanca ataca al caballo en e4, pero a la vez amenaza con jaque mate en f7. Es decir, tiene una amenaza doble. Las negras se ven obligadas a enrocarse, para evitar la amenaza más severa (el jaque mate). Tras el enroque, las blancas capturan el caballo en e4 y quedan con una pieza de más.

Volvamos a nuestra secuencia inicial:

1. e2-e4,	e7-e5
2. Cg1-f3,	Cb8-c6
3. Af1-c4,	Af8-c5
4. c2-c3,	Cg8-f6
5. d2-d4	

Las negras deben avanzar 5. ..., e5xd4 y luego de 6. c3xd4 pueden dar jaque con el alfil en b4.

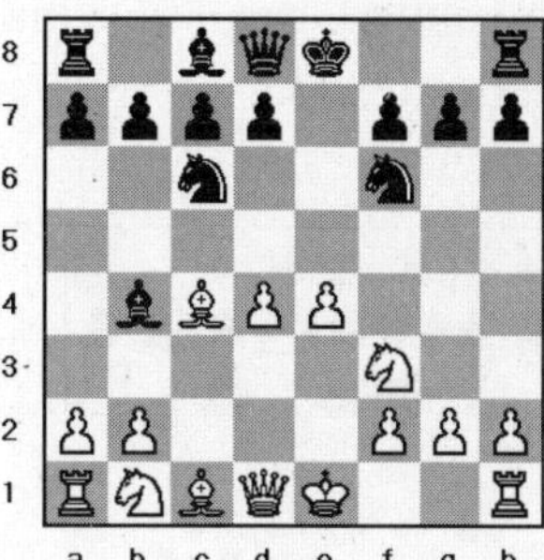

Las blancas pueden cubrirse del jaque, ya sea con 7. Ac1-d2, o con 7.Cb1-c3. Si escogen la primera opción, las negras cambian 7. ..., Ab4xd2, y después de 8. Cb1xd2 responden con 8. ..., d7-d5!

Este movimiento rompe el centro de peones blanco y permite salir al alfil de c8. Tras esta jugada, la posición se encuentra igualada.

El Ataque del Greco

Existe, sin embargo, el «Ataque del Greco», una secuencia peligrosa conocida desde el siglo XV. Luego de 6. ..., Ac5-b4+, el blanco juega 7. Cb1-c3, y sacrifica su peón de e4. Estos sacrificios son característicos de las posiciones abiertas, en que a menudo entregamos material a cambio de desarrollo.

En cuanto las negras capturan el peón con 7. ..., Cf6xe4, el jugador con las piezas blancas quema sus naves y se enroca, 8. 0-0.

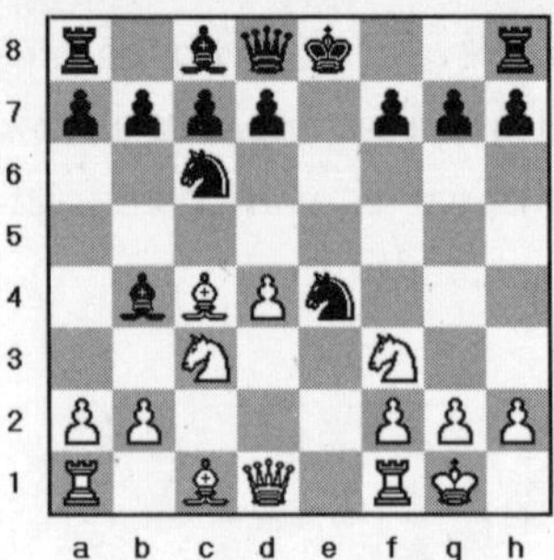

En esas circunstancias, las negras pueden ganar un segundo peón si toman en c3 con el caballo. ¡Pero cuidado! Esa es la intención del blanco: sacrificar para abrir líneas y atacar al rey negro, cuyas piezas no están plenamente desarrolladas. Si las negras juegan:

8. ..., Ce4xc3
9. b2xc3, Ab4xc3,

...tal vez pierdan luego de...

10. Dd1-b3! , Ac3xa1?
11. Ac4xf7+, Re8-f8
12. Ac1-g5, Cc6-e7
13. Cf3-e5, Aa1xd4,
14. Af7-g6, d7-d5
15. Db3-f3+, Ac8-f5
16. Ag6xf5, Ad4xe5
17. Af5-e6+, Ae5-f6
18. Ag5xf6, Dd8-b8
19. Af6-g5+, Rf8-e8
20. Df3-f7+, Re8-d8
21. Ag5-e7 ++

Sin embargo, contra 10. Dd1-b3, las negras todavía pueden defenderse con la siguiente variante:

10. ..., d7-d5
11. Ac4xd5, 0-0!

Por eso los antiguos descubrieron una continuación aún más fuerte: 10. Ac1-a3! Desde esta ubicación, el alfil impide el enroque del rey negro; el alfil de c3 tampoco puede capturar la torre blanca de a1, ya que después de...

10. ..., Ac3xa1
11. Tf1-e1+, Cc6-e7
12. Aa3xe7, Dd8xe7
13. Dd1xa1,

...y tras la captura de la dama negra, las blancas quedan con una enorme ventaja. Otros intentos defensivos tampoco son afortunados:

10. ..., d7-d5
11. Ac4-b5, Ac3-a1
12. Tf1-e1+, (jugada intermedia)

12. ..., Ac8-e6
13. Dd1-a4!, Ta8-b8
14. Cf3-e5!,

Esta posición entraña ventaja para las blancas. O bien esta otra defensa:

10. ..., d7-d6
11. Ta1-c1, Ac3-a5

(En caso de que las negras movieran 11. ..., Ac3-b4, perderían después de 12. Aa3xb4, Cc6xb4 13. Dd1-e1+!, atacando el caballo indefenso en b4.)

12. Dd1-a4 (con la amenaza d4-d5)

12. ..., a7-a6
13. Ac4-d5 !, Aa5-b6
14. Tc1xc6 !, Ac8-d7

(Si 14. ..., b7xc6, entonces las blancas jugarían 15. Da4xc6, seguida por Dc6xa8)

15. Tf1-e1, Re8-f8
16. Tc6xd6 !, c7xd6

(En caso de que las negras movieran 16. ..., Ad7xa5, llegaríamos al mate con 17. Td6xd8).

17. Aa3xd6+, Rf8-g8
18. Ad5xf7+!, Rg8xf7
19. Cf3-e5+...

...lo que se traduce en un ataque decisivo.

Es conveniente que repases estas variantes. Observa que si las negras juegan:

8. ..., Ab4xc3,
9. b2xc3, Ce4xc3??

...se encontrarán con 10. Dd1-e1+, que da jaque al rey negro en e8 y al mismo tiempo ataca el caballo en c3.

Ejemplo 1 de la Apertura Giuoco Piano

1. e2-e4, e7-e5
2. Cg1-f3, Cb8-c6
3. Af1-c4, Af8-c5
4. c2-c3, Cg8-f6
5. d2-d4, e5xd4
6. c3xd4, Ac5-b4+
7. Cb1-c3, Cf6xe4
8. 0-0, Ce4xc3
9. b2xc3, Ab4-e7?
10. d4-d5!, Cc6-a5
11. d5-d6 !, Ae7xd6 !,
12. Tf1-e1, Ad6-e7
13. Ac1-g5!, f7-f6
14. Ag5xf6!, g7xf6
15. Cf3-e5!!, h7-h5
16. Dd1-d3

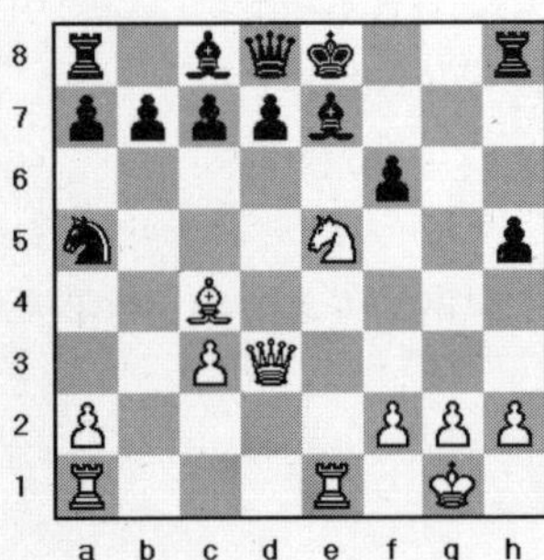

No hay defensa contra 17. Dd3-g6 seguida por 18. Dg6-f7++. En este caso era mejor para las negras capturar el peón en el decimoprimer movimiento. Aunque después de:

11. ..., c7xd6
12. Ac4xf7, Re8-f7
13. Dd1-d5, Rf7-f8
14. Cf3-g5, Dd8-e8
15. Dd5xa5,

Las blancas conservan su ventaja.

Ejemplo 2 de la Apertura Giuoco Piano:

1. e2-e4, e7-e5
2. Cg1-f3, Cb8-c6
3. Af1-c4, Af8-c5
4. c2-c3 , Cg8-f6
5. d2-d4, e5xd4
6. c3xd4, Ac5-b4+
7. Cb1-c3, 0-0 ?!

Esto permite que las blancas avancen rápidamente en el centro.

8. e4-e5, Cf6-e4
9. 0-0, Ce4xc3
10. b2xc3, Ab4xc3 ?

Es mejor 10. ..., d7-d5

11. Cf3-g5!, Ac3xa1
12. Dd1-h5, h7-h6
13. Cg5xf7, Tf8xf7

14. Dh5xf7,	Rg8-h8
15. Ac1-g5!!,	

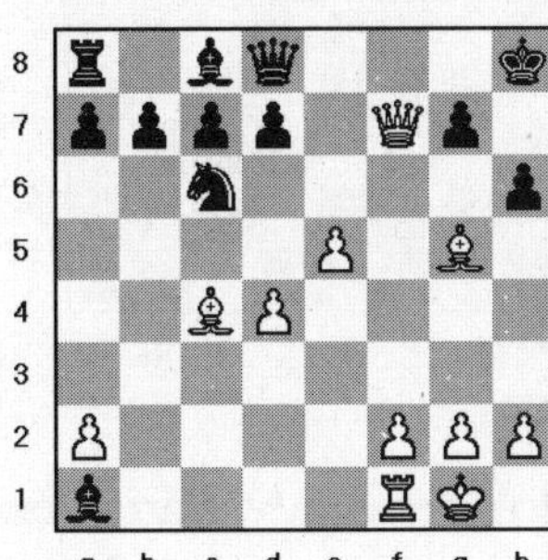

Y las negras se rinden, porque a 15. ..., h6xg5, seguiría 16. Df7-h5++ (jaque mate), y a 15. ..., Dd8xg5, las blancas dan mate en g8 con la dama.

Como has visto, en las aperturas abiertas abundan las posibilidades de ataque. ¿Y entonces qué sucede? ¿Las negras pierden si enfrentan el Giuoco Piano? Antes de responder a esa pregunta vamos a analizar otra secuencia de jugadas que será de tu agrado.

8. El ataque Fegatello

El Ataque Fegatello se presenta cuando las negras sacan a su caballo de rey en la tercera jugada.

1. e2-e4,	e7-e5
2. Cg1-f3,	Cb8-c6
3. Af1-c4,	Cg8-f6

Esta es la Defensa de los dos caballos.

4. Cf3-g5

¿Qué te parece? Las negras no tienen modo de defender el punto débil en f7. Si pasan por alto esta amenaza, las blancas capturarán en f7 con el caballo, dando un doblete a dama y torre. Para evitar esa suerte, sólo hay un movimiento posible.

4. ...,	d7-d5
5. e4xd5,	Cf6xd5 ?!

Como veremos más adelante, la mejor respuesta de las negras es 5. ..., Cc6-a5, 6. Ac4-b5+, c7-c6. Después de la captura en d5, el blanco sacrifica su caballo en f7 dando inicio al Ataque Fegatello.

6. Cg5xf7!?,

6. ..., Re8xf7
7. Dd1-f3+,

Este movimiento amenaza tanto al rey como al caballo en d5. Si el rey negro vuelve a e8, las blancas recuperarán su pieza sacrificada con 7. Ac4xd5, conservando el peón de ventaja, además de su buen desarrollo y de garantizar la seguridad del rey. Por este motivo, el monarca negro prefiere exponerse al ataque.

7. ..., Rf7-e6
8. Cb1-c3,

Las blancas desarrollan a toda velocidad sus piezas, renovando la amenaza sobre el caballo clavado en d5.

8. ..., Cc6-e7

Las negras defienden el caballo atacado. También se ha intentado 8. ...Cc6-b4.

9. d2-d4!,

Cuando nuestro adversario tiene el rey en el centro conviene abrir la posición. El peón no puede ser capturado a causa de 10. Df3-e4+, Re6-d6 11. Cc3xd5.

9. ..., c7-c6

Dentro de lo que cabe, es la mejor respuesta. Las negras procuran defender su caballo en d5.

10. Ac1-g5,

Desarrolla una pieza, clava al caballo negro y prepara el enroque largo, que en este caso es preferible al corto porque la torre quedará sobre una columna próxima a abrirse.

10. ..., h7-h6
11. Ag5xe7, Af8xe7
12. 0-0-0, Th8-f8
13. Df3-e4, Tf8-f2
14. d4xe5,

Incrementa la presión sobre el caballo clavado en d5.

14. ..., Ae7-g5+
15. Rc1-b1, Tf2-d2
16. h2-h4!,

Desvía al alfil de su acción defensiva.

16. ..., Td2xd1
17. Th1xd1, Ag5xh4
18. Cc3xd5, c6xd5
19. Td1xd5,

Amenaza la dama y prepara toda clase de jaques al descubierto con el alfil.

19. ..., Dd8-g5
20. Td5-d6+,

Como recordarás, la única defensa contra el jaque doble es mover el rey.

20. ..., Re6-e7
21. Td6-g6

En este punto, las negras se rindieron en una célebre partida entre Polerio y Doménico, disputada en el año de 1600, porque después de:

21. ..., Dg5-f5
22. Tg6xg7+, Re7-e8
23. Tg7-g8x, Re8-d7
24. De4-d5+, Rd7-e7,
25. Dd5-d6 ++.

Si volvemos al octavo movimiento de las negras nos encontraremos con una variación interesante. Las negras pueden jugar 8. ..., Ccb4. Además de defender su caballo en d5, amenazan con dar un doblete al rey blanco y a su torre en a1.

Las blancas podrían responder con 9. Df3-e4, pero es más audaz el sacrifico de la torre:

9. a2-a3!, Cb4xc2+
10. Re1-d1, Cc2xa1?

Sería mejor jugar 10. ..., Cc2-d4. 11. Ac4xd5+, Re6-d6.

11. Cc3xd5, Re6-d7
12. d2-d4!

Nuevamente, las blancas abren líneas en el centro y buscan un rápido desarrollo.

12. ..., Af8-d6
Si 12. ..., e5xd4 13. Df3-f5+, Rd7-c6. 14 Cd5-e7+!, Af8xe7 15. Df5-b5+, Rc6-d6 16. Ac1-f4++

13. d4xe5, Ad6xe5
14. Th1-e1!

En vista de que todas las piezas blancas atacan al rey negro, es imposible defenderse.

14. ..., Ae5-d6
15. Ac4-b5+, c7-c6
16. Df3-f5 ++

También conduce al jaque mate la línea de 14. ..., Th8-e8; 15. Df3-d3!, que amenaza con toda clase de jaques al descubierto.

Te recomendamos jugar partidas de entrenamiento con el Ataque Fegatello, porque si llevas las blancas te dará una buena idea de cómo acumular fuerza a la ofensiva, y si conduces las negras tendrás que hallar buenos planes defensivos para proteger a tu rey.

Ya conoces dos fuertes sistemas de ataque, el Giuoco Piano y el Fegatello. Sin duda te darán muchas victorias, pero como sucede en la vida, no todo puede ser tan dulce.

9. Defensa contra el Giuoco Piano

Repasemos la secuencia:

1. e2-e4,	e7-e5
2. Cg1-f3,	Cb8-c6
3. Af1-c4,	Af8-c5
4. c2-c3,	Cg8-f6
5. d2-d4,	e4xd5
6. c3xd5,	Ac5-b4+
7. Cb1-c3	

El ajedrecista que lleva las negras no ha jugado mal, y por lo tanto no tiene porqué ser castigado. Lo que sucede es que debe estar muy atento a las amenazas de su adversario.

Para empezar, es posible realizar la captura del peón negro en e4. Pero luego de 7. ..., Cf6xe4; 8. 0-0, lo mejor es capturar con el alfil 8. ..., Ab4xc3. Aquí también existe otra pequeña celada, ya que luego de 9. b2xc3, el negro no debe capturar el peón con su caballo 9. ..., Ce4xc3??, a causa de 10. Dd1-e1+, ganando pieza. Sin embargo, las negras pueden responder con 9. ..., d7-d5!

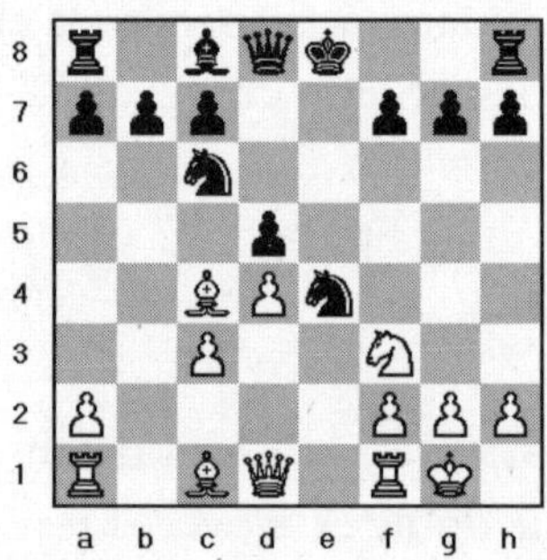

Este es un movimiento defensivo muy importante. Cada vez que las negras logran realizarlo sin problemas, prácticamente aseguran la igualdad. En el caso que nos ocupa, después de 9. Ac4-b5 o 9. Tf1-e1, las negras se enrocan. Esto debe de enseñarnos a no ser tan voraces con la ganancia de material. Primero hay que revisar si nos conviene, o si es más útil realizar otra jugada.

¿Será tan fácil refutar el Giuoco Piano? Ante la amenaza de jugar 9. ..., d7-d5!, las blancas impulsan su ataque con una temible jugada intermedia: 9. d4-d5! Con este movimiento atacan el caballo de c6. La situación se complica.

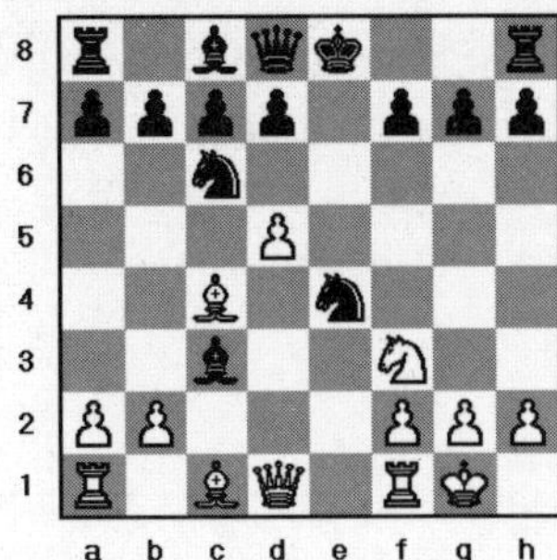

Un intento defensivo reciente es 9. ..., Cc6-e5. Después de 10. b2xc3, Ce5xc4, las blancas juegan 11. Dd1-d4! Es en este punto donde las negras deben andarse con cuidado. Si pretenden conservar la pieza de ventaja, se toparán con un ataque arrollador. Después de 11. ..., Cc4-d6 12. Dd4xg7, tenemos:

A) 12. ..., Dd8-f6; 13. Dg7xf6, Ce4xf6; 14. Tf1-e1+, Re8-d8 (es mejor 14. ..., Cd6-e4); 15. Ac1-g5, Cd6-e8; 16. Te1xe8+!, Th8xe8; 17. Ag5xf6+, Te8-e7; 18. Ta1-e1, con una clavada sobre la torre de e7.

B) 12. ..., Th8-f8

13. Tf1-e1, Dd8-e7 14. Cf3-g5 (14. Cf3-d2 también es fuerte) 14. ..., f7-f5 15. Dg7-d4!, Cd6-b5 16. Dd4-d3, Cb5xc3 17. f2-f3, con iniciativa. Por ejemplo: 17. ..., De7-c5+ 18. Rg1-h1, h7-h6 19. f3xe4, h6xg5 20. e4xf5+, Re8-f7 21. f5-f6!, con entradas por h7 y e7.

Si las negras conservan la cabeza fría, devolverán la pieza después de 9. d4-d5, Cc6-e5 10. b2xc3, Ce5xc4 11. Dd1-d4:

11. ..., 0-0!

Las blancas capturan uno de los caballos, como por ejemplo el de e4.
12. Dd4xe4

Las negras retiran su caballo restante a d6. 12. ..., Cc4-d6. Después de 13. De4-f4, Cd6-e8, seguida por d7-d6 las negras tienen un peón de más y la compensación de las blancas es escasa.
Sin embargo, un jugador experimentado seguirá el primer consejo del defensor: no desesperarse. Analizará con calma las consecuencias y se decidirá por retirar su alfil de c3 a f6:

9. ..., Ac3-f6.

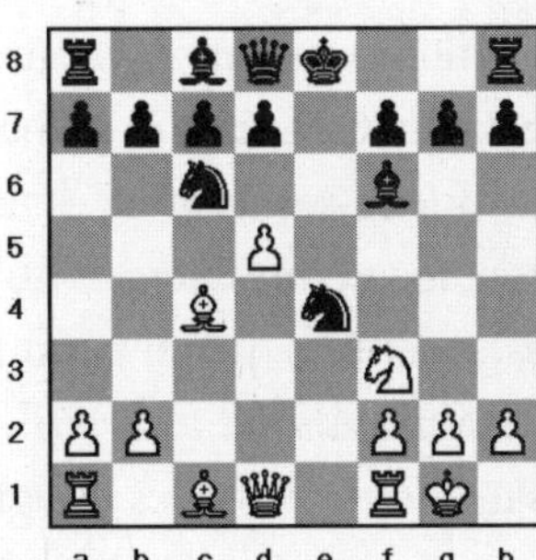

Como veremos, este alfil colaborará en la defensa del rey. Si las blancas comen ahora el caballo de c6 con su peón, las negras recapturan con el peón de b y más adelante fortalecen su centro con d5. Por esta razón, las blancas prefieren la clavada sobre el caballo negro en e4, y juegan 10. Tf1-e1.

Este tipo de clavadas por la columna de rey se presentan con mucha frecuencia en las partidas abiertas. En estas circunstancias, ambos caballos negros se encuentran bajo ataque. Como las negras no pueden salvar el caballo de e4, optan por salvar el de c6 mediante 10. ...Cc6-e7.

Lógicamente, las blancas capturan el caballo en e4, 11. Te1xe4. Por su parte las negras juegan 11. ..., d7-d6 para dar paso a su alfil en c8.

Observemos la posición. Las negras tienen un peón de más. Sin embargo, las blancas llevan ventaja en su desarrollo. Se han enrocado y tiene tres piezas afuera (la torre en e4, el caballo en f3, y el alfil en c4). El negro, por su parte, ha desarrollado tan sólo su alfil en f6 y su caballo en e7, pero está próximo a enrocarse.

Es conveniente tomar en cuenta otros factores: la columna de rey, dominada por las blancas, puede ser una vía de ataque. Sin embargo, los peones negros no muestran fisuras, mientras que el peón blanco en d5 le resta movilidad a su alfil.

Un desarrollo probable es el siguiente:

12. Ac1-g5, Af6xg5
13. Cf3xg5, h7-h6

Si las blancas retroceden, las negras enrocan y proceden a consolidar su ventaja material. Por esa razón, las blancas no pueden dejar de atacar.

14. Dd1-e2, h6xg5
15. Ta1-e1,

Al incorporar su última pieza al ataque, las blancas montan una maquinaria formidable por la columna de rey. Además, las negras siguen retrasadas en su desarro-llo y parece que pronto sucumbirán. Sin embargo, poseen un excelente recurso defensivo.

15. ..., Ac8-e6!

Una magnífica jugada que sella por completo la columna abierta de las blancas, con lo cual su dama y torres ya no podrán irrumpir.

16. d5:e6, f7-f6

A las negras les conviene mantener cerrado el centro. Ahora cuentan con una excelente posición, salvo por un factor: el tiempo. Si consiguen desarrollar sus piezas restantes, obtendrán una ventaja decisiva. Las blancas tienen que actuar de prisa. Por esa razón tratan de cambiar las mejores piezas defensivas de su rival.

17. Te4-e3 !?,

Un movimiento peligroso, que se propone llegar hasta h3. Una vez cambiadas las torres, el blanco amenazará con Dh5+ y Dh8. El negro debe tomar medidas urgentes.

17. ..., c7-c6
18. Te3-h3, Th8xh3
19. g2xh3, g7-g6!

Este movimiento impide la entrada de la dama blanca a la casilla h5. Ahora las blancas intentan penetrar por otra vía...

20. De2-f3,

...sobre el recién creado punto débil en f6. Recuerda que los ataques irrumpen por los puntos débiles de una posición.

20. ..., Dd8-a5!

Una importante ganancia de tiempo que permitirá el enroque de las negras.

21. Te1-d1, Da5-e5

Las negras han superado todas sus debilidades. Se disponen a realizar ahora el enroque largo y en cualquier momento pueden jugar d5. El dictamen de la teoría señaló durante años que el ataque de las blancas había sido precipitado. Sin embargo, apareció una novedad teórica que puso en entredicho ese dictamen. Las blancas jugaron 16. Te4-e3!

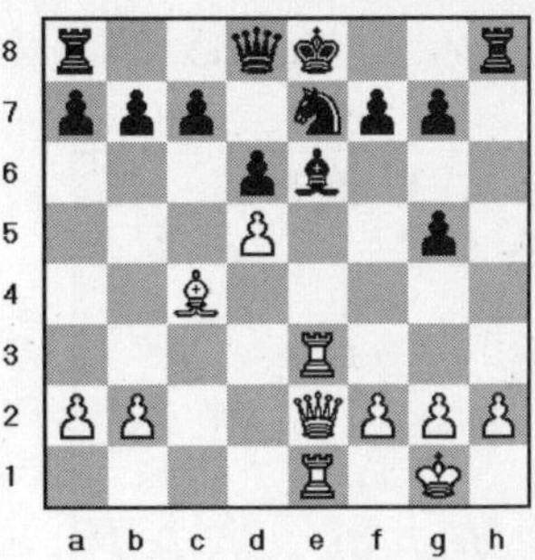

Este movimiento es muy peligroso, toda vez que intenta ganar tiempos en el ataque. Si las negras responden 16. ..., c7-c6, la continuación sería 17. d5xc6, b7xc6; 18. Ac4xe6, f7xe6; 19. Te3xe6, con ganancia del caballo en e7. El mejor recurso defensivo parece ser 16. ..., g5-g4.

Ahora veamos lo que las negras pueden hacer para evitar el Ataque Fegatello, que afortunadamente no tienen necesidad de padecer.

10. Defensa de Morphy

De hecho, las negras pueden luchar por la iniciativa desde los primeros movimientos.

1. e2-e4, e7-e5
2. Cg1-f3, Cb8-c6
3. Af1-c4, Cg8-f6
4. Cf3-g5, d7-d5
5. e4xd5,

Las negras no están obligadas a tomar en d5, sino que pueden realizar una jugada intermedia, atacando el alfil de c4.

5. ..., Cc6-a5

Aunque este caballo no está bien situado, gana un tiempo importante. Las blancas tratarán de conservar su peón de ventaja.

6. Ac4-b5+, c7-c6!

Ahora son las negras quienes sacrifican un peón a cambio de desarrollo.

7. d5xc6, b7xc6
8. Ab5-e2, h7-h6

Las negras obligan a retroceder al audaz caballo blanco.

9. Cg5-f3, e5-e4!
10. Cf3-e5, Af8-d6

A continuación, las negras continúan el desarrollo de sus piezas vigorosamente.

11. d2-d4, e4xd3

¿Recuerdas la regla de captura «al paso»? Este es un buen momento para aplicarla. Como las negras quieren atacar, les conviene abrir el juego; amenazado el caballo blanco en e5, este captura al peón en d3.

12. Ce5xd3, 0-0
13. 0-0, Dd8-c7
14. h2-h3, Ac8-b7

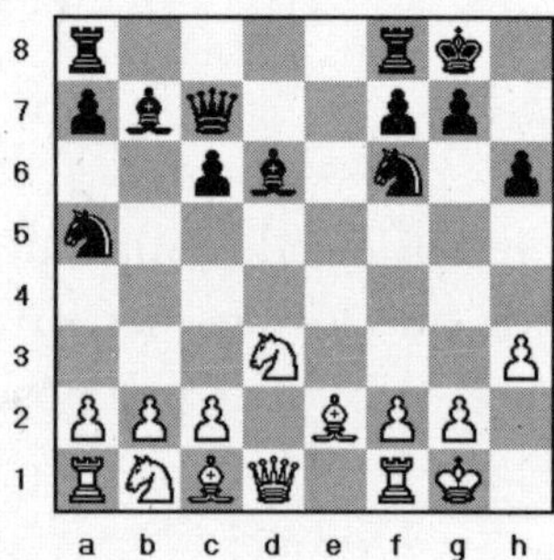

Conclusión y planes

Las negras obtienen una buena compensación a cambio de su desventaja material. Además, cuentan con posibilidades de ataque, justamente lo que las blancas buscaban cuando jugaron 4. Cf3-g5. A causa de esta variante, muchos jugadores se han apartado del Fegatello. A semejanza del Giuoco Piano que estudiamos anteriormente, las negras tienen la posibilidad de asumir la iniciativa.

La enseñanza que obtenemos de lo anterior es que contra todo ataque impetuoso suele haber una buena réplica.

11. Otros gambitos

En su afán por sacar las piezas rápidamente, las blancas a menudo entregan un peón en la apertura. Todos los esquemas que a continuación presentamos tienen su dosis de veneno, pero al igual que en las aperturas que hemos analizado, es posible neutralizarlo por medio de una buena defensa.

Gambito de rey aceptado

1. e2-e4, e7-e5
2. f2-f4, e5xf4
3. Cg1-f3,

Gambito de rey rehusado

1. e2-e4, e7-e5
2. f2-f4, Af8-c5
3. Cg1-f3, d7-d6
4. Af1-c4, Cb8-c6
5. d2-d3, Cg8-f6
6. Cb1-c3, Ac8-e6

Gambito danés

1. e2-e4, e7-e5
2. d2-d4, e5xd4
3. c2-c3, d4xc3
4. Af1-c4, c3xb2
5. Ac1xb2

Gambito danés devuelto

1. e2-e4, e7-e5
2. d2-d4, e5xd4
3. c2-c3, d4xc3
4. Af1-c4, c3xb2
5. Ac1xb2, d7-d5
6. Ac4xd5 Cg8-f6
7. Ac4xf7+, Re8xf7
8. Dd1xd8, Af8-b4+
9. Dd8-d2, Ab4+xd2+
10. Cb1xd2, Th8-e8
11. Cg1-f3, Cb8-c6
12. 0-0

Gambito escocés

1. e2-e4, e7-e5
2. Cg1-f3, Cb8-c6
3. d2-d4, e5xd4
4. c2-c3, d4xc3
5. Cb1xc3, Af8-b4
6. Af1-c4, Cf6

Apertura escocesa

1. e2-e4, e7-e5
2. Cg1-f3, Cb8-c6
3. d2-d4, e5xd4
4. Cf3xd4

Ataque Max-Lange

1. e2-e4, e7-e5
2. Cg1-f3, Cb8-c6
3. d2-d4, e5xd4

4. Af1-c4

Apertura de cuatro caballos

1. e2-e4, e7-e5
2. Cg1-f3, Cb8-c6
3. Cb1-c3, Cg8-f6
4. Af1-b5

12. La defensa Philidor

Se trata de un planteamiento sólido, aunque las negras quedan relativamente atrincheradas.

1. e2-e4, e7-e5
2. Cg1-f3, d7-d6
3. d2-d4

Como regla general, cada vez que las blancas puedan realizar este avance, deben hacerlo. Las negras disponen de dos continuaciones 3. ..., Cb8-d7 ó 3. ..., Cg8-f6.

13. Apertura española o Ruy López

Muchos ajedrecistas opinan que las blancas no deben intentar un ataque tan directo en sus primeras jugadas. Buscan, en cambio, una iniciativa a largo plazo acorde con los principios ya delineados: el desarrollo y la planificación. Este tipo de jugadores prefieren la Apertura española, también conocida como Ruy López.

1. e2-e4, e7-e5
2. Cg1-f3, Cb8-c6
3. Af1-b5.

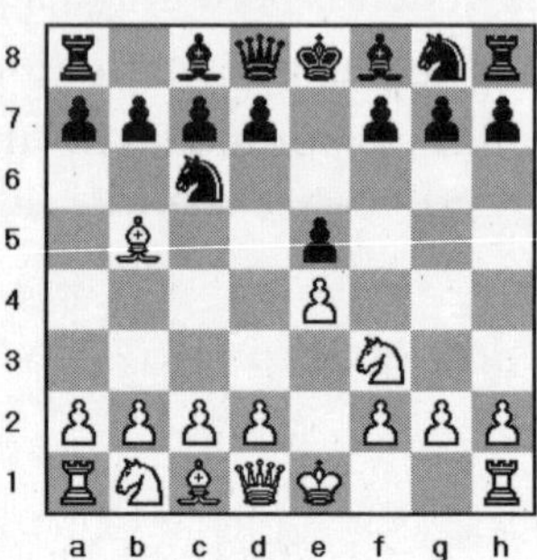

He aquí una jugada más refinada que 3. Ac4. Las blancas presionan el punto e5 y se disponen a enrocar. En respuesta, las negras pueden jugar 3. ..., d7-d6 (variante Steinitz); 3. ..., Af8-c5 (variante clásica) y 3. ..., Cg8-f6 (variante berlinesa), pero habitualmente se plantea la variante Morphy.

3. ..., a7-a6

Aunque la captura en c6 seguida de Cf3xe5 es una amenaza latente, no puede realizarse de inmediato debido a la línea 4. Ab5xc6, d7xc6 5. Cf3xe5. En ese caso, las negras continuarían con 5. ..., Dd8-g5 y atacarían simultáneamente al caballo en g5 y al peón de g2. Después de 6. Ce5-f3, Dg5xg2; 7. Th1-g1, Dg2-h3; las blancas han debilitado su flanco de rey. Además, si las negras prefieren, también pueden recuperar su peón y forzar a un cambio de damas luego de 5. ..., Dd8-d4 6. Ce5-f3, Dd4xe4+; 7. Dd1-e2, Ac8-f5.

Ahora bien, algunos jugadores gustan de la variante del cambio, que consiste en jugar 4. Ab5xc6, d7xc6; 5. 0-0, pero esa línea queda fuera del alcance de nuestro libro. Sigamos entonces el camino habitual, retrocediendo el alfil a la casilla a4, para dejar latente la amenaza.

4. Ab5-a4, Cg8-f6
5. 0-0,

Las blancas pretenden un desarrollo rápido y eficaz. Por eso permiten la captura de su peón en e4, a cambio de obtener la columna abierta. Ahora, las negras pueden capturar, en lo que se conoce como la variante abierta.

5. ..., Cf6xe4

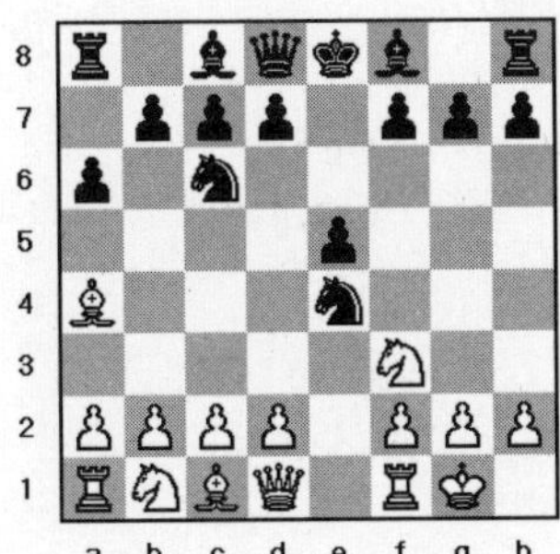

6. d2-d4,

La forma directa de recuperar el peón sería con 6. Tf1-e1, pero la iniciativa de las blancas se esfuma después de 6. ..., Ce4-c5; 7. Ab5xc6, d7xc6; 8. Cf3xe5, Af8-e7. Con el avance del peón central, las blancas quieren clavar el caballo en circunstancias más favorables. Por ejemplo: 6. ..., e5xd4? 7. Tf1-e1, d7-d5 8. Cf3xd4.

6. ..., b7-b5
7. Aa4-b3, d7-d5

Ahora, las blancas recuperan su peón y atacan el de d5.

8. d4xe5, Ac8-e6

He aquí la posición crítica, en la cual el primer jugador dispone de varias alternativas:

A) 9. c2-c3,
B) 9. Cb1-d2,
C) 9. Ac1-e3 ó
D) 9. Dd1-e2.

Un ejemplo de la primera sería:

9. c2-c3, Af8-e7
10. Cb1-d2, Ce4-c5
11. Ab3-c2, 0-0
12. Dd1-e2, Dd8-d7
13. Cf3-d4

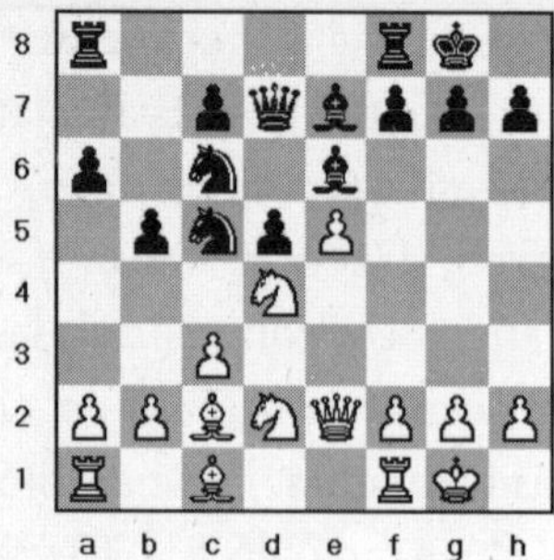

Esta situación implica una ligera ventaja para las blancas.

La variante cerrada de la Ruy López se presenta después de:

1. e2-e4, e7-e5
2. Cg1-f3, Cb8-c6
3. Af1-b5, a7-a6
4. Ab5-a4, Cg8-f6
5. 0-0, Af8-e7

En vez de capturar el peón en e4, las negras prosiguen tranquilamente su desarrollo. El blanco hace lo propio, desarrollando su torre de rey.

6. Tf1-e1,

Dado que hay una amenaza latente (7. Ab5xc6, d7xc6; 8. Cf3xe5), las negras eligen este momento para ahuyentar al alfil.

6. ..., b7-b5
7. Aa4-b3, d7-d6
8. c2-c3

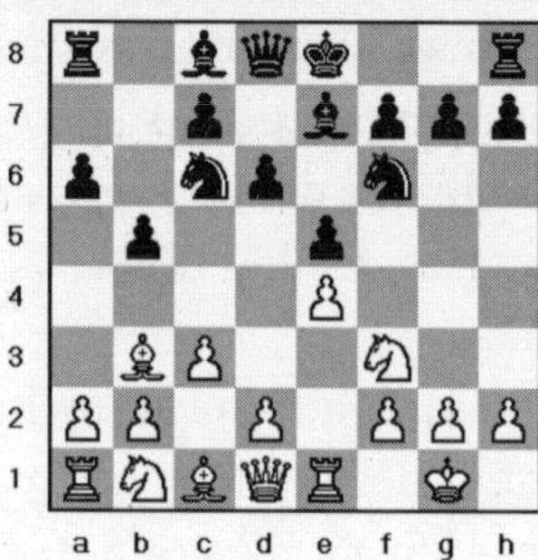

Este es el plan característico de las blancas: preparar el avance d2-d4 y desarrollar el caballo de la dama por d2.

8. ..., 0-0
9. h2-h3,

Este movimiento tiene por objetivo impedir la clavada (9. ..., Ac8-g4).

9. ..., Cc6-a5

El ruso Chigorin es el autor de esta jugada, pero existen otras opciones (9. ..., Ac8-b7; 9. ..., h7-h6; 9. ..., Cc6-b8 ó 9. ..., Cf6-d7).

10. Ab3-c2, c7-c5
11. d2-d4, Dd8-c7
12. Cb1-d2, Ca5-c6
13. Cd2-f1, c5xd4
14. c3xd4, Ac8-d7

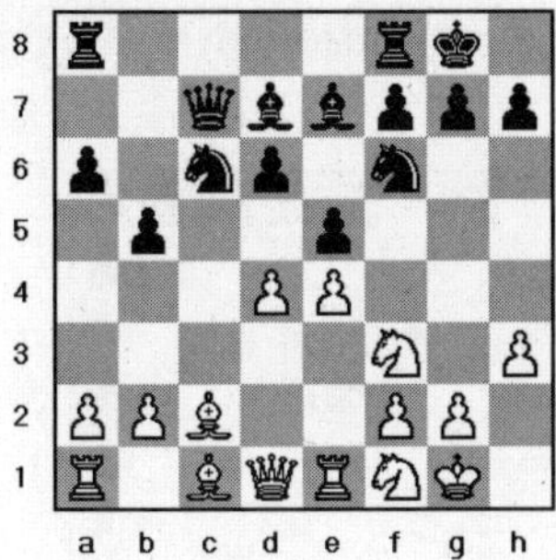

Las blancas retienen una pequeña ventaja.

Si eres jugador de ataque, tal vez prefieras el Contragambito Marshall, un sacrificio de peón que jamás ha sido refutado.

1. e2-e4, e7-e5
2. Cg1-f3, Cb8-c6
3. Af1-b5, a7-a6
4. Ab5-a4, Cg8-f6
5. 0-0, Af8-e7
6. Tf1-e1, b7-b5
7. Aa4-b3, 0-0
8. c2-c3.

A sabiendas de los peligros que entraña la aceptación del sacrificio, las blancas pueden evitarlo con 8. d2-d3 ó 8. a2-a4.

8. ..., d7-d5 !?

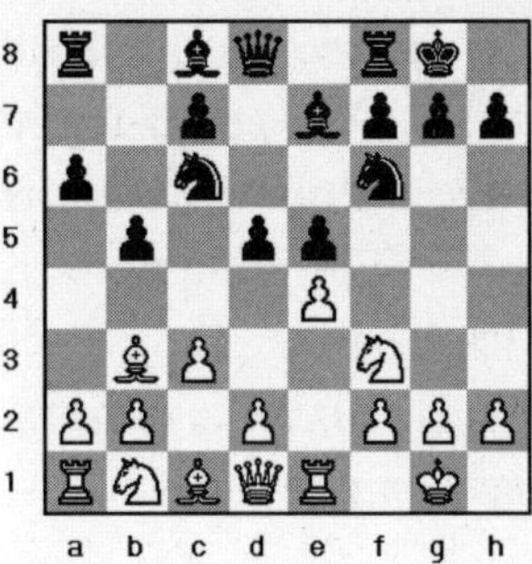

Este es el sacrificio con el que el estadounidense Frank Marshall sorprendió al cubano José Raúl Capablanca en 1918.

9. e4xd5, Cf6xd5
10. Cf3xe5, Cc6xe5
11. Te1xe5, c7-c6

Un plan más arriesgado consiste en jugar 11. ..., Cd5-f6, a lo que sigue 12. d2-d4, Ae7-d6; 13. Te5-e1, Cf6-g4; 14. h2-h3, Dd8-h4; 15. Dd1-f3, Cg4xf2!?; 16. Ac1-d2! (resulta inferior capturar el caballo, ya que 16. Df3xf2, Ad6-h2+ 17. Rg1-f1, Ah2-g3; 18. Df2-e2, Ac8xh3! desemboca en un duro ataque) 16. ..., Cf2xh3+; 17. g2xh3, Ac8xh3; 18. Te1-e4! En este caso, las blancas deben imponerse.

12. d2-d4, Ae7-d6
13. Te5-e1, Dd8-h4
14. g2-g3, Dh4-h3
15. Ac1-e3, Ac8-g4
16. Dd1-d3, Ta8-e8

No aporta mucho 16. ..., Ag4-f3 debido a que las blancas pueden jugar 17.

Dd3-f1. En cambio, es digna de consideración 16. ..., f7-f5 con la idea de romper en f4. De ahí que las blancas deban responder 17. f2-f4, g7-g5; 18. Dd3-f1, Dh3-h5; 19. Cb1-d2, Ta8-e8; 20. Df1-f2, Rg8-h8; 21. Ab3xd5, c6xd5; 22. a2-a4, con posición complicada.

17. Cb1-d2,	Te8-e6
18. a2-a4,	f7-f5
19. Dd3-f1,	Dh3-h5
20. f2-f4,	b5xa4
21. Ta1xa4,	Tf8-e8
22. Df1-f2,	g7-g5
23. f4xg5,	f5-f4
24. g3xf4,	Ag4-h3
25. Rg1-h1	

Las blancas conservan una ligera ventaja.

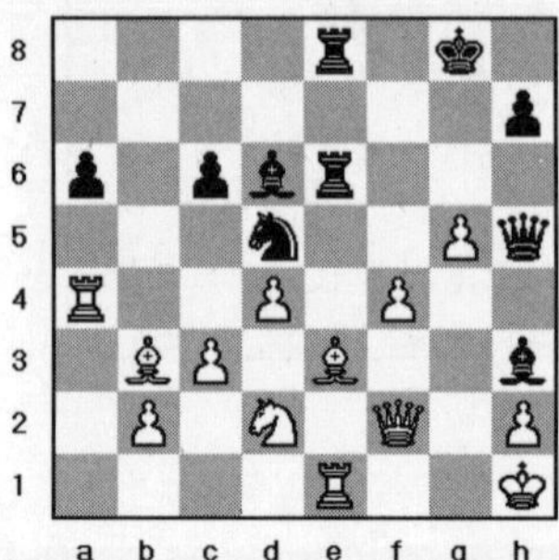

Estas son algunas líneas que pueden resultarte útiles. Sin embargo, para conocerlas a fondo hace falta repasarlas una y otra vez, procurando entender sus planes. El perfeccionamiento en una apertura se consigue estudiando las partidas de sus mejores exponentes.

Breve historia del ajedrez

Entre 1920 y 1930 se publicaron libros muy importantes, como el *Manual de ajedrez*, de Emanuel Lásker, la primera colección de partidas de Alejandro Alekhine, *Mi sistema*, de Aarón Nímzovich, y *Grandes maestros del tablero*, de Ricardo Reti.

En Buenos Aires, año de 1927, José Raúl Capablanca pierde el Campeonato Mundial frente al exiliado ruso Alejandro Alekhine. En 1935 Alekhine pierde su título ante el holandés Max Euwe, aunque lo recupera dos años después. Ya le pisa los talones otra generación, en la que destacan Mijaíl Botvinik, Paul Keres, Reuben Fine y Salo Flor, cuando estalla la Segunda Guerra Mundial y pone fin a la actividad ajedrecística. Hacia 1946 han fallecido Lásker, Capablanca y Alekhine.

Dos años más tarde Mijaíl Botvinik se corona Campeón Mundial. Desde entonces, la "maquinaria" soviética dominará la segunda mitad del siglo XX; dominio al que contribuyen los campeones mundiales, Mijaíl Botvinik, Vasily Smyslov, Mijaíl Tal, Tigrán Petrosián, Boris Spassky, Anatoli Kárpov y Garri Kaspárov.

En el resto del mundo destacan a los argentinos Miguel Najdorf y Oscar Panno, al danés Bent Larsen, al húngaro Lajos Portisch, los yugoslavos Svetozar Gligoric y Boris Ivkov, el estadounidenses Samuel Reshevsky, el checo Vlastimil Hort y el brasileño Henrique Mecking. Todos ellos se miden con los soviéticos, pero ninguno tan sobresaliente como el estadounidense Robert "Bobby" Fischer, quien se corona campeón mundial en 1972, luego de vencer a Boris Spassky en el llamado "Match del Siglo", celebrado en Reykiavik, Islandia.

Posteriormente, a causa de discrepancias con la Federación Internacional de Ajedrez, "Bobby" Fischer se negó a defender su título y a participar en torneos. Reapareció brevemente en 1992 para dar la "revancha" a Boris Spassky. Aunque Fischer demostró un excelente nivel de juego, la historia del ajedrez había tomado otra dirección.

Cuarta parte
Finales

Capítulo XI

Finales de peones

Si los contrincantes sobreviven a la apertura y al medio juego llegarán a la tercera fase de una partida de ajedrez: el final. Esta etapa posee su propia belleza. Aunque muchos finales se resuelven por medios tácticos como clavadas y dobletes, otros requieren de métodos más sencillos. Por esa razón consideramos recomendable asumir una actitud paciente en esta etapa de la partida.

Por otra parte, el estudio de los finales enseña a jugar con un plan determinado y a perseverar en la acumulación de pequeñas ventajas. No en balde todos los campeones del mundo han sido grandes finalistas.

En este capítulo analizaremos diversos casos de finales de peones.

1. Regla del cuadrado

En los finales de reyes y peones conviene saber si nuestro rey puede detener algún peón que trata de coronar.

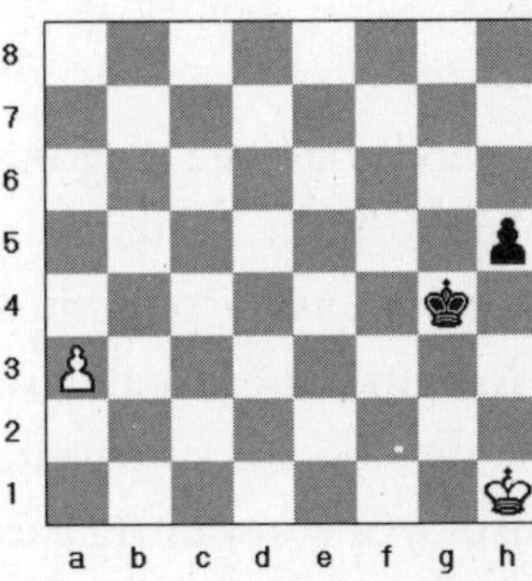

Sin necesidad de moverse, el rey blanco impide que el peón negro corone. ¿Cómo saber si el rey negro puede alcanzar al peón blanco? Hay dos métodos. El primero consiste en visualizar toda la serie de jugadas.

1. a3-a4, Rg4-f5
2. a4-a5, Rf5-e6
3. a5-a6, Re6-d7
4. a6-a7, Rd7-c7
5. a7-a8=D

Ya lo vemos: el rey negro no pudo impedir la coronación. Sin embargo, existe un método mucho más sencillo. Se llama «la regla del cuadrado». Volvamos a la posición señalada.

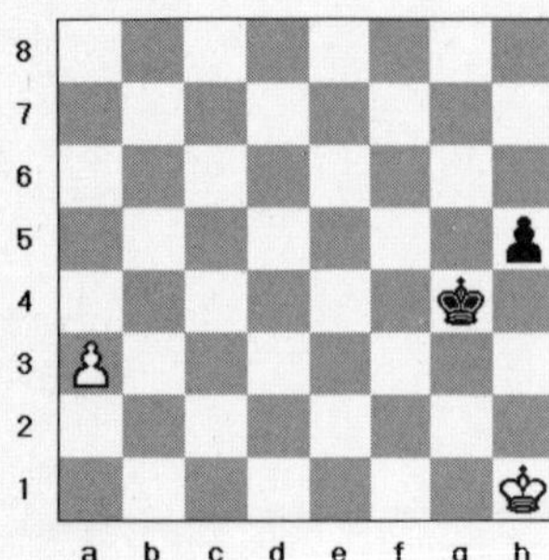

Imaginemos una línea diagonal desde el peón blanco hasta la fila de coronación. Desde esa casilla podemos trazar otra línea imaginaria vertical hasta la fila del peón, y de ahí, una horizontal hasta el peón mismo. Si el rey entra a este cuadrado, podrá detener al peón; de lo contrario el peón coronará. Ahora bien, el cuadrado se reduce a medida que el peón avanza.

Así podemos comprobar fácilmente que, de acuerdo al diagrama, si le toca jugar a las blancas, transformarán su peón en dama. Pero si el turno corresponde a las negras, éstas impedirán la coronación. Por ejemplo:

1.	...,	Rg4-f5
2.	a3-a4,	Rf5-e6
3.	a4-a5,	Re6-d7
4.	a5-a6,	Rd7-c7
5.	a6-a7,	Rc7-b7
6.	a7-a8=D+,	Rb7xa8

Ejercicios

Juegan las negras. ¿Podrán impedir que el peón blanco corone?

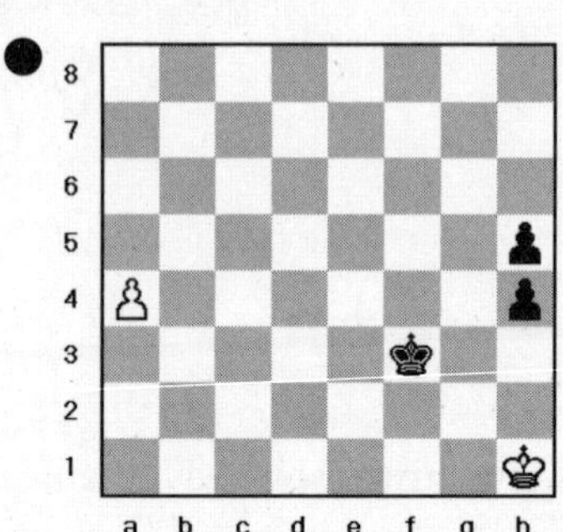

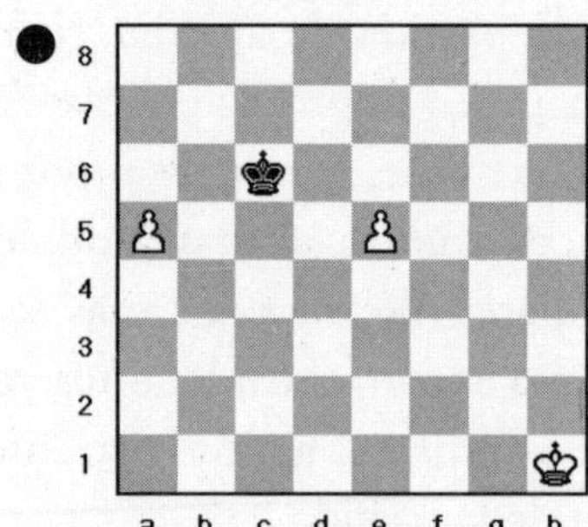

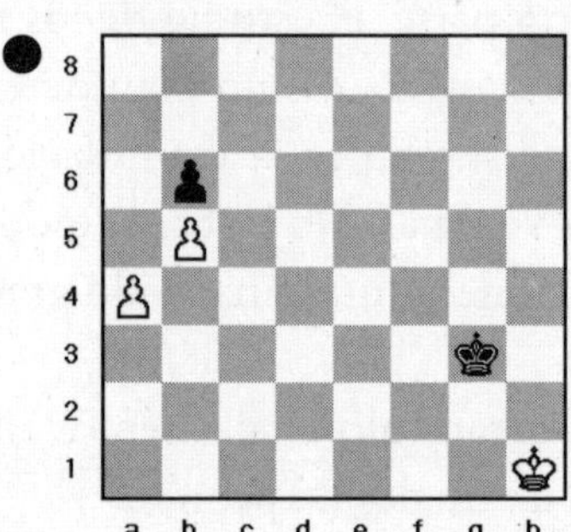

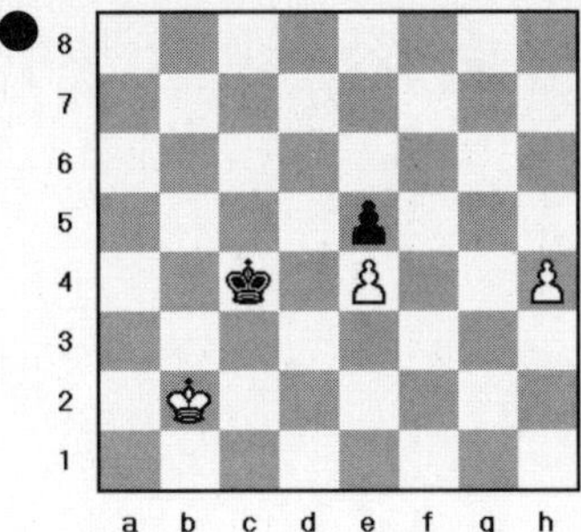

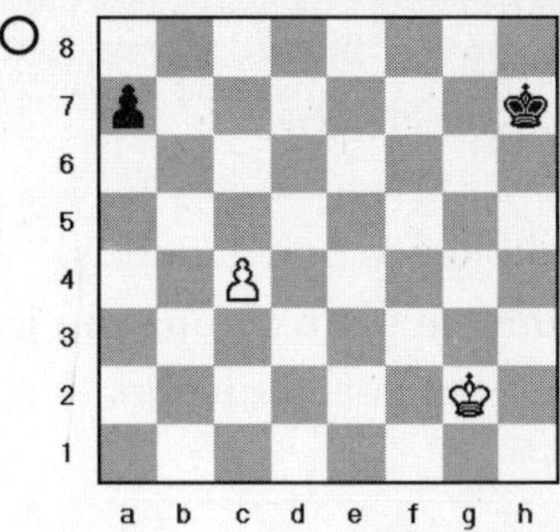

Respuestas

Primer diagrama. Sí. El rey negro entra apenas al cuadrado por la esquina de e4.
Segundo diagrama. No. El rey negro podrá detener a uno, pero no a los dos. Recuerda que el cuadrado cambia a medida que el peón avanza.
Tercer diagrama. No. El banco sacrifica un peón para coronar a toda prisa. Por ejemplo: 1. ..., Rg3-f4; 2. a4-a5!, Rf4-e5; 3. a5-a6, Re5-d6; 4. a6-a7 y el peón corona.
Cuatro diagrama. No. Los peones en e4 y e5 obstaculizan el camino de retorno del rey negro al cuadrado.

2. Carreras de peones

También hay un método sencillo para contar los tiempos en el final y saber si un peón corona antes que su rival.

En este caso, ninguno de los reyes alcanza a entrar al cuadrado. Para saber cual de los peones coronará primero debes calcular los tiempos que les faltan. El peón blanco necesita cuatro pasos para llegar a la octava horizontal. El peón negro requiere de cinco movimientos. Dado que además corresponde jugar a las blancas, puedes estar seguro de que su peón llegará antes.

1. c4-c5, a7-a5
2. c5-c6, a5-a4
3. c6-c7, a4-a3
4. c7-c8=D, a3-a2
5. Dc8-a6

Y la dama blanca capturará al peón negro.
También puede ocurrir que coronen al mismo tiempo. Si en el diagrama anterior correspondiera el turno a las negras, ambos peones alcanzarían su objetivo:

1. ..., a7-a5
2. c4-c5, a5-a4
3. c5-c6, a4-a3

4. c6-c7, a3-a2
5. c7-c8=D, a2-a1=D

El resultado lógico será de tablas.
En ocasiones un peón corona con jaque, por lo que cambia el resultado.

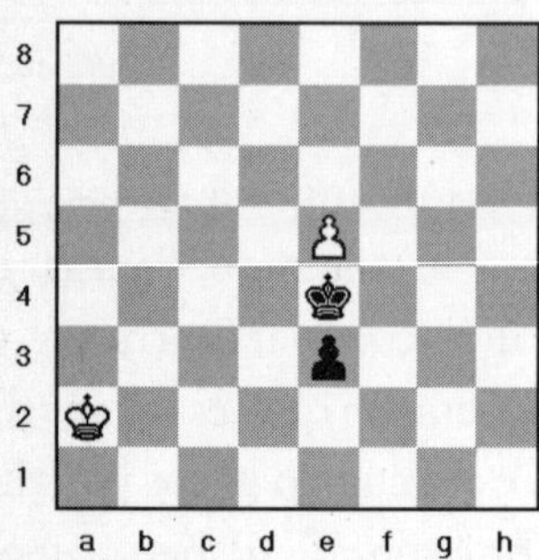

Juegan las blancas.

1. e5-e6, e3-e2
2. e6-e7, e2-e1=D
3. e7-e8=D+,

El blanco corona después que el negro, pero al hacerlo asesta un jaque de «rayos equis» que le permite capturar la dama negra.

Ejercicios

Juegan las blancas:

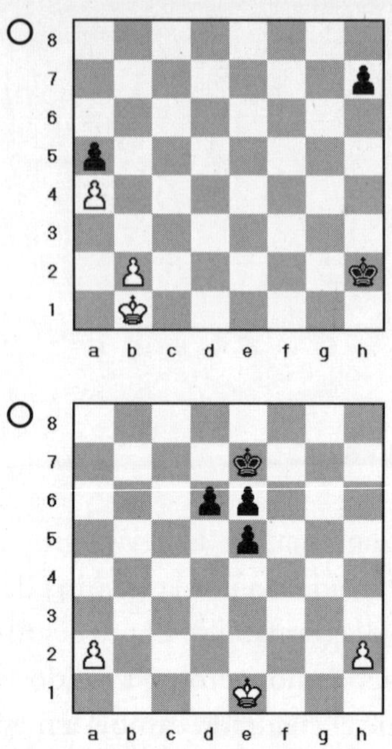

Respuestas

Primer diagrama. Las blancas deben sacrificar a un peón para coronar al otro. 1. b2-b4!, a5xb4; 2. a4-a5, con varios tiempos de ventaja en la carrera.
Segundo diagrama. Aunque las negras cuentan con un peón de más, la distancia entre los peones pasados del blanco impide que el rey negro los detenga. 1. a2-a4, Re7-d7; 2. h2-h4, conduce a una fácil victoria.

3. Sacrificios para coronar

Como la promoción de un peón es de vital importancia, a menudo sacrificamos material en aras de lograr el avance.

Ejercicios

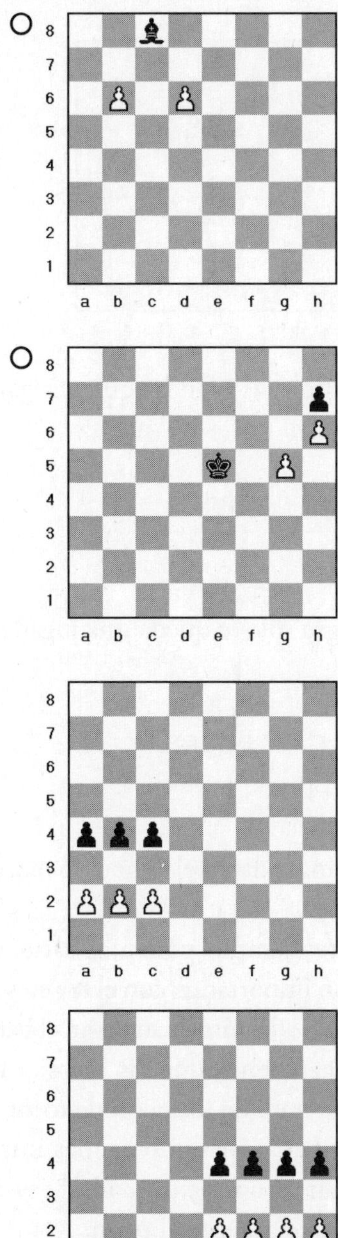

Respuestas

Primer diagrama. Se entrega cualquiera de los peones para que el otro avance.
Segundo diagrama. Después de 1. g5-g6 las negras no pueden impedir la coronación.
Tercer diagrama. Si toca el turno a las negras: 1..., b4-b3!; 2. c2xb3, a4-a3; 3. b2xa3, c4-c3. De modo similar, 2. a2xb3, c4-c3!; 3. b2xc3, a4-a3. Si el turno corresponde a las blancas, impedirán el avance con 1. b2-b3! Por el contrario, sería un error jugar 1. a2-a3??, debido a que las negras responderían 1. ..., c4-c3!; 2. b2xc3, b4xa3.
Cuarto diagrama. Si juegan las negras, ganan con cualquier avance seguido de los sacrificios pertinentes. Por ejemplo: 1. ..., e4-e3; 2. f2xe3, f4-f3!; 3. e2xf3, h4-h3!; 4. g2xh3, g4xf3 y el peón se corona. Curiosamente, aunque tocara el turno a las blancas, no podrían impedir la promoción. Contra 1. g2-g3, las negras responden 1. ..., e4-e3! 2. f2xe3, f4-f3 y coronan.

4. La regla de la oposición

En muchos finales de peones, el bando débil tratará de salvarse mediante el recurso del rey ahogado. Cuando en estos finales un rey se planta frente a otro decimos que «ha ganado la oposición». Para entender la importancia de este recurso, estudiemos el ejemplo clásico de rey y peón contra rey.

Juegan las negras. ¿Hacia dónde deben mover su rey para ganar la oposición?

1. ...,	Re6-d6!
	(Ganan la oposición.)
2. e4-e5+,	Rd6-e6
3. Rd4-e4,	Re6-e7 !

Las negras se anticipan a la próxima jugada del blanco.

4. Re4-d5,	Re7-d7!
	(Nuevamente ganan la oposición.)
5. e5-e6+,	Rd7-e7
6,. Rd5-e5,	Re7-d8 ??

Las negras se han equivocado. Bastaba con jugar 6. ...Re7-e8! y si 7. Re5-d6, entonces 7. ..., Re8-d8!, con lo que lograban mantener la oposición. A esto, la continuación hubiera sido 8. e6-e7+, Rd8-e8, y si ahora 9. Rd6-e6, el rey negro queda ahogado, por lo que la partida termina en tablas. Luego del error cometido no hay salvación posible.

7. Re5-d6!,

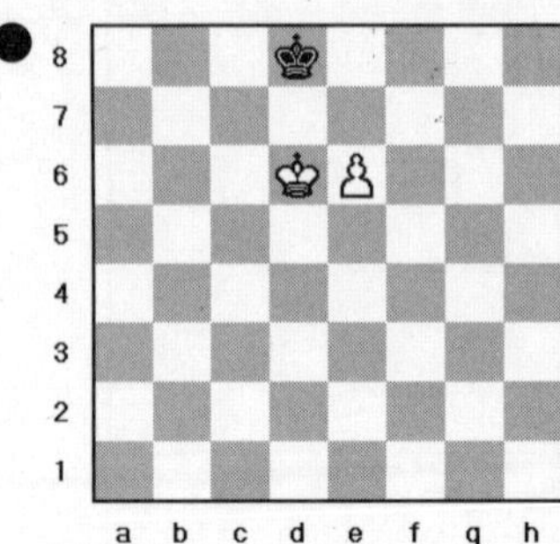

Ahora son las blancas quienes ganan la oposición.

7. ...,	Rd8-e8
8. e6-e7!,	

Al rey negro sólo le queda una jugada.

8. ...,	Re8-f7
9. Rd6-d7,	Rf7-f6
l0. e7-e8= D	

Las blancas darán el conocido mate de dama y rey.

De este ejemplo podemos sacar una conclusión importante: con el rey en sexta fila, ubicado adelante de su peón, el bando atacante gana en todos los casos, a menos que se trate de un peón de torre. En consecuencia, a menudo es más importante ganar la oposición con el rey que avanzar directamente al peón.

Ejercicios

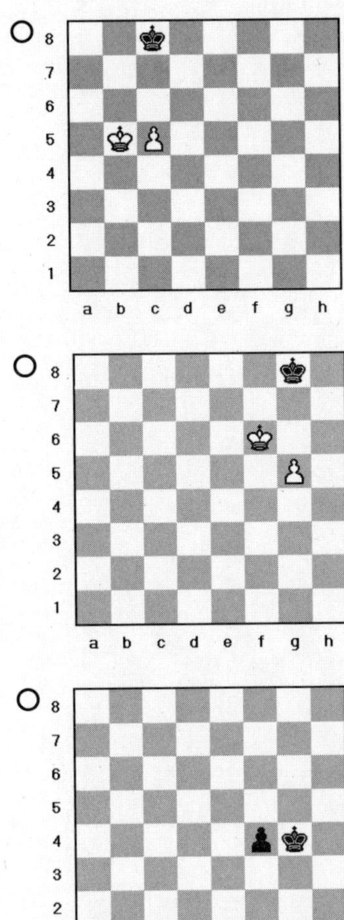

Respuestas

Primer diagrama. 1. Rb5-c6
Segundo diagrama. 1. Rf6-g6
Tercer diagrama. 1. Rh1-g2 y es tablas.

El peón de torre es el que menores posibilidades tiene de coronar. De hecho, cuando el rey defensor se coloca frente a él, ni siquiera importa quién tenga la oposición.

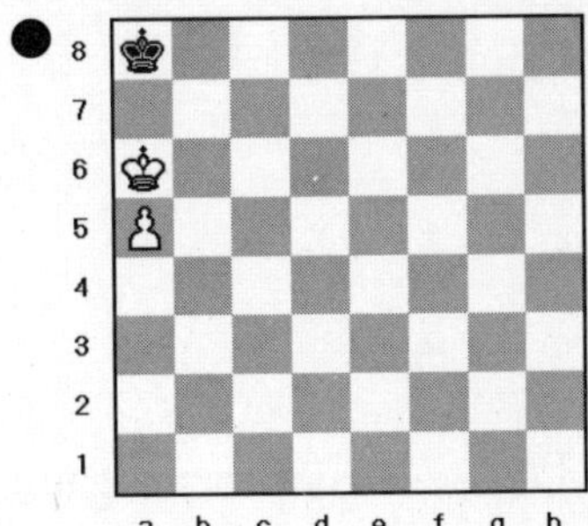

Las blancas han ganado la oposición, pero de nada les vale.

1. ...,	Ra8-b8
2. Ra6-b6,	Rb8-a8
3. a5-a6,	Ra8-b8
4. a6-a7,	Rb8-a8

Y sólo quedan las tablas.

5. La jaula de oro

Cuando un bando tiene un peón de torre y trata de coronarlo, su rey puede quedar encerrado por el rey adversario. De esta jaula de oro no hay otra escapatoria que acordar las tablas.

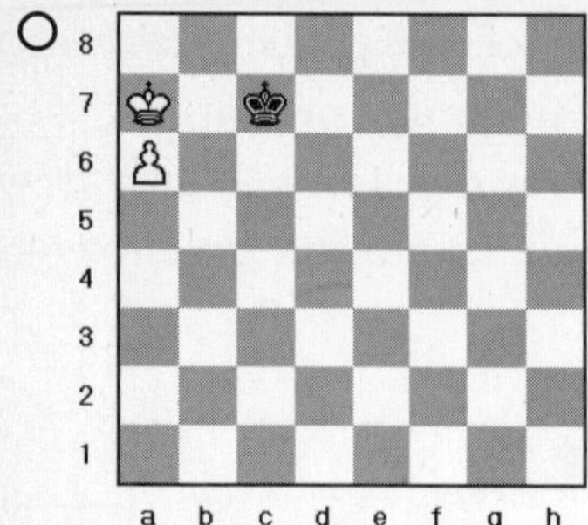

1. Ra7-a8, Rc7-c8
2. a6-a7, Rc8-c7

Es decir, el rey se encuentra ahogado. O bien:

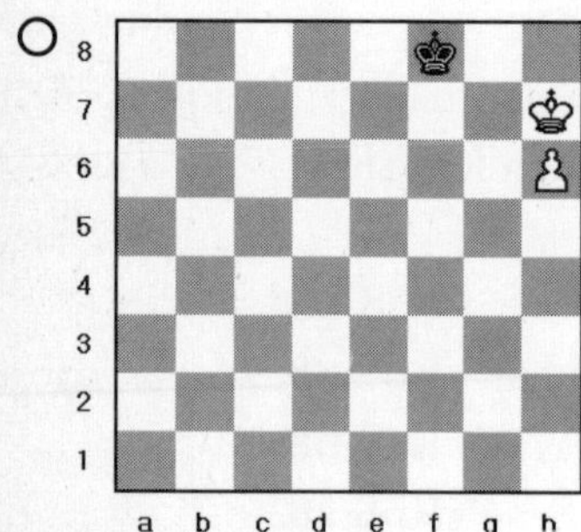

1. Rh7-g6, Rf8-g8
2. h6-h7+, Rg8-h8

El resultado es tablas.

6. Dos peones de ventaja

En la mayoría de los casos, cuando se tienen dos peones de ventaja, se gana la partida fácilmente. Veamos algunas excepciones.

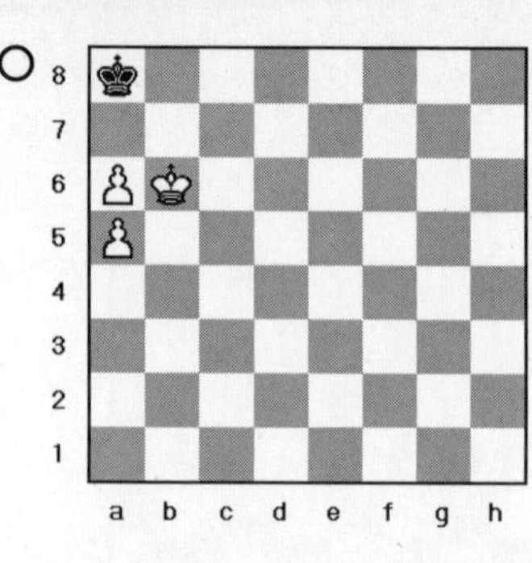

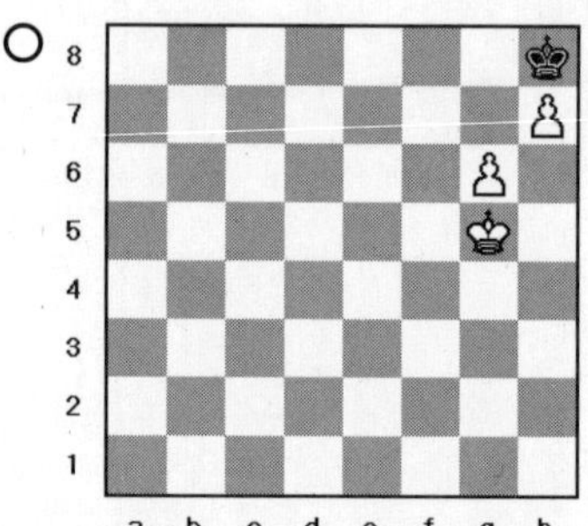

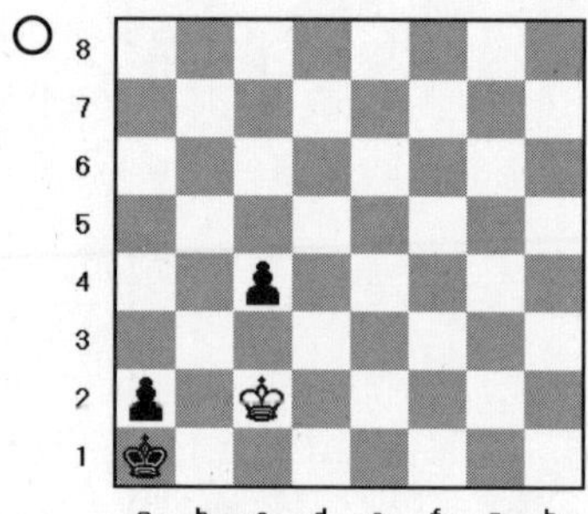

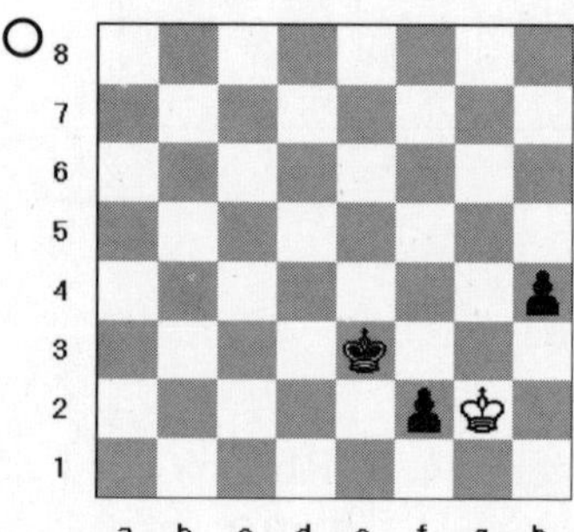

En los dos primeros casos, no podrá evitarse el rey ahogado. En el tercer ejemplo, las blancas moverán 1. Rc2-c1!, con tablas seguras. En el cuarto, si juegan las negras, ganan fácilmente; pero si juegan las blancas, tras 1. Rg2-f1!, el empate se vuelve inevitable.

Ejercicios

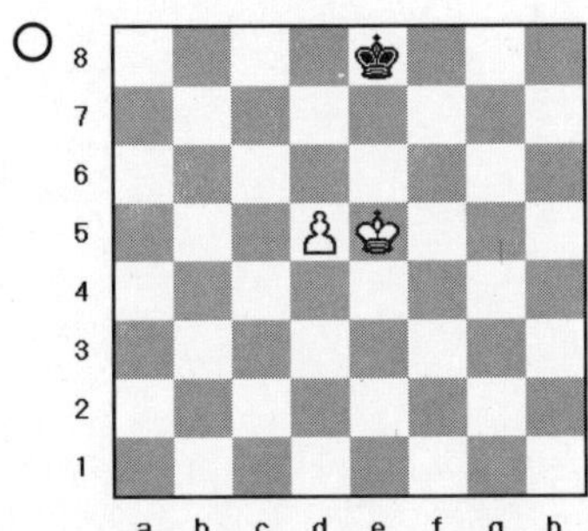

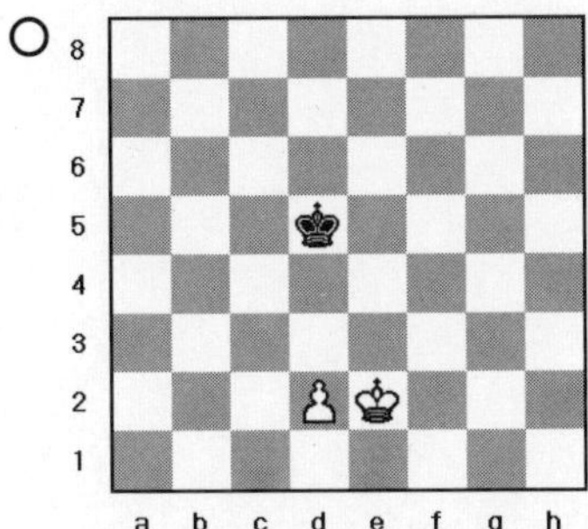

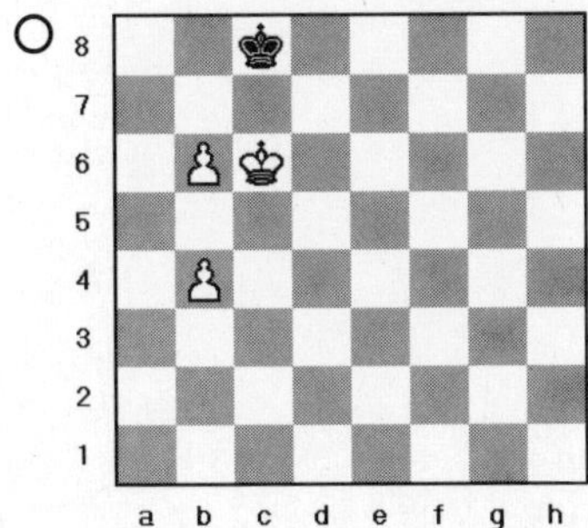

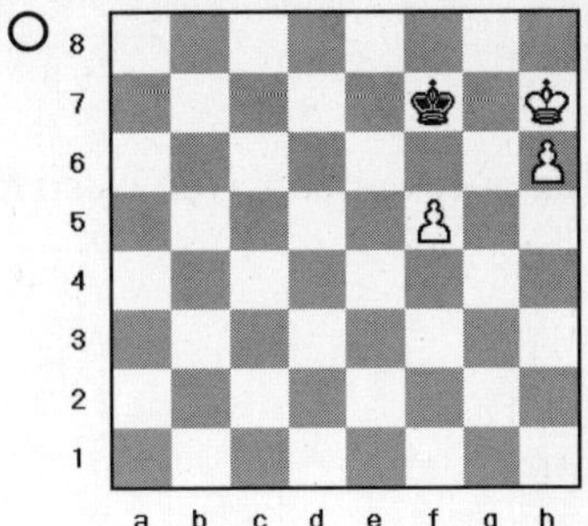

Respuestas

Primer diagrama. 1. Re5-e6, Re8-d8; 2. Re6-d6, Rd8-e8; 3. Rd6-c7, Re8-e7; 4. d5-d6+, Re7-e8; 5. d6-d7+, Re8-e7; 6. d7-d8=D+

Segundo diagrama.1. Re2-d3!, Rd5-c5; 2. Rd3-e4, Rc5-d6; 3. Re4-d4, Rd6-e6; 4. Rd4-c5, Re6-e7; 5. Rc5-c6, Re7-e6; 6. d2-d4!, Re6-e7; 7. d4-d5, Re7-d8; 8. Rc6-d6! Las blancas ganan la oposición en la sexta fila.

Tercer diagrama. 1. b6-b7+, Rc8-b8; 2. b4-b5, Rb8-a7; 3. b7-b8=D+! (pero no 3. Rc6-c7, ahogado) 3. ..., Ra7xb8; 4. Rc6-b6!, Rb8-a8; 5. Rb6-c7, Ra8-a7; 6. b5-b6+ y el rey blanco apoya lateralmente la coronación de su peón.

Cuarto diagrama. 1. f5-f6!, Rf7xf6 (ó 1. ..., Rf7-f8 2. Rh7-g6!, Rf8-g8 3. f6-f7+, Rg8-f8 4. h6-h7, coronando); 2. Rh7-g8!, Rf6-g6; 3. h6-h7 seguido por 4. h7-h8=D.

Cuestionario

1. A medida que un peón avanza, su cuadrado:
A) Crece.
B) Disminuye.
C) Se mantiene igual.

2. Si sólo queda un peón blanco en a2 y uno negro en c7, ¿cual coronaría primero?
A) El blanco.
B) El negro.
C) A quien tocase el turno.

3. En un final de rey y peón contra rey, le interesa ganar la oposición:
A) A quien tiene el peón.
B) A quien no lo tiene.
C) A ambos.

4. Cuando el rey defensor puede colocarse frente al peón libre, el peón que menos posibilidades tiene de coronar es:
A) El peón de centro.
B) El peón de torre.
C) Los peones doblados.

Respuestas

1. B
2. C
3. C
4. B

Capítulo XII

Conceptos básicos del final

1. La importancia del rey

Ya hemos dicho que el valor del rey es infinito. Sin embargo, en los finales suele convertirse en una pieza activa, con una fuerza equivalente a 4 peones. Por ello es importante ponerlo a jugar en cuanto sobrevienen los cambios y ya no corre peligro. Generalmente, el camino del rey es hacia el centro del tablero, porque ahí tienen lugar las acciones más importantes

Ejercicios

Este interesante esquema se denomina «El rey de plomo». Es muy útil para entender el valor del rey en el final de la partida. En los siguientes diagramas llevarás las piezas blancas. Tienes ventaja, pero por alguna extraña desgracia tu rey no puede moverse.

Primero trata de ganar estos finales sin utilizar el rey. Verás que resulta prácticamente imposible. Cuando estés convencido de lo anterior, cambiaremos las reglas y se te permitirá mover al rey. Así podrás llevarlo hacia el centro y posteriormente incursionar en territorio enemigo, procurando atacar sus peones mediante el esfuerzo combinado de tus piezas. Evita en la medida de lo posible los cambios de peones.

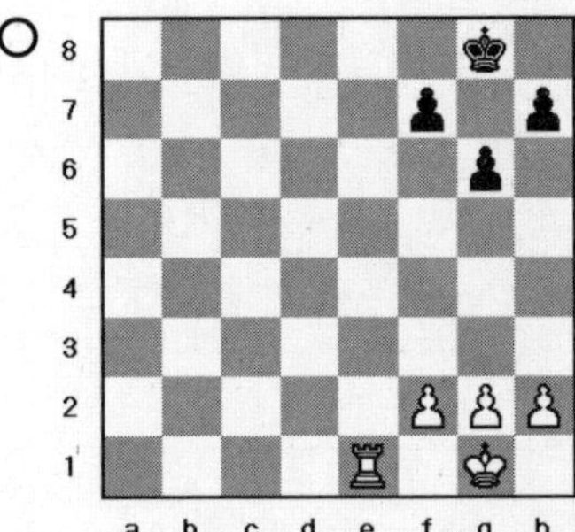

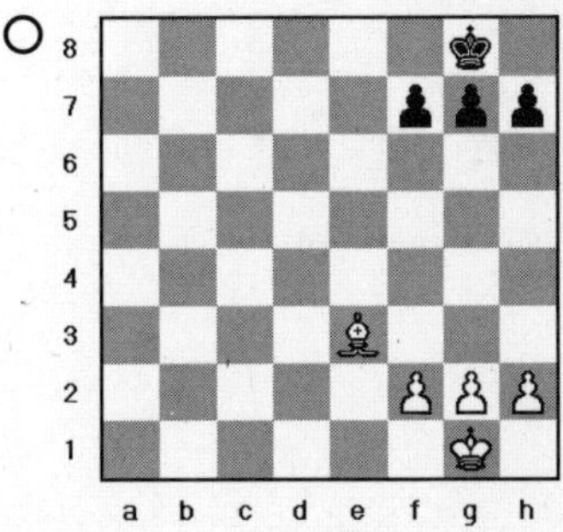

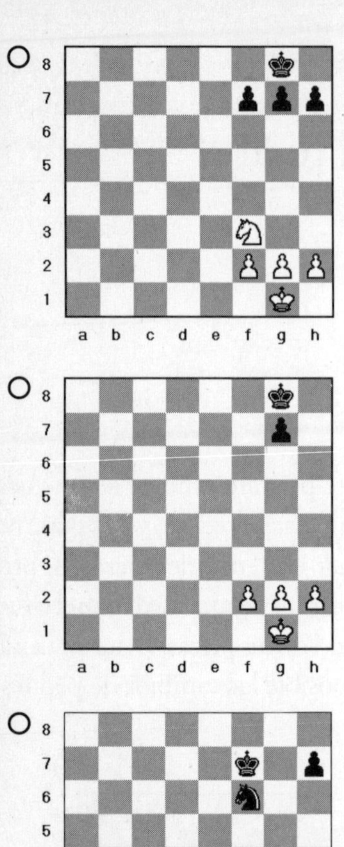

2. La simplificación

Como regla general, mientras menos piezas queden sobre el tablero, más sencillo resulta ganar una posición ventajosa. El cambio de piezas con miras a un final favorable se denomina «simplificación».

No olvides que de nada te sirve quedar con rey y pieza menor (alfil o caballo) contra un rey solo, puesto que no podrás darle jaque mate. Por ese motivo, cuando tengas ventaja material procura cambiar piezas, pero quédate con algunos peones para coronarlos.

Ejercicios

Decide si te convienen los cambios propuestos.

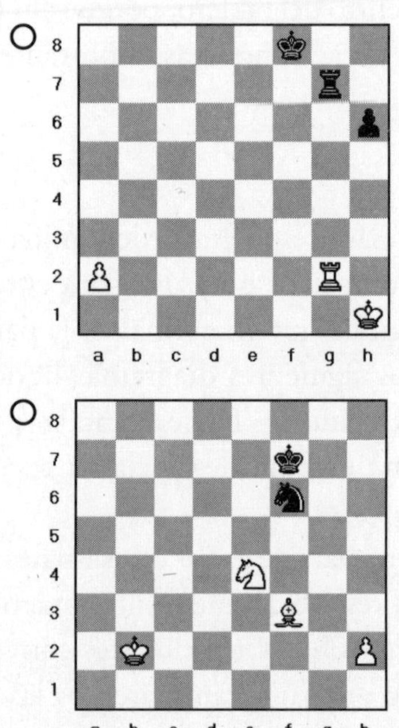

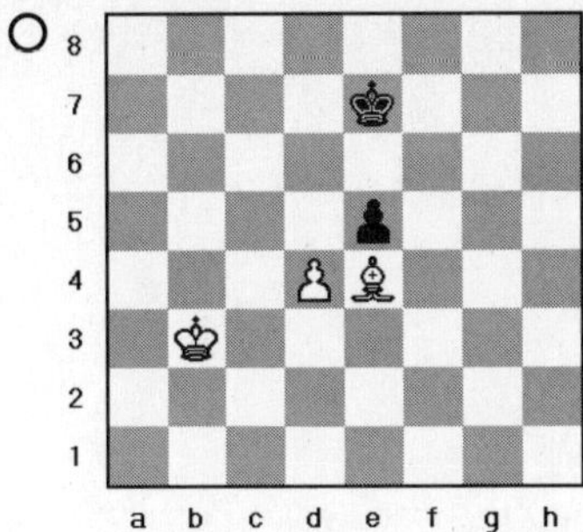

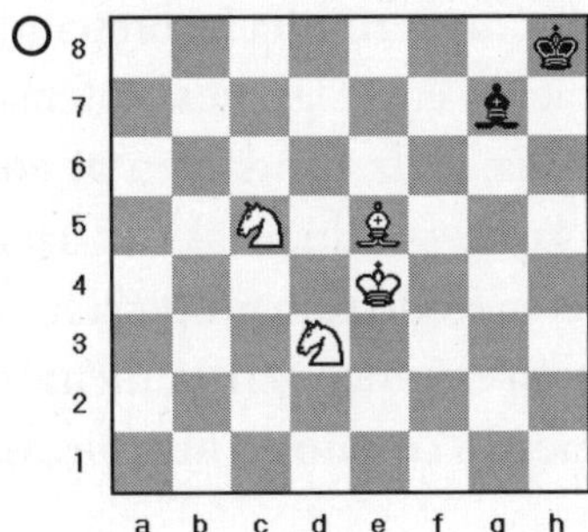

Respuestas

Primer diagrama. Sí, porque tu peón corona.
Segundo diagrama. No, porque no puedes ganar el final.
Tercer diagrama. No, porque después de 1. d4xe5, Re7-e6 te cambian el último peón. Es preferible 1. d4-d5.
Cuarto diagrama. No, porque dos caballos no dan mate.

3. La presión conjunta

Un buen plan para ganar posiciones ventajosas consiste en atacar gradualmente los puntos débiles del adversario mediante la presión conjunta de tus piezas.

¿Recuerdas que el rey vale aproximadamente 4 unidades en el final? Increíblemente, muchos ajedrecistas no lo ponen a jugar en esta etapa y con ello desaprovechan una excelente pieza ofensiva.

4. El «zugzwang»

En el ajedrez resulta obligatorio mover. Si no fuera así, muchos finales serían imposibles de ganar. Como divertimento, consideremos lo qué sucedería en un final de torre y rey contra rey si se permitiera pasar.

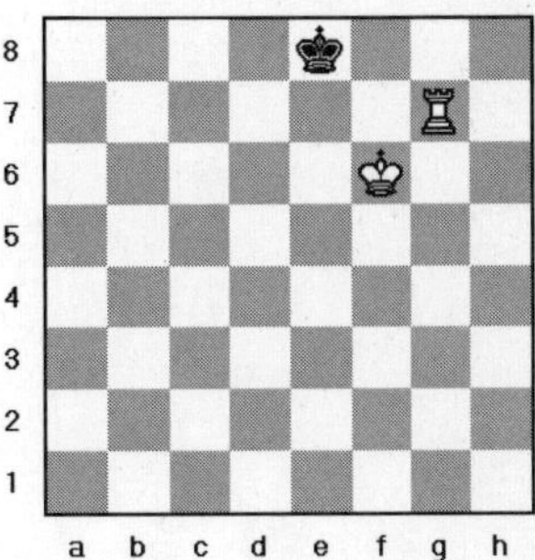

1. Tg7-h7,	pasa
2. Rf6-e6,	Re8-d8
3. Th7-g7,	pasa
4. Re6-d6,	Rd8-e8
5. Tg7-a7,	pasa
6. Rd6-e6,	Re8-d8

Ambos jugadores podrían seguirse así hasta la eternidad; afortunadamente, no se permite pasar. Es entonces cuando aparece el «zugzwang», palabra alemana que significa «obligación de mover».

En los siguientes ejemplos toca el turno al jugador en desventaja material. Para su desdicha tendrá que ceder terreno, facilitando la incursión de las piezas enemigas.

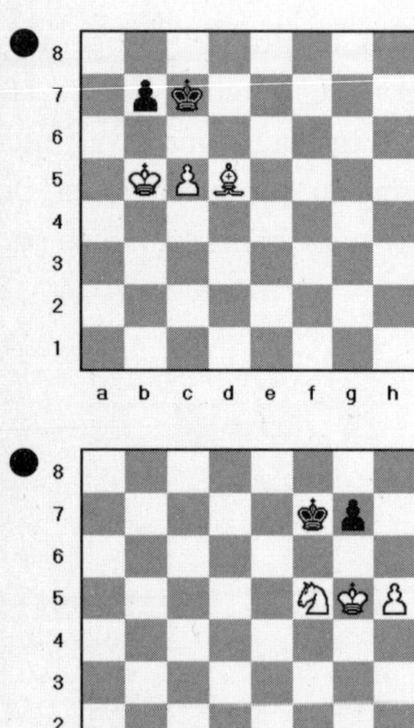

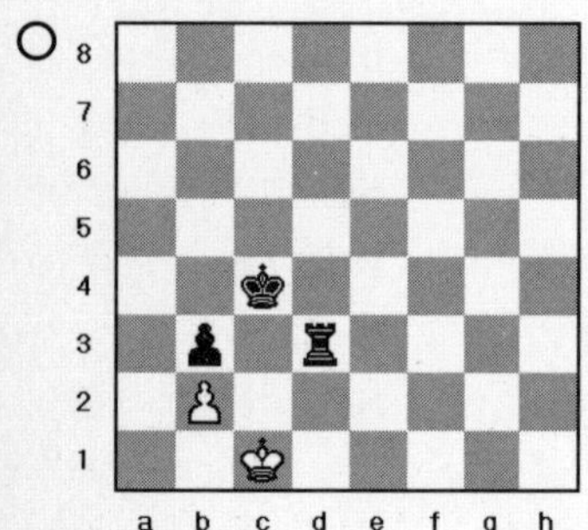

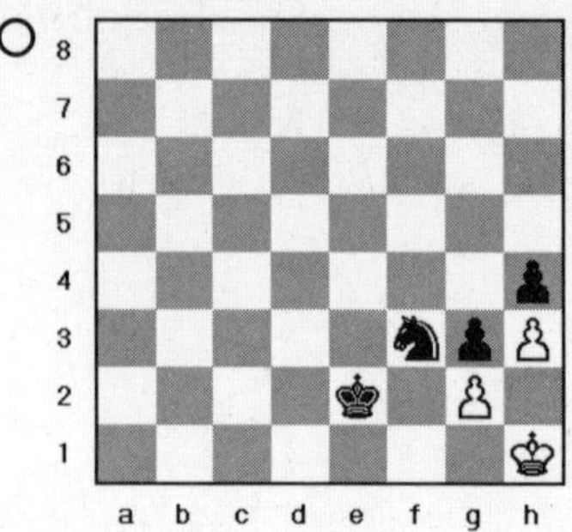

En todos los casos resulta imprescindible la colaboración entre las piezas ofensivas. Por ello, una regla fundamental en los finales es la de conducir al rey hacia el centro, y el método que propicia la caída de un bastión enemigo generalmente consiste en atacarlo con dos o más piezas.

Resumen

Los objetivos fundamentales del final son:

1. Tratar de coronar a los peones.
2. Llevar al rey hacia el centro.
3. Cuando tenemos ventaja material, cambiar piezas.
4. En desventaja material, cambiar peones.

5. Final de dama contra un peón avanzado

En ocasiones, un bando corona mientras el otro queda con un peón muy avanzado. Aunque la dama gana en la inmensa mayoría de los casos, existen algunas excepciones.

El peón en la sexta

En este caso, el método ganador es el siguiente:

1. Acercar la dama con jaques para ganar tiempos.
2. Controlar la casilla de coronación.
3. Obligar a que el rey se aleje de su peón.

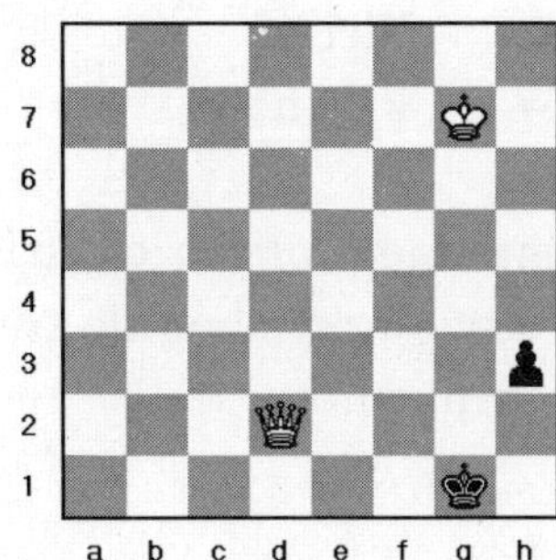

1. Dd2, e1+, Rg1-g2
2. De1-e2+, Rg2-g1
3. De2-g4+, Rg1-h2
4. Rg6-g7,

Las negras deben desprenderse de su peón. Conviene repasar dos variantes más:

A) Si 2. ..., Rg2-h1,
3. De2-f2!, h3-h2,
4. Df2-f1++.

B) Y si 2. ..., Rg2-g3,
3. De2-f1, h3-h2,
4. Rg7-g6, Rg3-h4,
5. Df1-g2.

El peón en séptima

Con el peón en la séptima horizontal, el método más sencillo para impedir el contrajuego es ubicar a la dama en la casilla de coronación y luego acercar al rey.

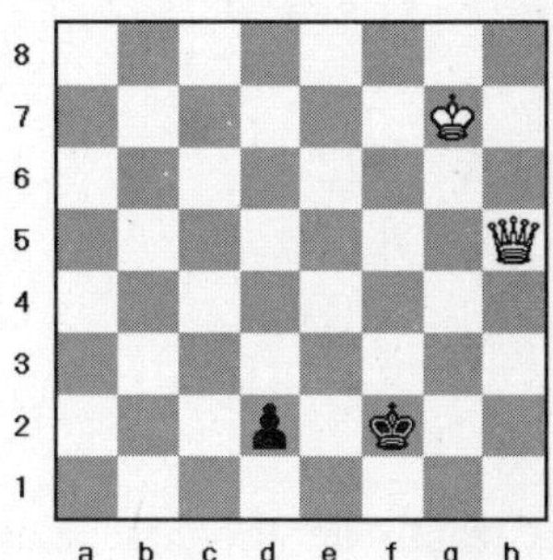

1. Dh5-d1!

Y acercamos al rey...

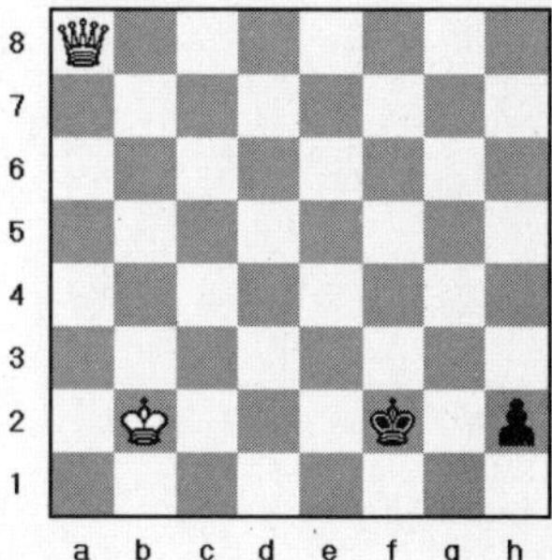

1. Da8-h1!

Esto es importante porque un peón de las columnas a ó h, ubicado en séptima fila, tiene algunas posibilidades de entablar por medio del rey ahogado.

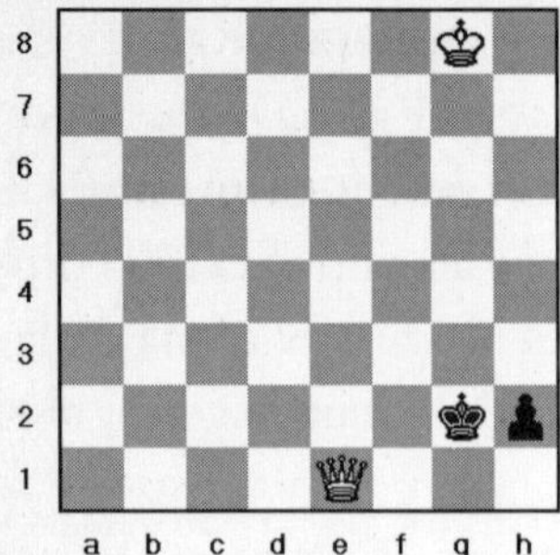

1. De1-e2+, Rg2-g1
2. De2-g4+, Rg1-f2
3. Dg4-h3, Rf2-g1
4. Dh3-g3+, Rg1-h1!

Las negras tratan de ahogarse. Las blancas no pueden progresar, porque el rey no colabora con la dama. En la posición siguiente sí lo hace y gana fácilmente.

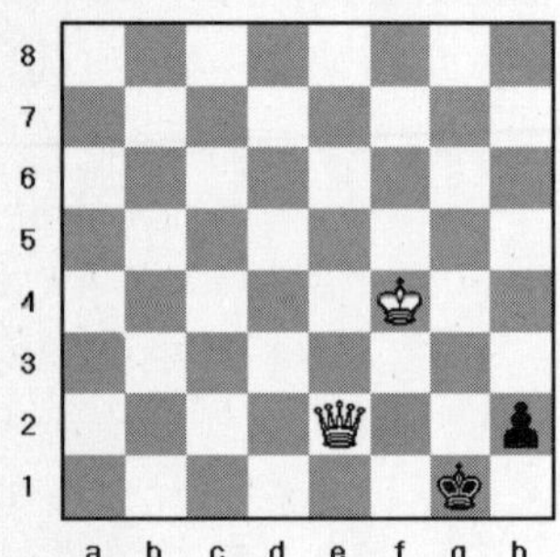

1. Rf4-g3!, h2-h1=C+
2. Rg3-f3

Como puedes ver, el mate es inminente.

Por su parte, cuando hay un peón en las columnas c ó f, el rey del bando débil tiene posibilidades de ahogarse cuando el rey del adversario se encuentra lejos.

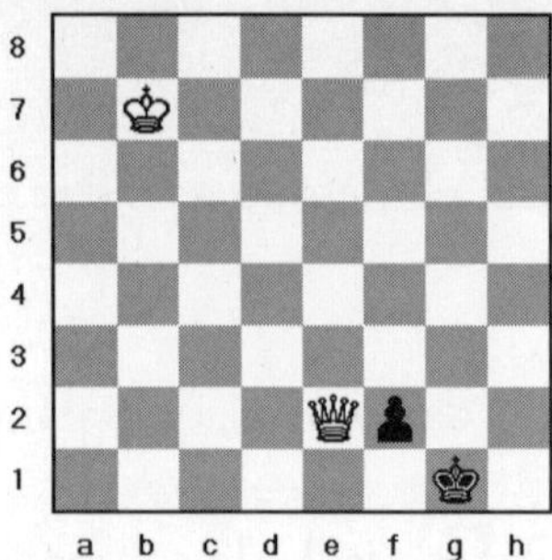

1. De2-g4+, Rg1-h1
2. Dg4-f3+, Rh1-g1
3. Df3-g3+, Rg1-h1!

Nos encontramos con un escenario de tablas, ya sea por rey ahogado o repetición de movimientos.

Ejercicios

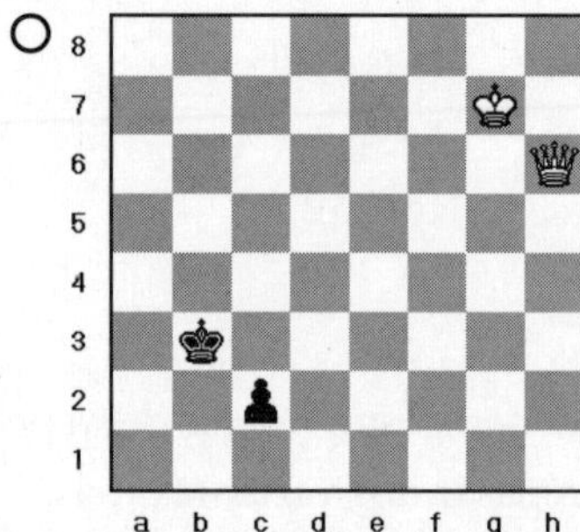

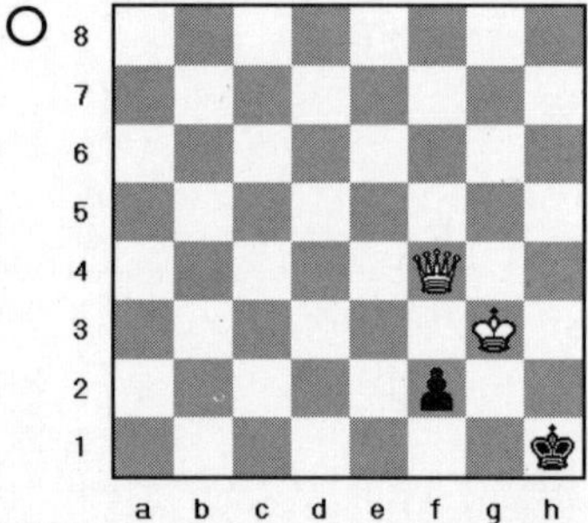

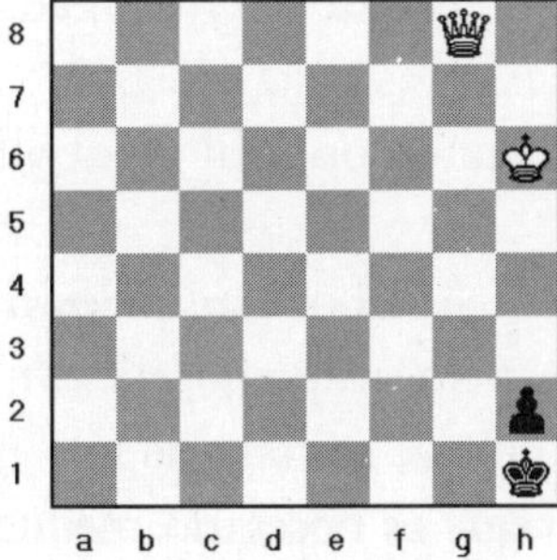

Respuestas

Las blancas ganan en todos los casos.
Primer diagrama. 1. Dh6-c1! y aproximan su rey.
Segundo diagrama. 1. Df4-f3+, 1. Df4-c1+, o 1. Df4-h4+ son las opciones para ganar rápidamente. Lo único que no se debe hacer es capturar al peón en este momento, porque el rey negro se ahoga.
Tercer diagrama. 1. Rg4-f3! Si el negro corona la dama blanca da mate en e2. En caso de 1. ..., Rd1-d2 seguiría: 2. Rf3-e4, Rd2-d1; 3. Re4-d3!, c2-c1=C+; 4. Rd3-e3 y mate en uno o dos movimientos.
Cuarto diagrama. 1. Rh6-g5! El rey se acerca con esta ganancia de tiempo. 1. ..., Rh1-g2; 2. Rg5-f4+, Rg2-h1; 3. Rf4-g3!, Rh1-g1; 4. Rg3-f3+ y se produce el mate en una o dos jugadas más.

Resumen

Dama y rey casi siempre ganan a peón y rey. La excepción se presenta cuando el peón es de alfil o torre, se encuentra en séptima fila, su rey está cercano y el rey contrario muy lejos. En algunos de estos casos es posible llegar a las tablas por medio del rey ahogado.

6. Otros mates elementales

Los mates con dos alfiles, así como con alfil y caballo, son un poco más laboriosos.

Plan de mate con dos alfiles

El mate con dos alfiles contra rey generalmente se produce en una esquina del tablero y, de nueva cuenta, es imprescindible la colaboración del rey para ejecutarlo. Hay que seguir los siguientes pasos:

1. Estrechar el cerco al rey fugitivo.
2. Conducirlo hacia una orilla y luego hacia una esquina.
3. Evitar el rey ahogado.

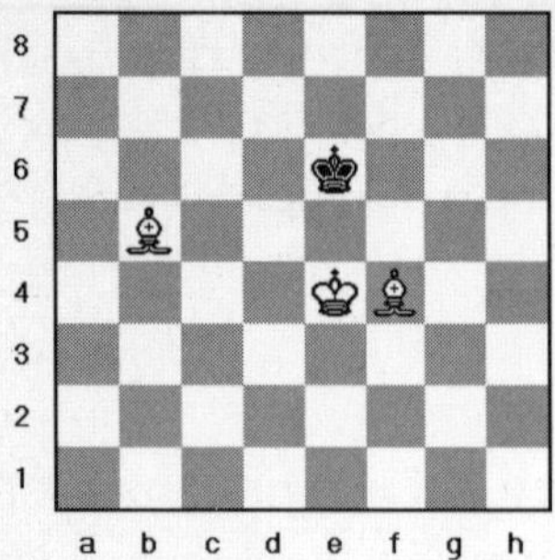

1. Af4-e5, Re6-f7
2. Re4-f5, Rf7-e7
3. Ae5-c7, Re7-f7
4. Ac7-d8, Rf7-g7
5. Ab5-e8, Rg7-f8
6. Ae8-g6, Rf8-g7
7. Rf5-g5, Rg7-f8
8. Rg5-h6, Rf8-g8
9. Ad8-e7, Rg8-h8
10. Ag6-d3, Rh8-g8
11. Ad3-c4+, Rg8-h8
12. Ae7-f6++

Ejercicios

Repasa varias veces la secuencia anterior, tratando de comprender los motivos de cada jugada. Puedes practicar este tipo de final si colocas las piezas en distintas posiciones, jugando con dos alfiles y rey contra rey. Trata de seguir los tres pasos de nuestro plan. Presta especial atención al cerco del rey fugitivo y evita el ahogado. Puedes estar seguro de haber perfeccionado el método ganador si logras dar mate en menos de veinte jugadas.

Plan de mate con alfil y caballo

Este es el más laborioso de los mates elementales, pero su aprendizaje es muy satisfactorio porque se trata de una maniobra larga, en que es necesario meditar paso a paso.

Por principio, el mate generalmente se produce en la casilla del color del alfil. En los escaques de color contrario sólo se producen ahogados. Buena parte de la técnica consiste en sacar al rey de una esquina de color opuesto al alfil y llevarlo a la otra sin permitir que se nos escape hacia el centro del tablero. Te recomendamos seguir los siguientes pasos:

1. Estrechar el cerco al rey.
2. Llevarlo a una esquina del color del alfil.
3. En momentos críticos, el caballo debe cubrir las casillas del color opuesto al alfil.
4. El rey atacante debe hallarse frente al rey contrario, o a salto de caballo del mismo, para darle mate en la esquina. Si se encuentra en la casilla ubicada en diagonal, el mate será imposible.

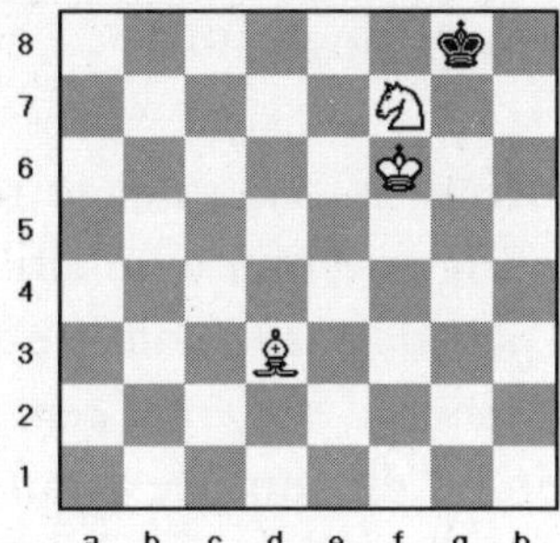

1. Ad3-f5, Rg8-f8
2. Af5-h7!, Rf8-e8
3. Cf7-e5, Re8-d8
4. Ah7-e4, Rd8-c7
5. Ce5-c4, Rc7-d7
6. Rf6-f7, Rd7-d8
7. Ae4-c6, Rd8-c7
8. Ac6-b5, Rc7-d8
9. Rf6-e6, Rd8-c8
10. Re6-d6, Rc8-d8
11. Cc4-a5, Rd8-c8
12. Ab5-d7+, Rc8-b8
13. Rd6-c6, Rb8-a7
14. Ca5-b7, Ra7-a6
15. Rc6-c7, Ra6-a7
16. Ad7-b5, Ra7-a8
17. Cb7-d6, Ra8-a7
18. Cd6-c8+, Ra7-a8,
19. Ab5-c6++

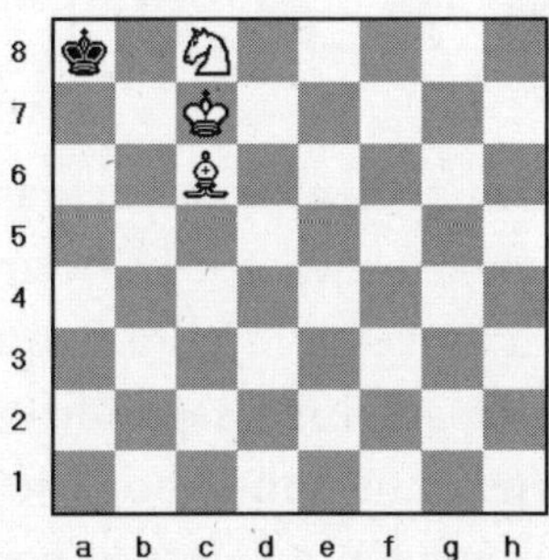

Ejercicios

Repasa la secuencia anterior y estudia las maniobras que estrechan el cerco. Observa como el caballo a veces cubre las casillas del color opuesto al alfil. Más tarde puedes colocar las piezas en distintas posiciones para practicar este final. Trata de seguir el método que hemos recomendado para dar jaque mate. Recuerda que las tres piezas deben colaborar en su ejecución. Cuando logres dar mate en menos de 30 jugadas, habrás dominado el método ganador.

Plan de mate con dos caballos

No existe una forma de dar mate con dos caballos. Las partidas de rey solo contra rey y dos caballos se dejan en tablas, porque requieren de un error descomunal para terminar en mate, al grado de que no se considera viable.

1. Cf5-e7+, Rg8-h8 ⁇
2. Cg5-f7++

Pero 1. ..., Rg8-f8 hace tablas sin mayores problemas.

Un caso paradójico tiene lugar cuando el rey débil tiene un peón. En esas circunstancias buscamos acorralar al rey negro para luego permitirle avanzar el peón mientras llevamos el segundo caballo a la posición letal.

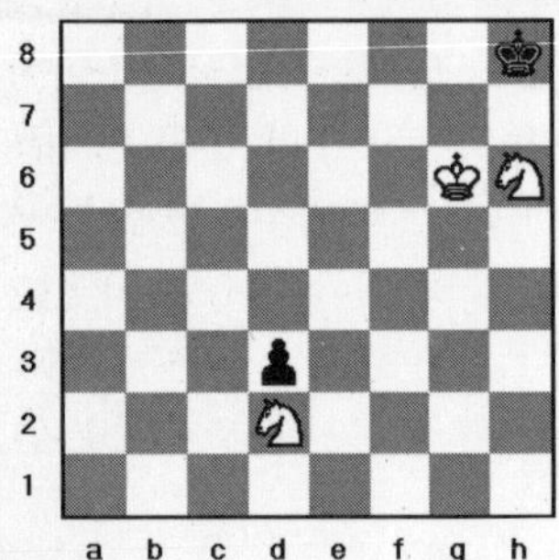

1. Cd2-e4!, d3-d2
2. Ce4-g5, d2-d1=D
3. Cg5-f7++

Resumen

Es necesario que conozcas muy bien el plan para dar mate con dos alfiles y con alfil y caballo. En ambos casos debes tratar de llevar al rey contrario hacia una de las bandas, y después a la esquina. Si tienes alfil y caballo, debes empujar al rey del adversario hacia la esquina del color de tu alfil. Recuerda también que no darás mate si tu rey se encuentra en diagonal con la esquina.

Final de torre contra alfil

En la mayoría de los casos una torre solitaria no consigue vencer a un alfil o un caballo. El plan defensivo consiste en tratar de mantener al rey en el centro del tablero, porque allí nunca le darán jaque mate.

En un final de torre contra alfil, de verse obligado, el rey defensor escapará hacia una esquina de color opuesto a su alfil. Veamos por qué:

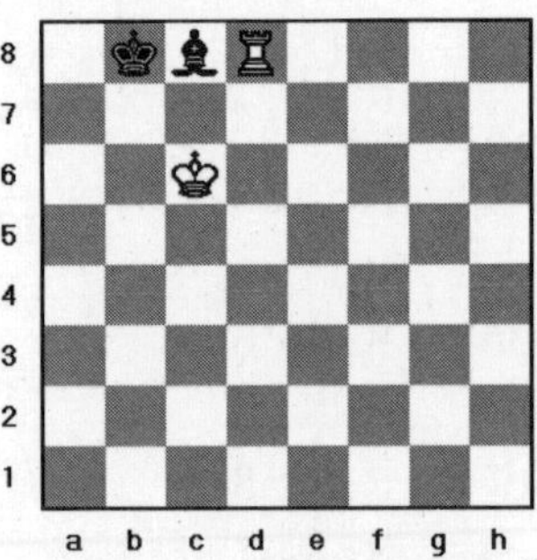

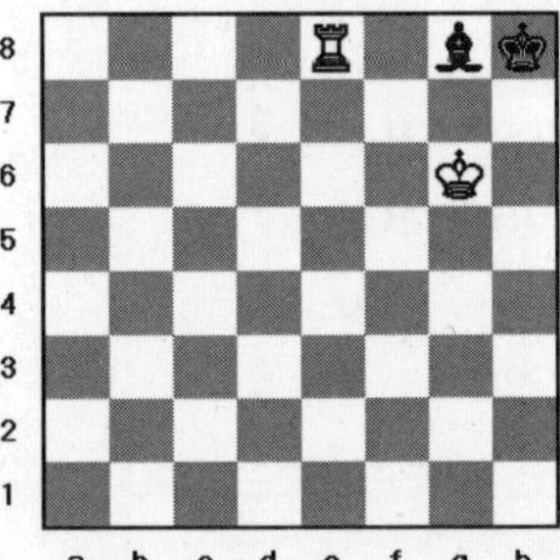

En el primer ejemplo las negras se encuentran en «zugzwang». Es decir, están obligadas a mover al rey, por lo que recibirán jaque mate. En el segundo caso, las negras amenazan con «ahogarse» y las blancas no pueden mejorar su posición.

Final de torre contra caballo

Existen algunas posiciones en que es posible ganar:

A) Cuando el atacante consigue alejar al caballo de su rey y posteriormente lo atrapa.
B) Cuando lleva al rey hasta una orilla y lo deja en «zugzwang».

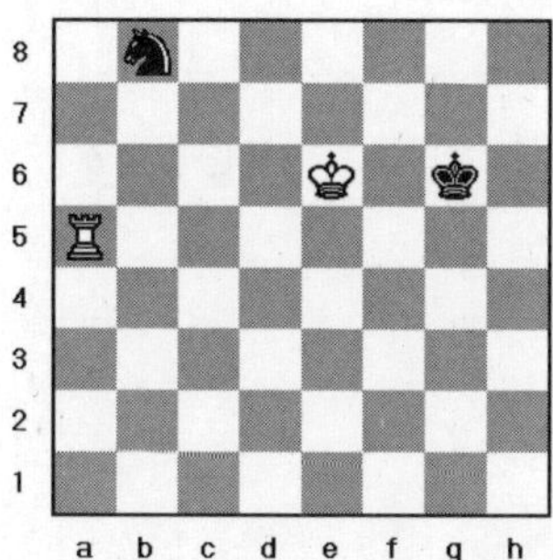

Las blancas deben jugar 1. Re6-d6!, seguido por 2. Rd6-c7, con lo que logran atrapar al caballo.

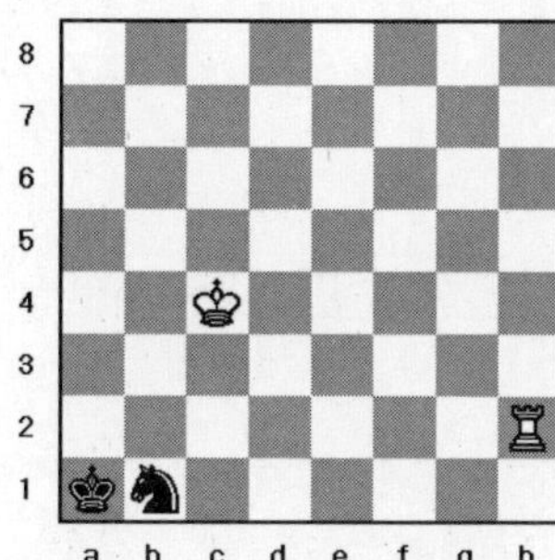

Después de 1. Rc4-b3, las negras abandonan.

Resumen

Generalmente no se gana con una torre contra alfil o caballo, pero bien puedes intentarlo.

7. Finales de alfiles

Es conveniente que nos familiaricemos con algunas posiciones básicas de tablas. Rey, alfil y peón de torre no ganan contra un rey solo, cuando éste se sitúa delante del peón y el alfil no es del mismo color que la casilla de coronación. Los siguientes diagramas muestran posiciones de tablas.

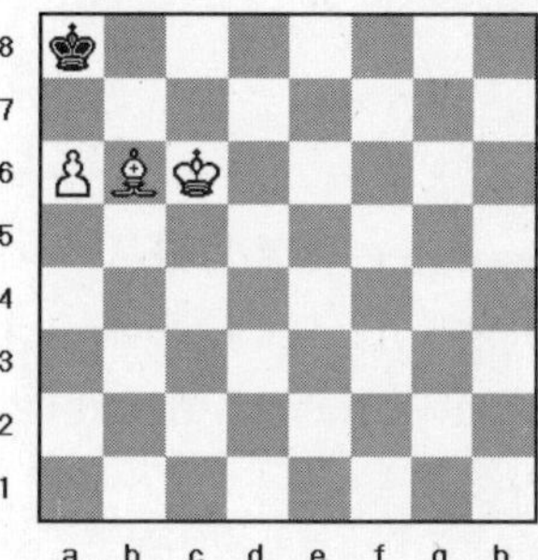

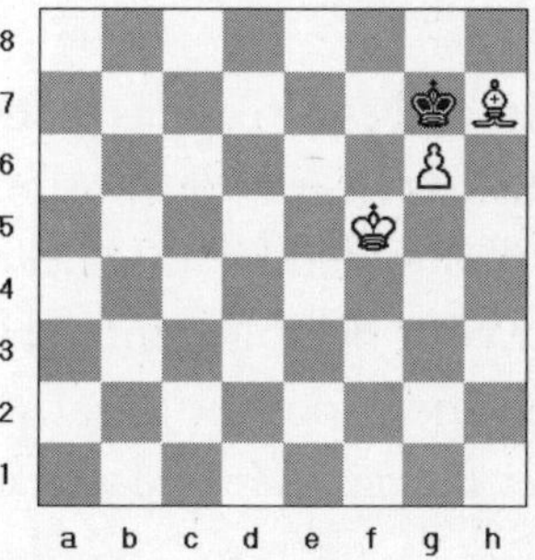

En ocasiones, un sacrificio desesperado de nuestra última pieza puede forzar el empate.

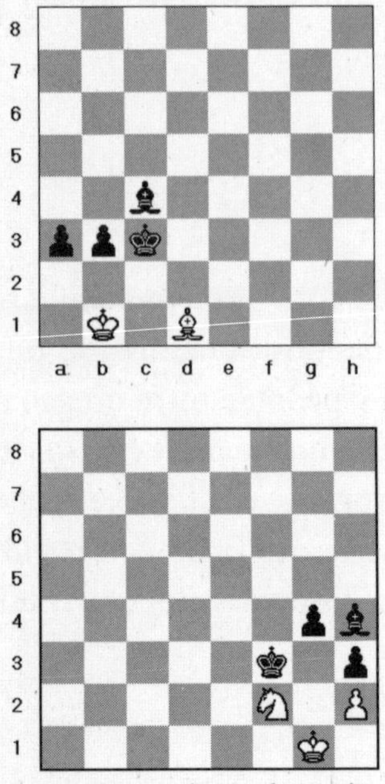

Primer diagrama. 1. Ad1xb3
Segundo diagrama. 1. Cf2xg4 ó 1. Cf2xh3 dan pie a una «fortaleza» de tablas.

Alfiles de diferente color

Cuando un alfil es de casillas blancas y el otro de casillas negras, las posibilidades de que el bando débil consiga el empate aumentan considerablemente. Hay posiciones que no es posible ganar, aun con dos peones de más, siempre y cuando las piezas defensoras consigan «bloquearlos», ubicando sus piezas como cuñas entre los peones.

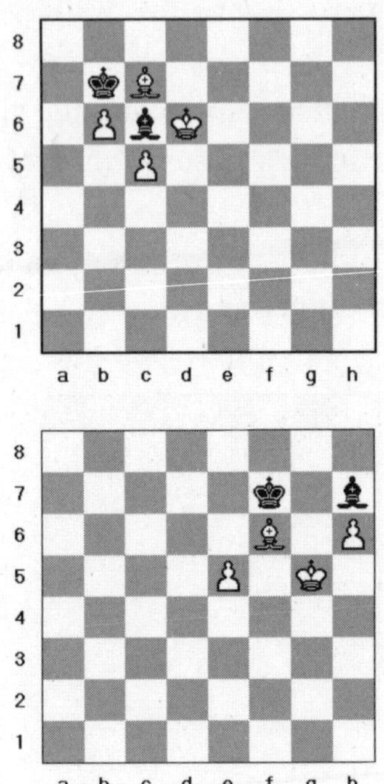

De hecho, existen posiciones en las que no es posible ganar aun con tres peones de ventaja.

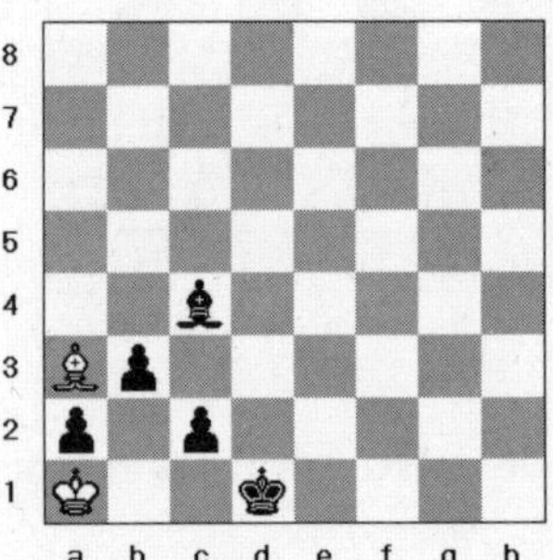

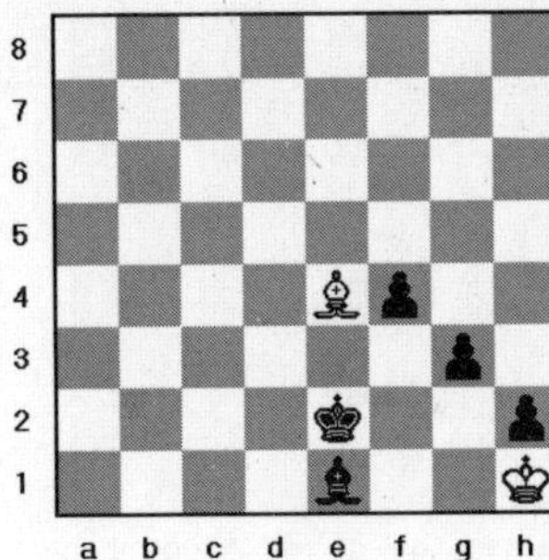

Sin embargo, dos peones unidos —apoyados por el rey—suelen coronar. Esto se debe a la buena colaboración entre piezas y peones. Si tu alfil cubre las casillas negras, procura que tus peones complementen su acción y avancen por casillas blancas. Evita que el contrincante entregue su alfil a cambio de tus peones.

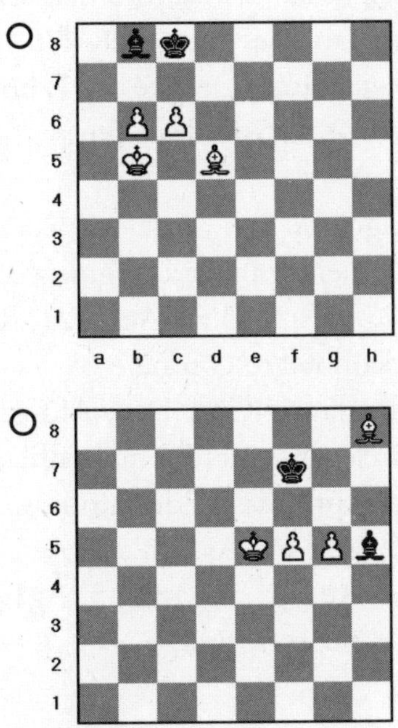

Primer diagrama. 1. Rb5-a6, Ab8-d6; 2. Ra6-a7, Ad6-c5; 3. c6-c7, seguido por Ad5-b7+ o Ad5-e6+.
Segundo diagrama. 1. Ah8-f6, Rf7-f8; 2. g5-g6! Después de este movimiento, a las negras sólo les queda esperar.

Entretanto, puedes seguir este plan:

A) Coloca tu rey en g5 y el alfil en e5 para avanzar tu peón de f5 a f6. Ante la amenaza f6-f7, las negras colocarán su alfil en e6.
B) Entonces, llevarás el rey a e7 de modo que sea inevitable el avance f6-f7.

Peones separados

Cuando los peones se encuentran separados por dos o más columnas, el procedimiento ganador resulta sencillo. El rey atacante apoya el avance de un peón mientras su alfil defiende al otro.

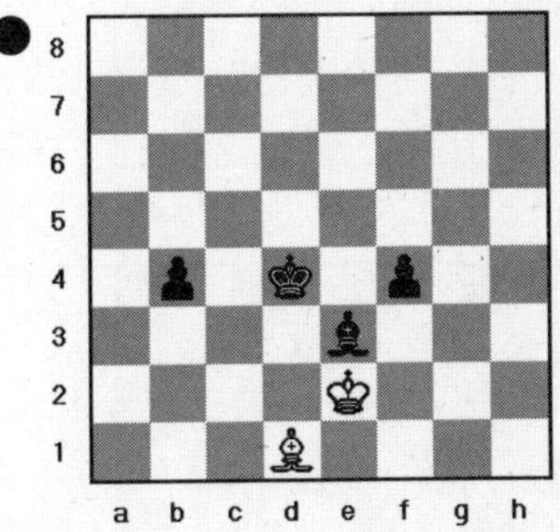

Primer diagrama. 1..., Rd4-c3; 2. Re2-e1, b4-b3; 3. Ad1-f3, Rc3-c2!; 4. Af3-

e4, Rc2-c1; seguido por 5. ..., b3-b2 y 6. ..., b2-b1=D

Alfiles del mismo color

En estos finales suele imponerse el bando que tiene ventaja material, siempre y cuando tenga bien ubicadas sus piezas y sus peones. Habrá que contemplar los cambios de alfiles que, según el caso, puede conducir a la victoria o el empate. Por supuesto, el bando en inferioridad buscará cambiar su alfil por el último peón del adversario.

Ejercicios

En el primer diagrama llevas blancas. En los tres restantes, negras.

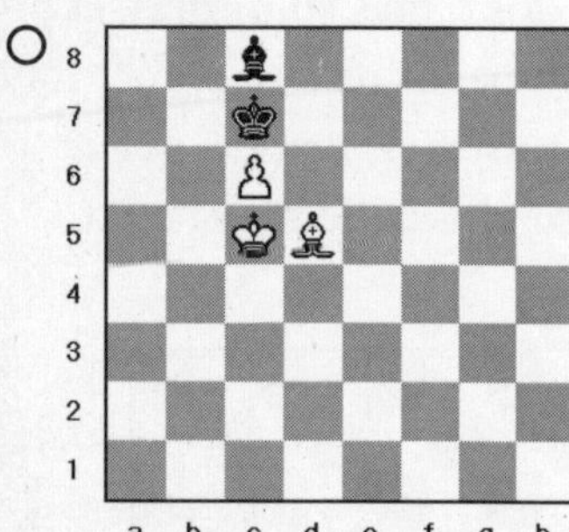

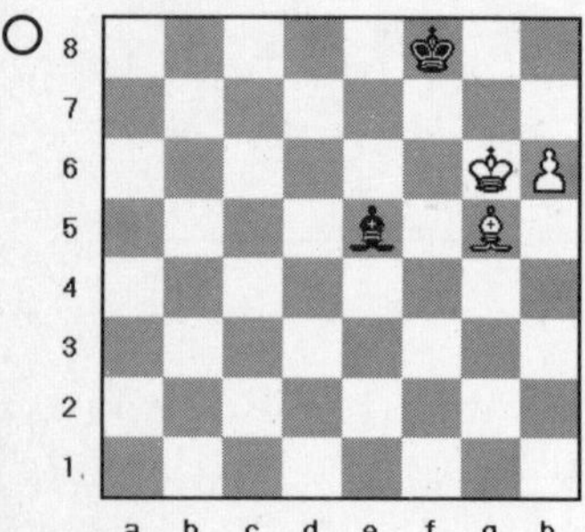

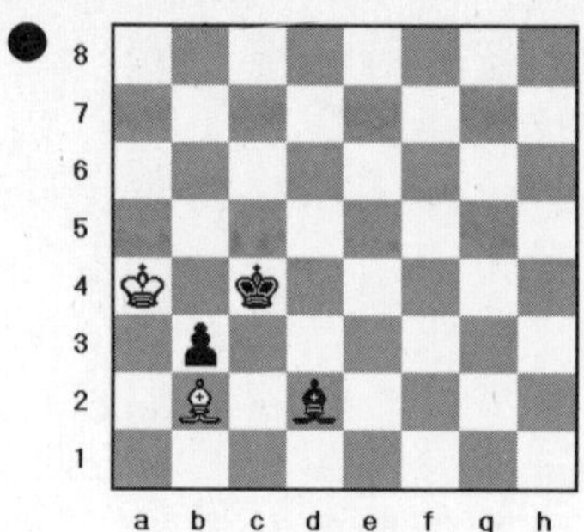

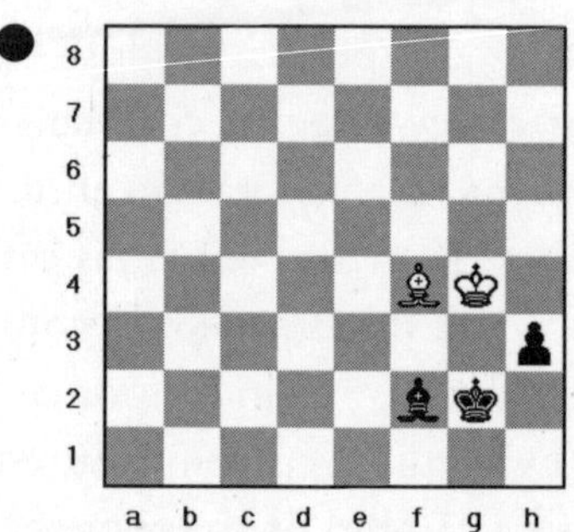

Primer diagrama. El camino más sencillo para las tablas es 1. ..., Ac8-d7!
Segundo diagrama. Después de 1. h6-h7 seguida por 2. Ag5-f6, las blancas se imponen.
Tercer diagrama. 1. ..., Ad2-b4!; 2. Ab2-c1 (a cualquier otra jugada seguiría 2. ..., Ab4-c3) 2. ..., Rc4-c3!; 3. Ac1-d2+, Rc3-c2!, y el peón negro corona.
Cuarto diagrama. Con 1. .., Af2-g1 se inicia una elegante maniobra de alfil, respaldada por propuestas de cambios. Por ejemplo 2. Af4-e5, Ag3-h2; 3. Ae5-d4, Ah2-g3; 4. Ad4-g1, Ag3-f2!; 5, Ag1xf2, h3-h2, y el peón corona.

Alfil contra peones

En términos generales, un alfil detiene fácilmente a dos peones. Solamente si éstos últimos se encuentran muy avanzados o la acción del alfil se ve limitada, llegan a coronar.

Ejercicios

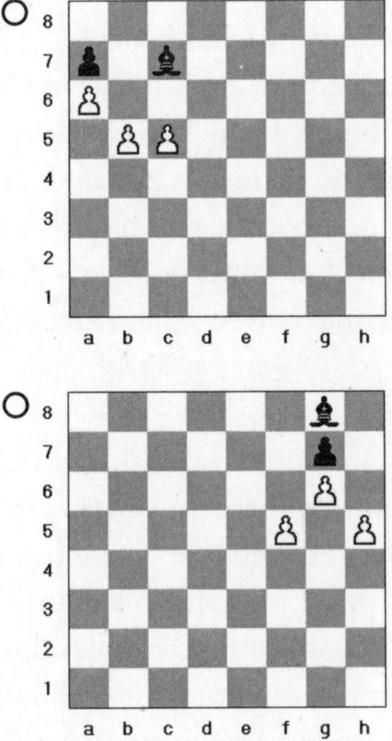

Primer diagrama. 1. b5-b6!, Ac7-b8; 2. c5-c6, a7xb6; 3. c6-c7, (ó 3. a6-a7) Ab8xc7; 4. a6-a7 y el peón corona.
Segundo diagrama. De nuevo, hay que forzar el avance. 1. h5-h6, g7xh6; 2. f5-f6, seguido por 3. f6-f7. También gana 1. f5-f6, g7xf6 2. h5-h6.

Cuando el alfil logra bloquear a los peones, con frecuencia los inmoviliza. En el primer ejemplo, las blancas no pueden ganar. En el segundo, se imponen fácilmente gracias al bloqueo: 1. Rf2-e3, Rf5-g5; 2. Re3-e4, Rg5-h5; 3. Re4-f5, y caerán los tres peones negros.

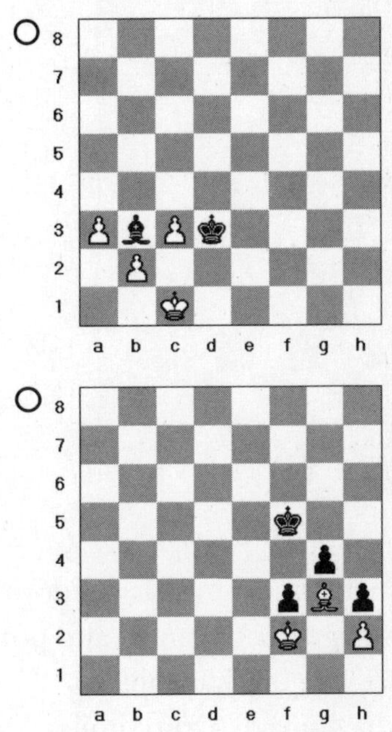

El conocimiento de los finales básicos de peones nos permite muchas veces simplificar.

Ejercicios

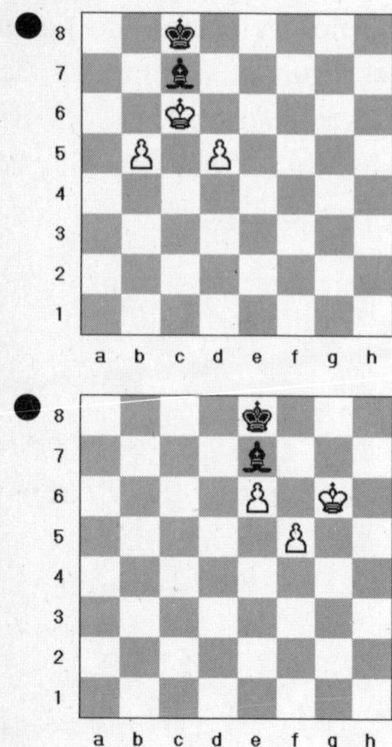

Primer diagrama. Contra 1. d5-d6 o 1. b5-b6, las negras entregan su alfil por el peón y alcanzan un final tablas.
Segundo diagrama. Un caso similar. Después de 1. f5-f6, lo más sencillo es simplificar con 1. ..., Ae7xf6!; 2. Rg6xf6, Re8-f8; 3. e6-e7+, Rf8-e8 y las blancas tendrán que ahogar al rey contrario con 4. Rf6-e6.

Veamos ahora un caso excepcional: la victoria de un peón solitario contra un alfil que no alcanza a detenerlo.

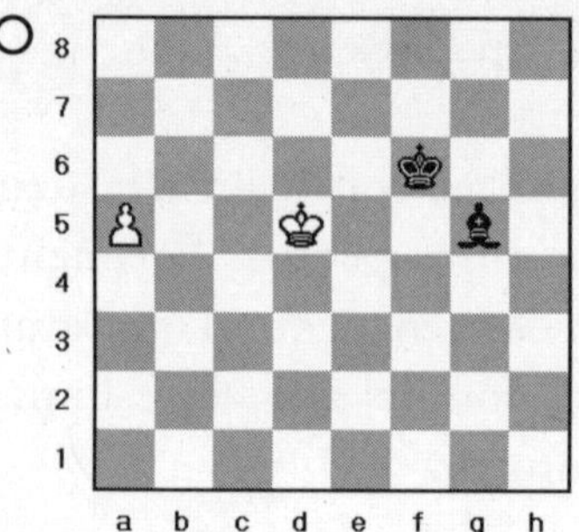

Si 1. a5-a6, el segundo jugador frenará el avance del peón fugitivo con 1. ..., Ag5-e3. Para impedirlo, el rey blanco obstruye la acción del alfil con 1. Rd5-e4! A falta de algo mejor, las negras buscan la casilla f2 con 1. ..., Ag5-h4, sólo para descubrir que 2. Re4-f3!, seguida por 3. a5-a6 inclinan la balanza a favor de las blancas.

Resumen

Alfil y peón de torre no ganan a un rey solitario cuando éste se encuentra adelante del peón y el alfil no controla la casilla de coronación. Los alfiles de diferente color ofrecen muchas posibilidades de tablas. En todo momento hay que tener en cuenta los posibles cambios. El defensor se salvará si entrega su alfil por el último peón. El atacante romperá el bloqueo proponiendo cambios de alfiles.

8. Finales de caballos

El jugador que se encuentra en inferioridad tratará de cambiar su caballo por el último peón del adversario. Quien tenga ventaja puede sacrificar su caballo para coronar algún peón. Como cabría esperar, en estos finales abundan los dobletes con el fin de distraer o apartar a las piezas rivales.

Ejemplos

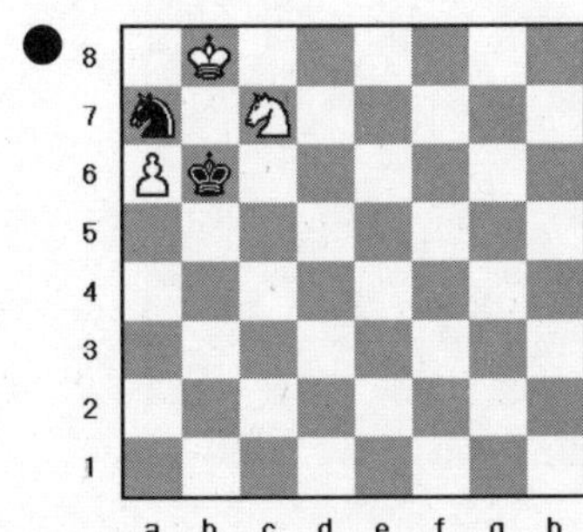

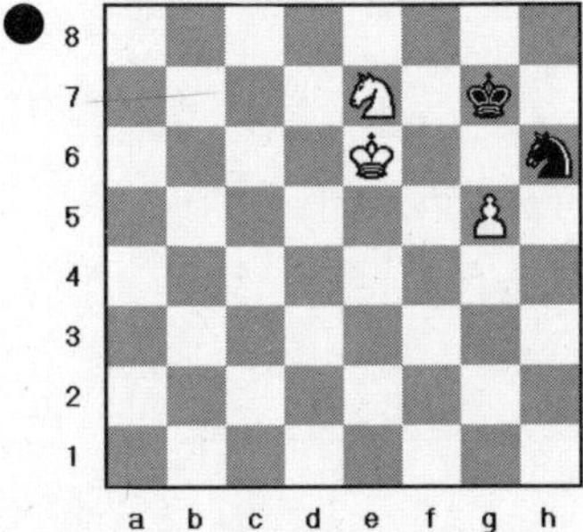

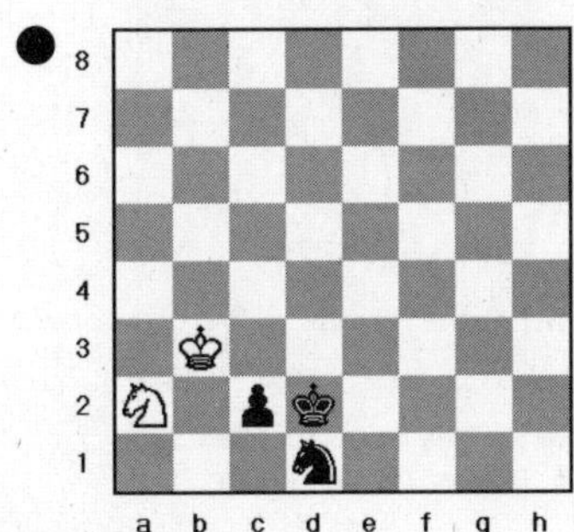

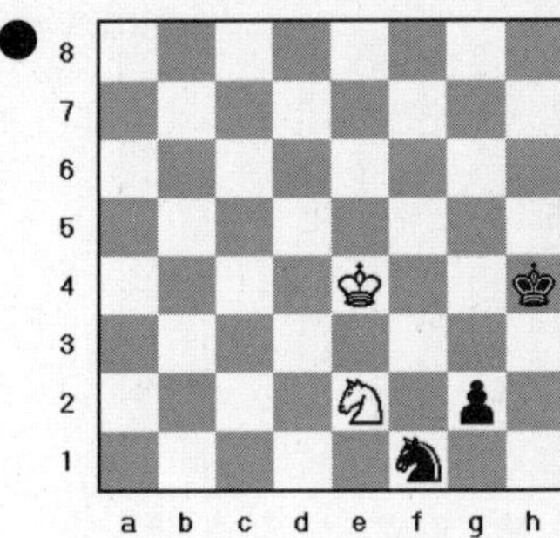

Primer diagrama. La jugada más sencilla para entablar es 1..., Ca7-b5!
Segundo diagrama. También en este caso la entrega del caballo asegura el empate. 1. ..., Ch6-g8; 2. Ce7xg8, Rg7-g6!
Tercer diagrama. El «sacrificio de distracción» 1. ..., Cd1-c3! resulta decisivo.
Cuarto diagrama. Después de 1. ..., Cf1-g3+, las blancas ignoran el caballo para ir tras el peón: 2. Re4-f3!, y si 2. ..., Rh4-h3, entonces 3. Ce2-f4+.

El peón de torre alejado como aspirante a la corona

Al estudiar la siguiente posición comprenderás por qué a un caballo le resulta difícil frenar el avance del peón torre: la orilla del tablero limita sus movimientos. El peón libre avanza hasta la octava fila después de 1. a5-a6, Rd8-c7; 2. a6-a7.

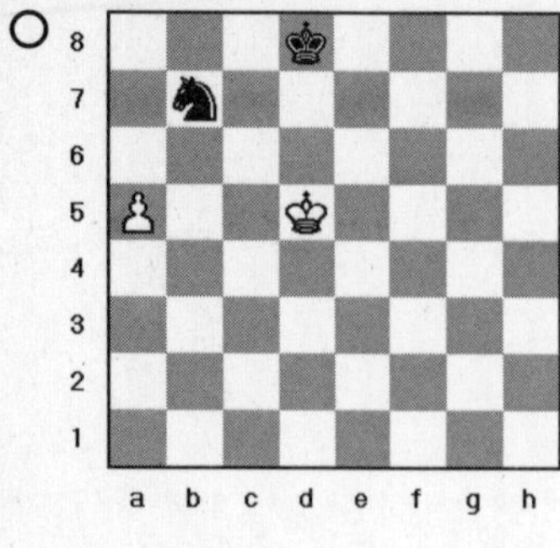

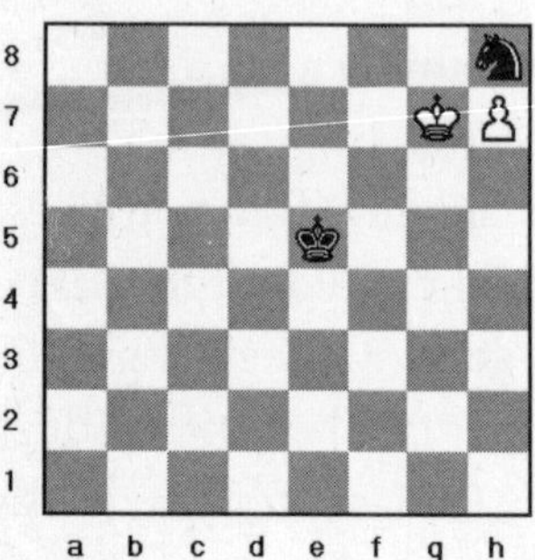

En el diagrama anterior las negras abandonan a su caballo con tal de construir una «jaula de oro». Después de 1. ..., Re5-e6!; 2. Rg7xh8, Re6-f7; se producen tablas por rey ahogado.

El relojito

En la mayoría de los casos, un rey solo no puede desalojar a un caballo que bloquea el avance de un peón libre y que además está dispuesto a sacrificarse por dicho peón. En los siguientes ejemplos, las negras emprenden una maniobra de caballo que podríamos denominar «el relojito».

Ejemplos

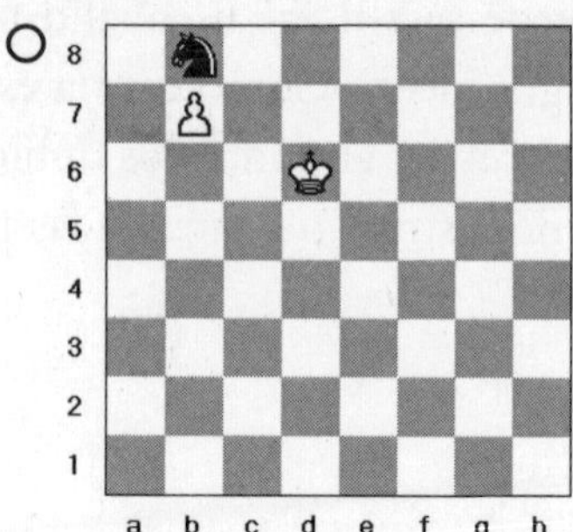

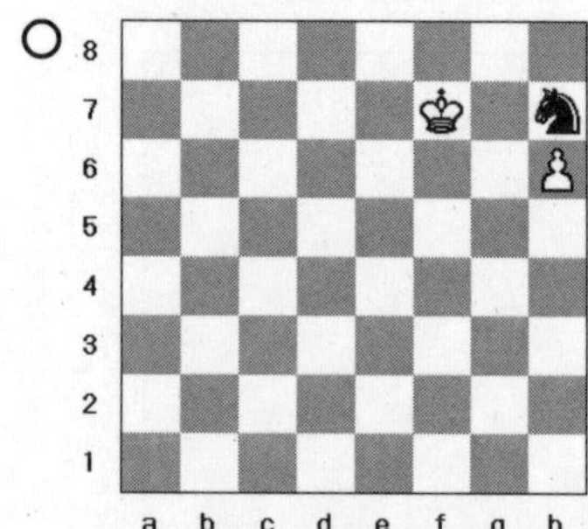

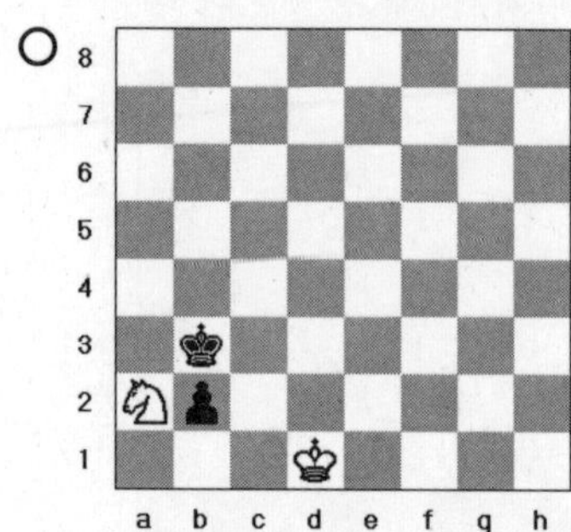

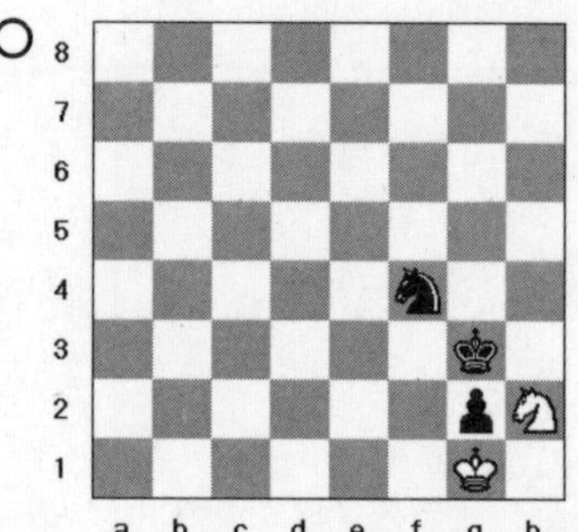

Primer diagrama. 1. Rd6-c7, Cb8-a6+; 2. Rc7-b6, Ca6-b8; 3. Rb6-a7, Cb8-c6+ ó 3. ..., Cb8-d7 y las blancas sólo conseguirán que el caballo negro se entregue por el peón.

Segundo diagrama. Esta maniobra, conocida como «el relojito» permite entablar contra un peón torre en la sexta fila. Después de 1. Rf7-g7, Ch7-g5; 2. Rg7-g6, Cg5-e6!; 3. Rg6-f6 (No sirve 3. h6-h7 a causa de 3. ..., Ce6-f8+), 3. ..., Ce6-f8; 4. Rf6-f7, Cf8-h7, volvemos a la posición inicial.

Tercer diagrama. Las blancas se salvan mediante 1. Ca2-c1+!, Rb3-c3; 2. Cc1-a2+ (ó 2. Cc1-e2+), Rc3-b3; 3. Ca2-c1+, Rb3-a3; 4. Rd1-c2.

Cuarto diagrama. Dado que las negras amenazan tanto Cf4-e2++ como Cf4-h3++, la única posibilidad defensiva consiste en jugar 1. Ch2-f1+. Después de 1. ..., Rg3-h3, el blanco entabla con otra jugada sorprendente, 2. Cf1-g3!, y las negras no tienen modo de mejorar su posición.

Caballo detrás del peón

Si un caballo logra defender su peón libre desde «atrás», el rey adversario no podrá capturarlo sin permitir el avance del peón.

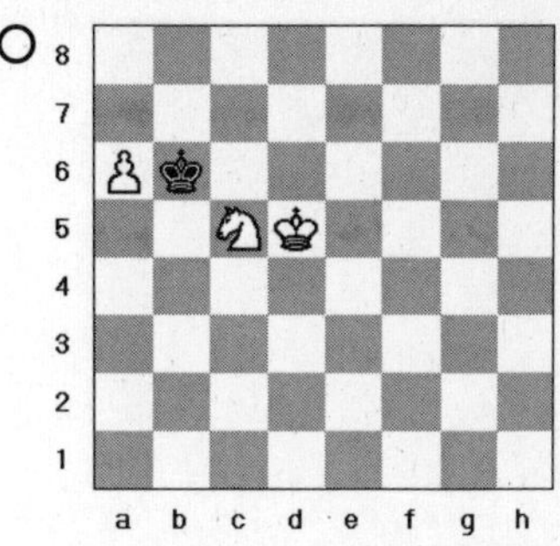

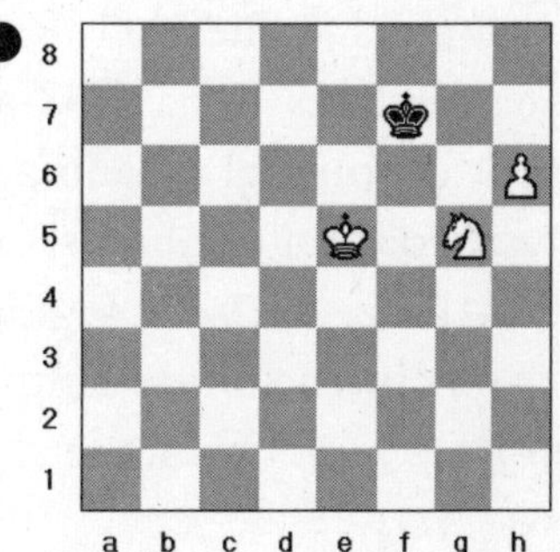

Primer diagrama. Las blancas se imponen fácilmente tras la secuencia: 1. Rd5-d6, Rb6-a7; 2. Rd6-c7, Ra7-a8; 3. Rc7-b6, Ra8-b8; 4. Cc5-e6!, Rb8-a8; 5. Ce6-c7+, Ra8-b8; 6. a6-a7+ y 7. a7-a8=D.

Segundo diagrama. La excepción. Después de 1. ..., Rf7-g6; 2. h6-h7, Rg6-g7 se alcanza una rara posición de tablas. A pesar de contar con caballo y peón de ventaja, las blancas no pueden ganar por la inminencia del rey ahogado.

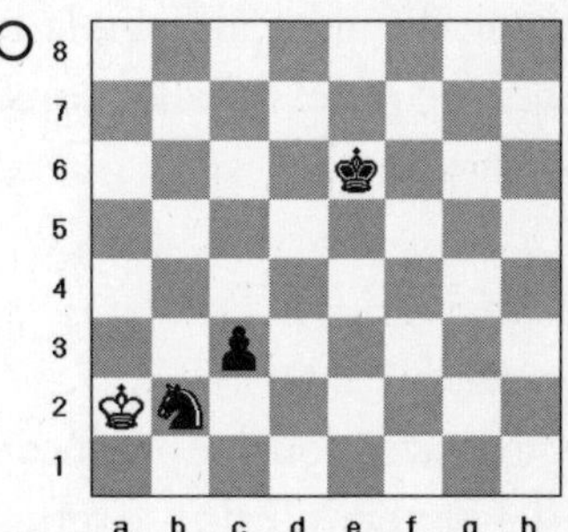

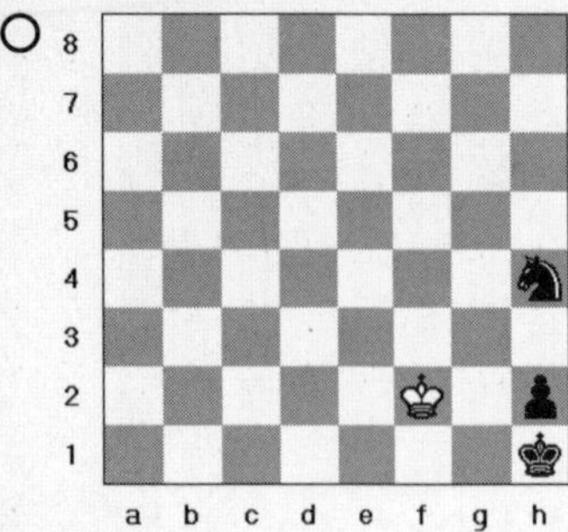

Primer diagrama. Después de 1. Ra2-b3, la mejor respuesta es 1. ..., Cb2-a4! El rey no puede capturar al caballo porque el peón avanzaría. En cambio, si las negras jugaran 1. ..., Cb2-d1? seguiría 2. Rb3-c2, con la intención de capturar al caballo en d1 y posteriormente al peón en c3.

Segundo diagrama. En esta posición fascinante, el turno de jugar resulta perjudicial. Si las negras intentan 1. ..., Ch4-f3, las blancas responden 2. Rf2-f1. Aunque el caballo recorra el mundo entero no podrá impedir que el rey bailotee entre la casillas f1 y f2. Se trata de una verdadera jaula de oro y diamantes. Si, por el contrario, el turno corresponde a las blancas, éstas perderán después de 1. Rf2-f1, Ch4-g2; 2. Rf1-f2, Cg2-e3!; 3. Rf2xe3, Rh1-g2. Una frase resume este ejemplo: cuando el rey defensor alcanza la casilla del color que ocupa el caballo, conseguirá las tablas.

La fortaleza

Otra situación excepcional se produce cuando el rey del bando inferior se refugia en una esquina de la que no puede ser desalojado.

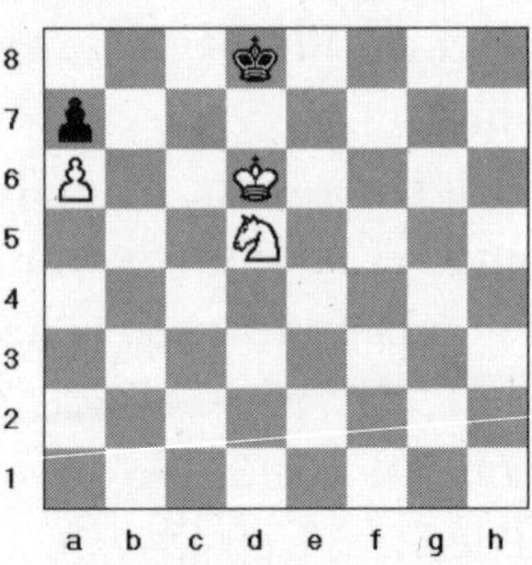

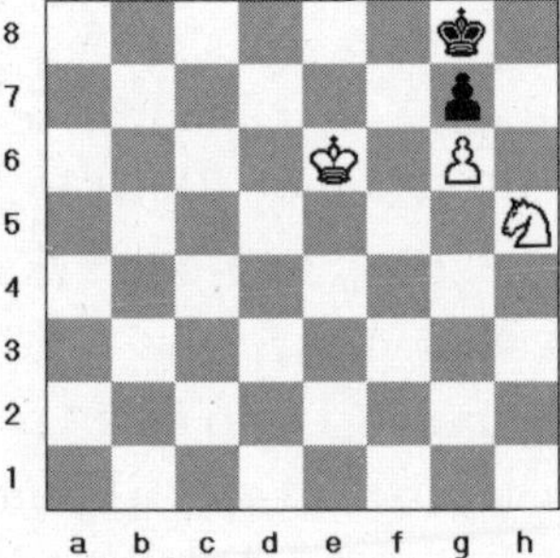

Primer diagrama. Si el turno corresponde a las blancas, entonces 1. Cd5-b6! decide la contienda. (Otra solución sería 1. Cd5-e7). Pero si toca mover a las negras, su rey corre hacia la fortaleza de tablas con 1. ..., Rd8-c8.

Segundo diagrama. 1. Re6-e7, Rg8-h8; 2. Ch5-f6!, g7xf6; 3. Re7-f7 seguida por 4. g6-g7+. Este es un ejemplo instructivo de la obligación de mover que denominamos zugzwang.

El peón traidor

El final de caballo contra peón de torre puede dar en ocasiones un giro sorprendente. El caballo, que por sí mismo no da jaque mate a un rey solo, recibe la ayuda de un «peón traidor».

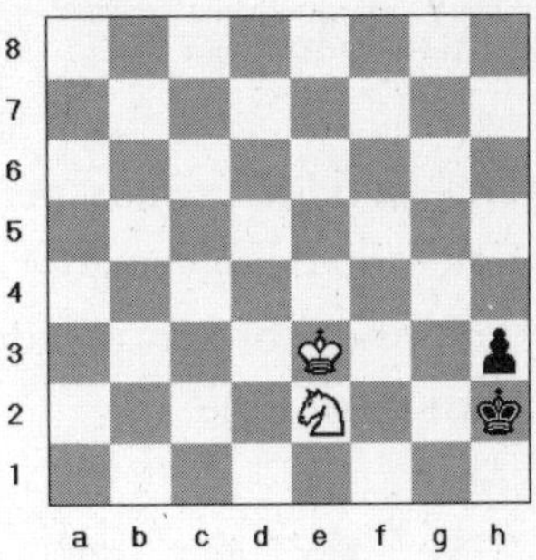

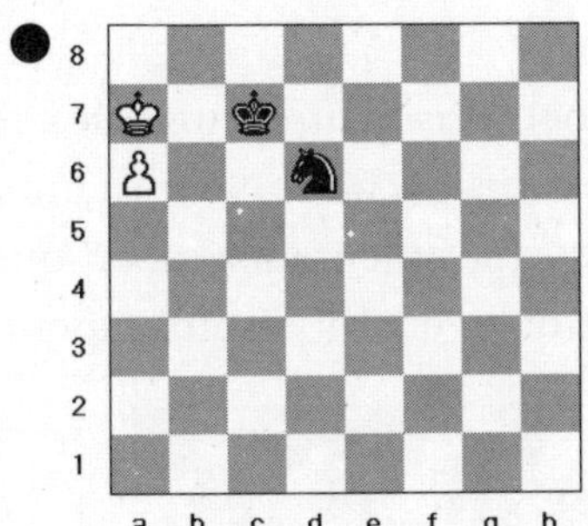

1.Re3-f3,	Rh2-h1;
2. Rf3-f2,	Rh1-h2;
3. Ce2-c3,	Rh2-h1;
4. Cc3-e4,	Rh1-h2;
5. Ce4-d2,	Rh2-h1;
6. Cd2-f1,	h3-h2;
7. Cf1-g3++	

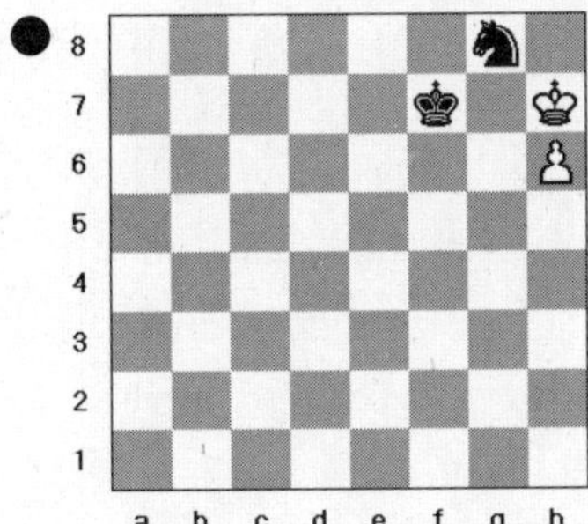

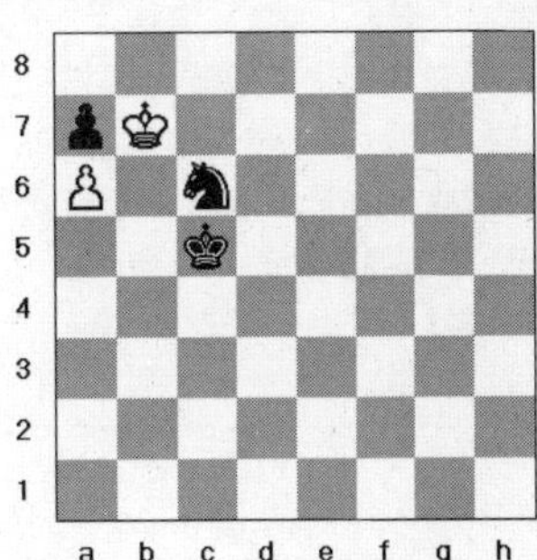

Primer diagrama. 1. ..., Cd6-b5+; 2. Ra7-a8, Rc7-c8!; 3. a6-a7, Cb5-c7++
Segundo diagrama. En este caso no hay modo de ganar. Después de 1. ..., Cg8-e7; 2. Rh7-h8, Cf7-g6+; 3. Rh8-h7, Cg6-f8+; 4. Rh7-h8, Cf8-e6, las blancas juegan 5. h6-h7 y aseguran las tablas. Sería un error gravísimo jugar 5. Rh8-h7, debido a 5. .., Ce6-g5+ 6. Rh7-h8, Rf7-f8; 7. h6-h7, Cg5-f7++.

1. ...,	Rc5-d6;
2. Rb7-c8,	Cc6-b4;
3. Rc8-b8,	Rd6-c6;
4. Rb8xa7,	Rc6-c7;
5. Ra7-a8,	Cb4-d5;
6. Ra8-a7,	Cd5-e7!;
7. Ra7-a8,	Ce7-c8;
8. a6-a7,	Cc8-b6++.

Caballo contra peones

Caballo y rey detienen a dos peones libres por el método del bloqueo. En cambio, ante tres pones libres avanzados, esto les resulta casi imposible.

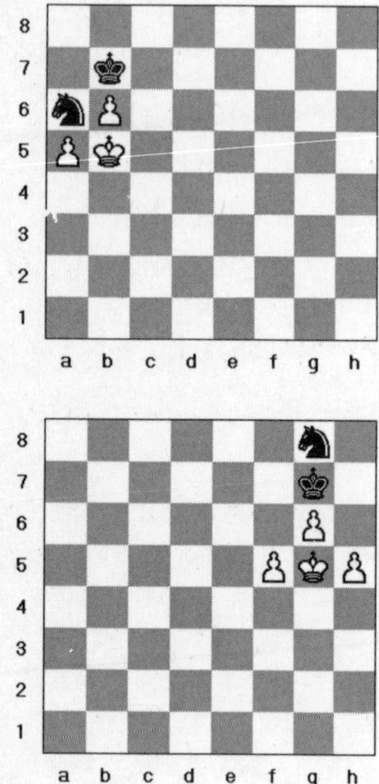

Primer diagrama. 1. ..., Ca6-b8 y 2. ..., Cb8-a6, al infinito.
Segundo diagrama. 1. f5-f6+!, Cg8xf6 2. h5-h6+ y 3. Rg5xf6.

Resumen

Para un caballo, el peón torre es el más difícil de detener. El defensor aprovechará cualquier oportunidad para cambiar su caballo por el último peón del adversario. Los cambios a favor y en contra pueden ser determinantes. El doblete es el principal recurso táctico, tanto para alejar al caballo defensor como para eliminar al último peón.

9. Finales de alfil contra caballo

Generalmente asignamos un valor equivalente a caballo y alfil. No obstante, los jugadores experimentados saben que en muchos finales el alfil resulta superior.

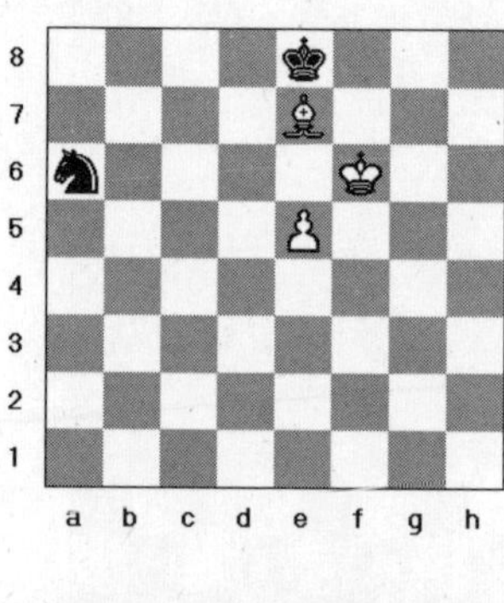

Primer diagrama. Después de 1. Ae7-d6! el caballo negro queda copado. Ante la respuesta 1. ..., Re8-d7, las blancas mueven 2. Rf6-f7, que decide fácilmente.
Segundo diagrama. El caso contrario.

Cuando un alfil permanece en el color de sus peones se le considera un alfil «malo». Las negras amenazan ganar con 1. ..., Rb3-c2. De poco sirve anticiparse a ese movimiento con 1. Re1-d1, debido a 1. ..., Rb3-a2; 2. Rd1-e1, Ra2-b1; 3. Ac1-a3 (si 2. Re1-d1, Ce4-f2+ simplifica el asunto), 3. ..., Rb1-c2 seguido por la captura del peón en d2.

Como ya sabemos, el peón de torre puede complicar enormemente la defensa del caballo. En el ejemplo siguiente las blancas abandonan su alfil con tal de ganar tiempos en la carrera del peón.

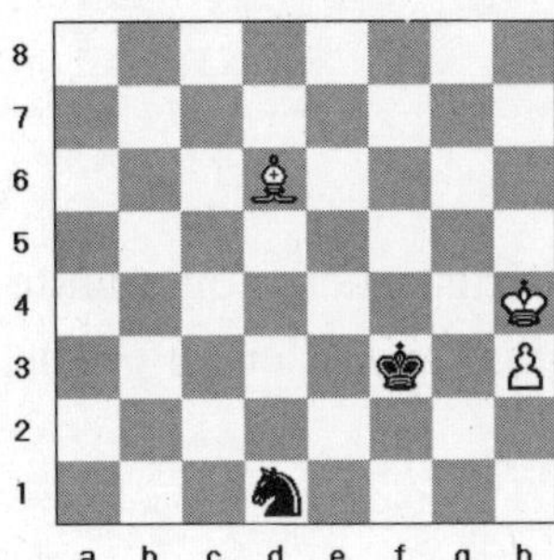

1. Rh4-g5!, Cd1-f2;
2. h3-h4!, Cf2-e4+;
3. Rg5-g6, Ce4xd6;
4. h4-h5 y el peón alcanzará la octava fila.

Cuando se trata de un final de caballo y peón contra alfil, reaparece nuestro conocido tema de ofrecer cambios para crear una cortina y empujar al peón pasado.

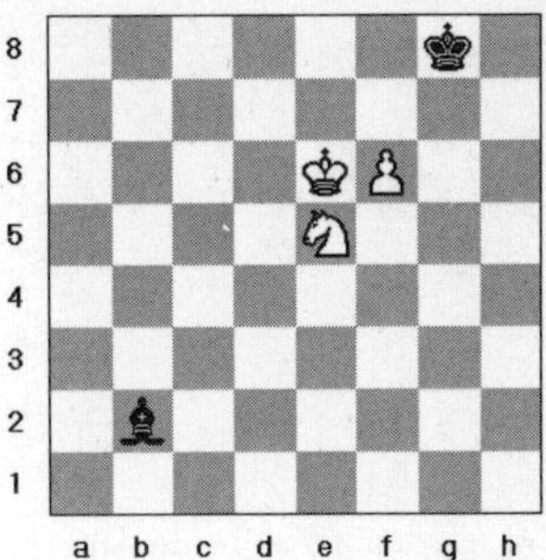

1. Re6-e7!, Ab2-a3+;
2. Re7-e8, Aa3-f8;
3. f6-f7+, Rg8-g7;
4. Ce5-g6, Af8-d6;
5. Cg6-e7.

Las negras tampoco se salvan con

1. ..., Rg8-h7;
2. f6-f7, Ab2-a3+;
3. Re7-e8, Rh7-g7;
4. Ce5-c4, Aa3-c5;
5 Cc4-b6, Rh7-g6;
6. Cb6-d5, Rg6-f5;
7. Cd5-e7+, seguida por el avance del peón.

Ventajas del alfil sobre el caballo

Un alfil suele ser mejor que un caballo en posiciones abiertas, con peones en ambos flancos, o cuando se producen ambas circunstancias.

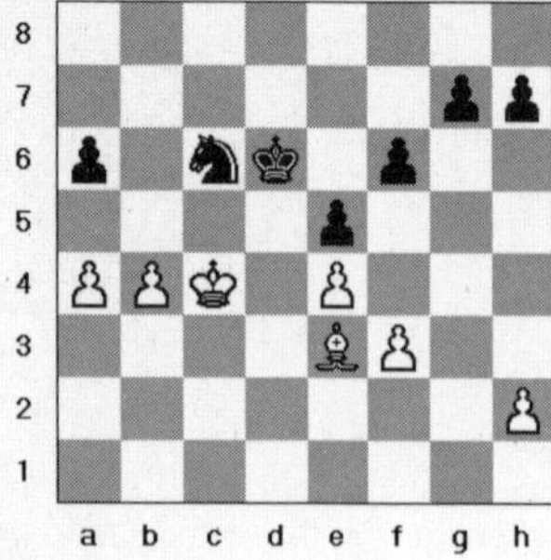

La posición de las negras no ofrece esperanzas. Después de 1. Ae3-c5+, Rd6-e6; 2. b4-b5, a6xb5; 3. Rc4xb5, Re6-d7; 4. Rb5-b6, seguida por a4-a5, las blancas se imponen.

Ventajas del caballo sobre el alfil

La principal limitación del alfil es que, a diferencia del caballo, sólo controla casillas de un color. En otras palabras, si el alfil es de casillas blancas y sus peones se hallan sobre casillas blancas, ¿quién cubrirá las incursiones del caballo por las casillas negras? De ahí que el caballo sea superior en posiciones cerradas en las que el alfil se encuentra en el mismo color que sus peones.

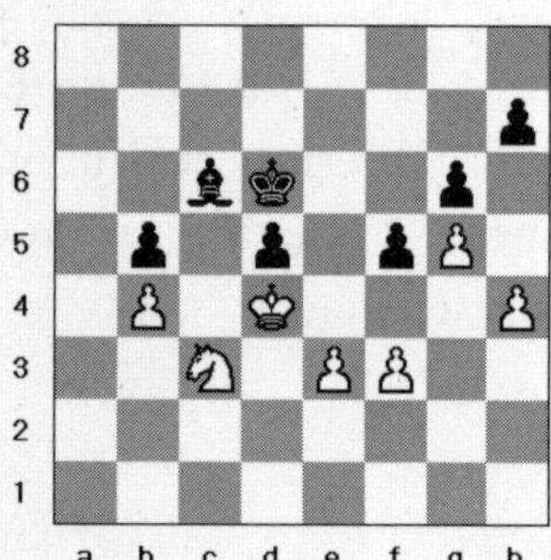

1.f3-f4, con posición de zugzwang. Cualquier jugada del negro empeora su posición.

La pareja de alfiles

En la mayoría de los casos, la pareja de alfiles resulta mejor que la de caballos en el final de la partida.

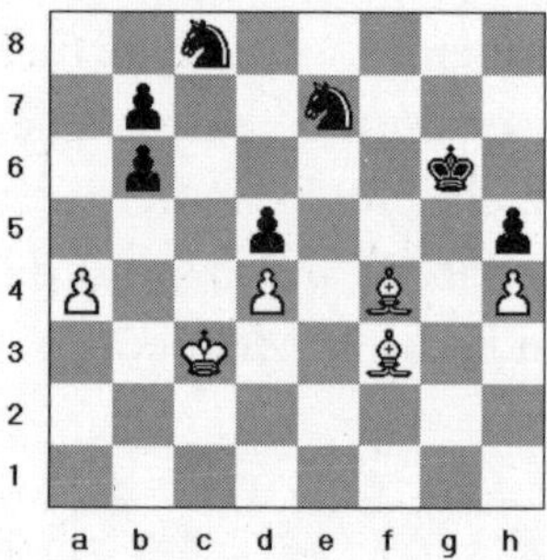

1. Af4-g5! Cualquier movimiento de las negras les lleva a perder un peón.

Resumen

En términos generales, el alfil supera al caballo en los finales con posiciones abiertas y peones en ambos flancos. El caballo, en cambio, suele ser la mejor pieza en posiciones cerradas. Un recurso táctico importante del alfil es copar las acciones del caballo. Este, en cambio, buscará dobletes e interposiciones oportunas para avanzar su peón pasado. La pareja de alfiles aventaja a la de caballos, o a la combinación de alfil y caballo.

Cuestionario

1. En caso de tener que elegir entre un final con peón de menos, preferirías:
A) El de alfiles del mismo color.
B) El de caballo contra alfil.
C) El de alfiles de diferente color.

2. La superioridad del alfil sobre el caballo se manifiesta en:
A) Posiciones cerradas.
B) Posiciones abiertas.
C) Peones en ambos flancos.

3. La superioridad del caballo sobre el alfil se aprecia cuando:
A) El alfil se halla en el color de sus peones.
B) La posición se ha cerrado.
C) El caballo está en una orilla.

4. ¿Qué pareja de piezas trabaja mejor en los finales?
A) Alfil y caballo.
B) Dos caballos
C) Dos alfiles

Respuestas

1. C
2. B y C
3. A y B
4. C

10. Finales de torres

Debido a que las torres suelen ser las últimas piezas en desarrollarse, participan en muchos finales. Esto le ofrece al bando inferior posibilidades de tablas con un peón de menos aunque, como es habitual, todo dependerá de la posición. Si quien lleva ventaja material posee, además, una torre y un rey mejor situados que los de su adversario, seguramente ganará.

Cambios favorables y desfavorables

Como en todo final, los jugadores deben tomar en cuenta los posibles cambios.

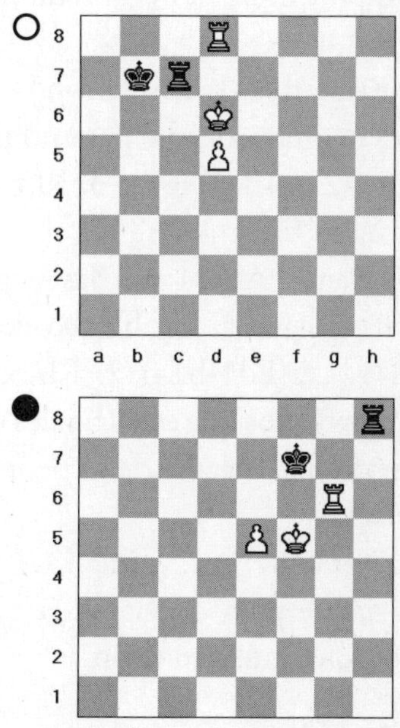

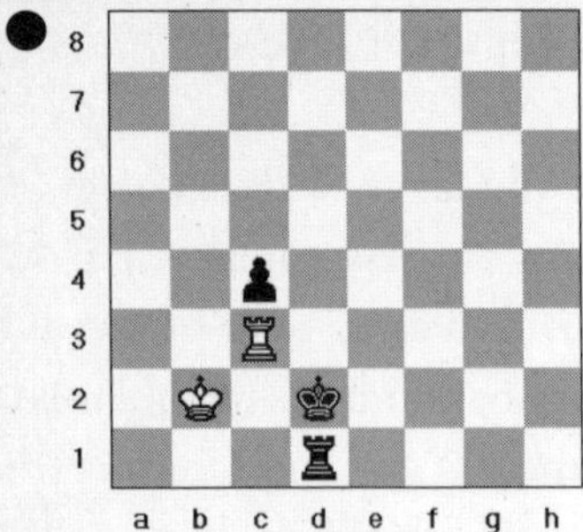

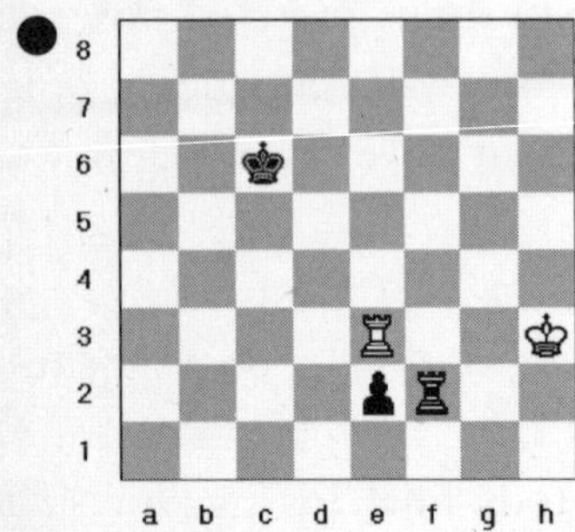

Primer diagrama. 1. Td8-d7! Este movimiento simplifica, hasta llegar a un final ganador.

Segundo diagrama. 1. ..., Th8-h5+; 2. Tg6-g5 (es la única jugada, para no perder la torre), 2. ..., Th5xg5+; 3. Rf5xg5, Rf7-e6, con un final tablas.

Tercer diagrama. Ahora son las negras quienes «despegan» al rey blanco de su torre con 1. ..., Td1-b1+; 2. Rb2xb1, Rd2xc3. Ya sabemos que estos finales con el rey en sexta fila, delante de su peón, se ganan siempre.

Cuarto diagrama. 1. ..., Tf2-f3+! Un oportuno jaque para desviar a la torre blanca y coronar nuestro peón.

«Rayos equis»

Este conocido tema táctico puede resultar útil en ciertos finales. En el primer ejemplo, las blancas ganan la torre negra después de 1. Th6-h8+, Rd8-d7; 2. Th8-h7+. En el segundo, las negras se imponen luego de 1. ..., Ta2-a1+; 2. Rd1xd2 (si las blancas responden 2. Rd1-c2, sigue 2. ..., d2-d1=D+) 2. ..., Ta1-a2+ y cae la torre en h2.

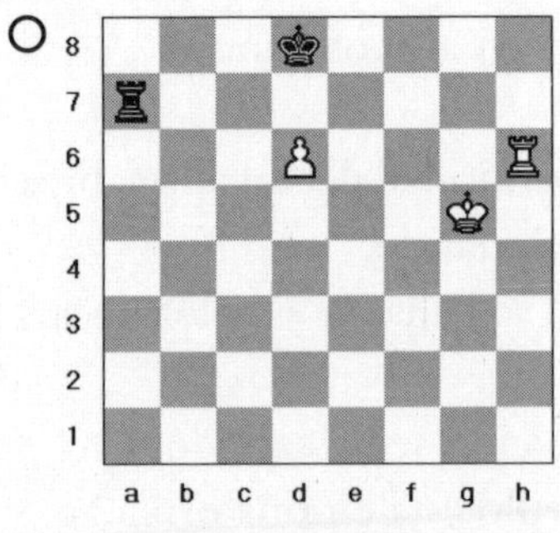

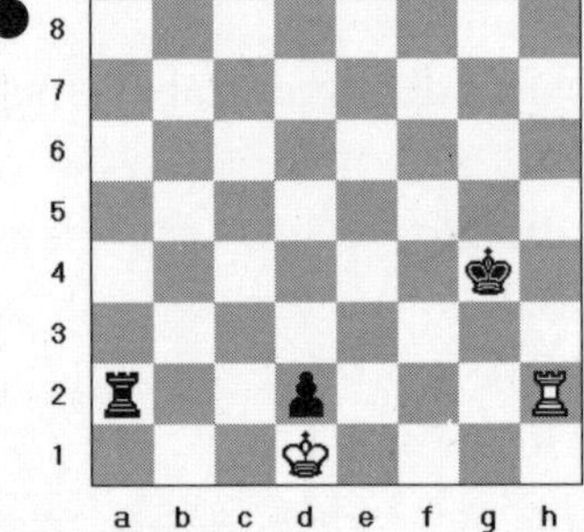

Jaque y coronación

Cuando un peón alcanza la séptima fila, pero su torre ocupa la casilla de promoción, un jaque oportuno permite el tiempo necesario para que el peón se convierta en dama.

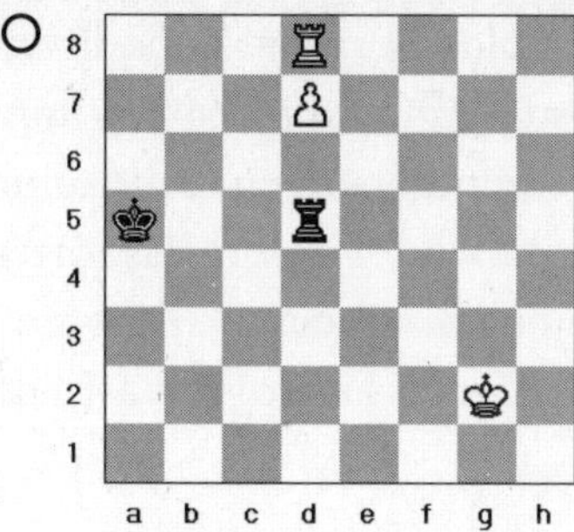

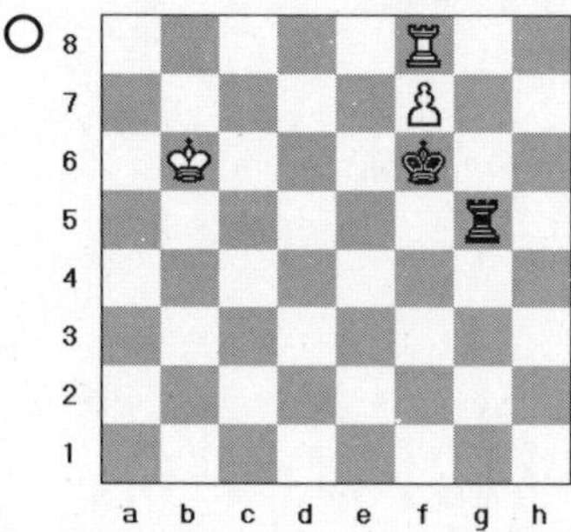

Primer diagrama. 1. Td8-a8+, Ra5-b6; 2. d7-d8=D+. Si tocase el turno a las negras, entablarían con 1. ..., Ra5-b6; 2. Td8-b8+, Rb6-c7; 3. d7-d8=D+, Td5xd8.

Segundo diagrama. El movimiento 1. Tf8-g8! decide la partida, al crear la doble amenaza de coronar y capturar la torre. ¿Y si tocara jugar a las negras en la misma posición del diagrama? En ese caso, no funciona 1. ..., Rf6-e7?, ni 1. ..., Rf6-g7?, debido a 2. Tf8-g8! El modo de forzar las tablas es con 1. ..., Tg5-g7!, seguido por la captura del peón blanco.

Imposibilidad de evitar el jaque y la coronación

En el siguiente ejemplo, aún cuando muevan las blancas, su rey no dispone de un «escondite» contra el jaque de torre seguido por la promoción.

Y ahora se combinan dos temas: «rayos equis» y jaque y coronación.

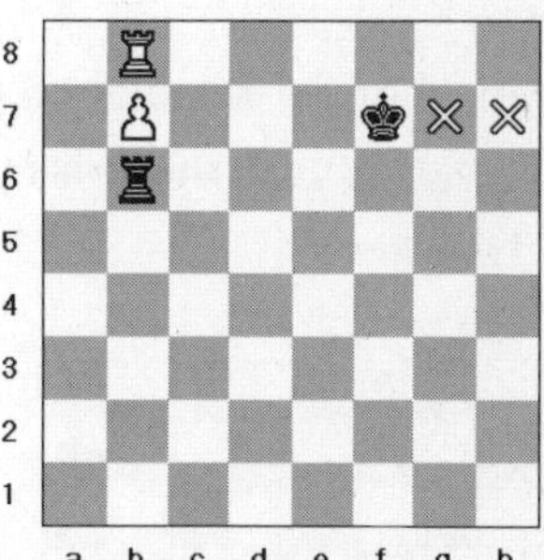

Si el turno corresponde a las blancas, ganan con 1. Tb8-h8!, Tb5xb7; 2. Th8-h7+. Para evitar estos «rayos-equis», el rey negro deberá permanecer en las casillas marcadas. Después de 1. ..., Rf7-g7!, las blancas no pueden progresar.

Si las blancas disponen de otro peón, pueden obligar al rey negro a salir de su escondite.

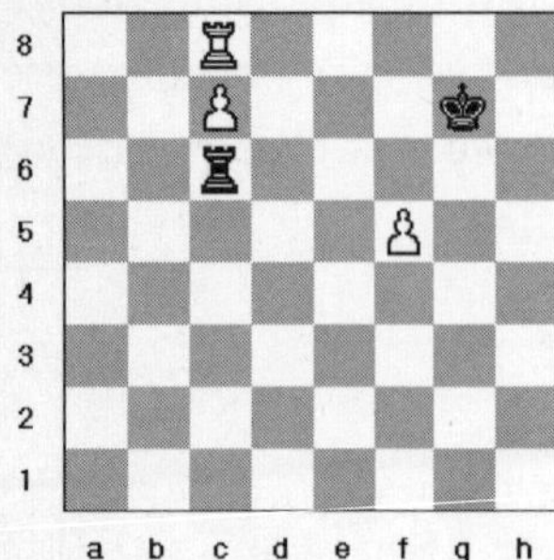

Las blancas ganan con 1. f5-f6+! A la captura de rey sigue 2. Tc8-f8+ y, contra la captura de torre, las blancas simplemente quitan la torre y coronan dama. El movimiento de rey 1. ..., Rg7-h7, no aporta mucho debido a 2. f6-f7.

Una carretada de jaques

Incluyamos ahora al rey blanco en estas posiciones para comprender las posibilidades de tablas.

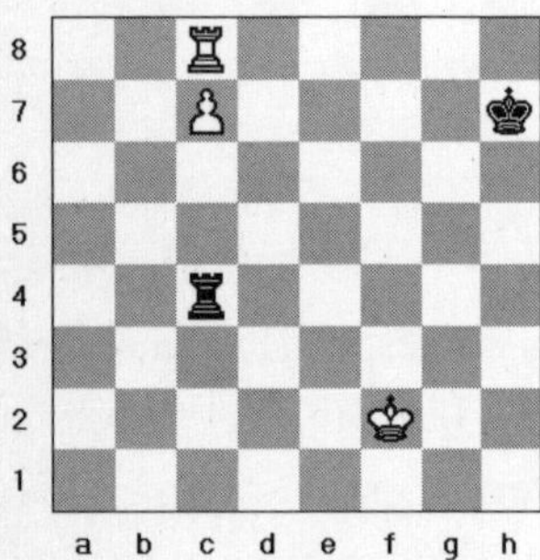

1. Rf2-e3, Rh7-g7 (la otra casilla de «seguridad»). 2. Re3-d3, Tc4-c6; 3. Rd3-d4 (el rey blanco intenta acudir en defensa de su peón, para después mover la torre libremente, pero en realidad no tiene refugio). 3. ..., Tc6-c1! (las torres trabajan mejor a distancia). 4. Rd4-c5, Tc1-d1+; 5. Rd5-c6, Td1-c1+ y así hasta el infinito.

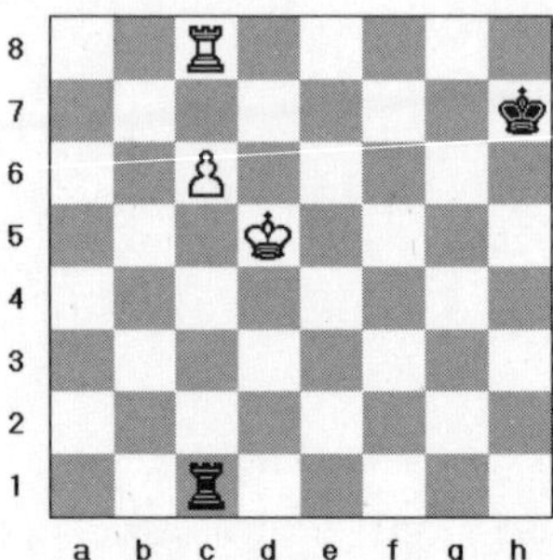

Observa la diferencia. Como el peón blanco se encuentra en c6, el rey dispone del «escondite» en c7 para liberarse de los jaques. Veamos: 1. Rd5-d6, Tc1-d1+; 2. Rd6-c7, Td1-c1; 3. Tc8-d8, Tc1-c2; 4. Td8-d1, Tc2-c3; 5. Rc7-d7! (la torre blanca le ha hecho «casita» a su rey). El avance c6-c7 y c7-c8=D ya no puede impedirse.

La posición de Lucena

Un método fundamental para ganar los finales de torre con peón de más, fue expuesto por el autor español Lucena en 1497.

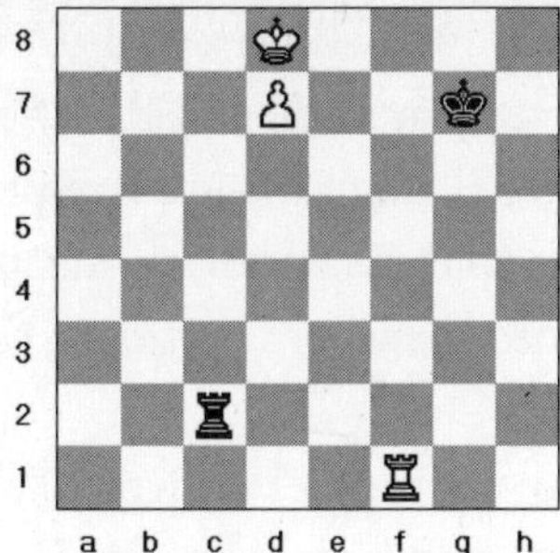

Lo primero que debemos precisar es que el método directo 1. Rd8-e7, Tc2-e2+; 2. Re7-d6, Te2-d2+; 3. Rd6-c6, Td2-c2+; 4. Rc6-d5, Tc2-d2+ no gana.

El «puente» de Lucena se construye así: la torre sube a la cuarta fila (en ocasiones la quinta) para cubrir a su rey de los jaques. 1. Tf1-f4, Tc2-c1; 2. Rd8-e7, Tc1-e1+; 3. Re7-d6, Te1-d1+; 4. Rd6-e6, Td1-e1+; 5. Re6-d5!, Te1-d1+; 6. Tf4-d4, y el peón blanco no tarda en coronar. Curiosamente, esta posición no se gana si la torre negra dispone de mayor actividad y distancia respecto al rey blanco.

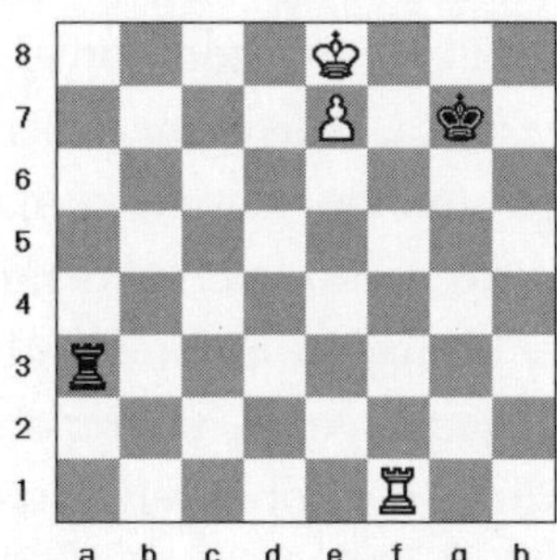

1. ..., Ta3-a8+; 2. Re8-d7, Ta8-a7+; 3. Rd7-d6, Ta7-a6+; 4. Rd6-d5, Ta6-a5+; 5. Rc5-c6, Ta5-a6+. Las blancas no pueden jugar 6. Rc6-b7, a causa de 6. ..., Ta6-e6.

Jaula de oro

También en los finales de torre se presenta esta posibilidad de encierro.

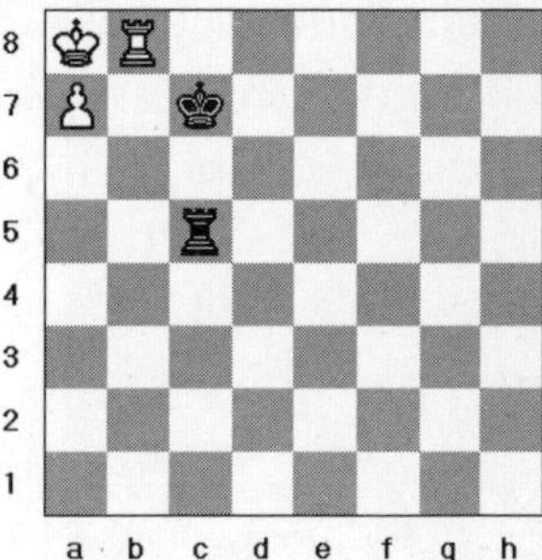

No hay modo de rescatar al rey blanco de su esquina. El rey negro baila entre las casillas c8 y c7. Veamos ahora una jaula abierta.

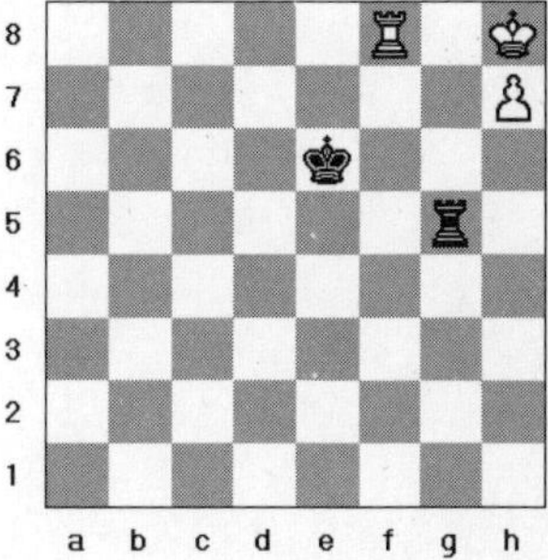

Este caso es distinto. Después de 1. Tf8-g8, Tg5-h5; 2. Rh8-g7, Th5-g5+; 3. Rg7-h6 ó 3. Rg7-f8, las blancas se imponen.

A continuación podrás ver algunas recomendaciones para estos finales:

A) Situar la torre detrás del peón libre. En el siguiente ejemplo, la torre defensora se ha situado detrás del peón libre, en una posición muy activa. Lo más probable es que alcance las tablas.

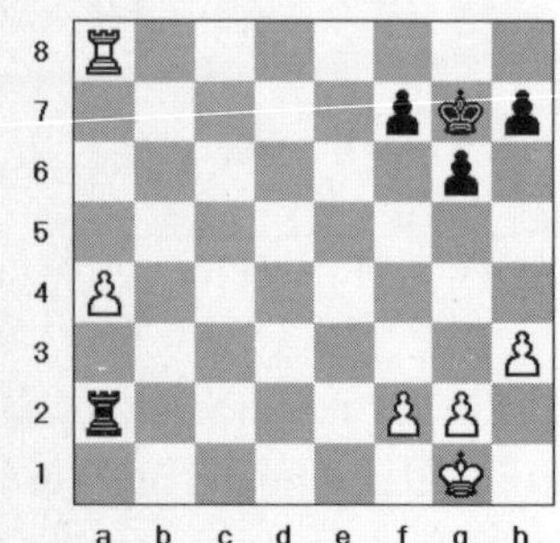

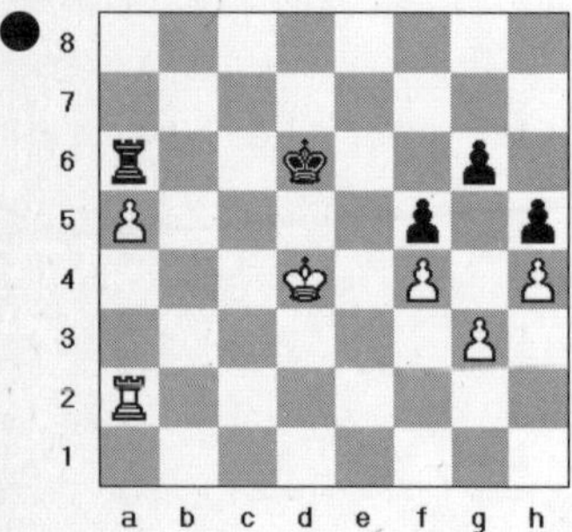

En cambio, este final se gana sin demasiados problemas debido a que la torre blanca se encuentra mucho más activa que su contraparte. El retroceso 1. ..., Ta6-a8 permitie 2. a5-a6. Un movimiento del rey negro también cede terreno. Por ejemplo: 1. ..., Rd6-c6; 2. Rd4-e5, Rc6-b5; 3. Ta2-d2, para entrar por d6. Las negras no pueden capturar el peón de a5 con el rey debido a 4. Td2-a2+, ni con la torre a causa de 4. Td2-d5+. Si en la posición del diagrama le correspondiera jugar a las blancas, podrían ejecutar un movimiento de espera como 1. Ta2-a3.

B) «Cortar» al rey del contrario. Un recurso importante para quien busca ganar es la posibilidad de «cortar» al rey contrario, excluyéndolo de la acción.

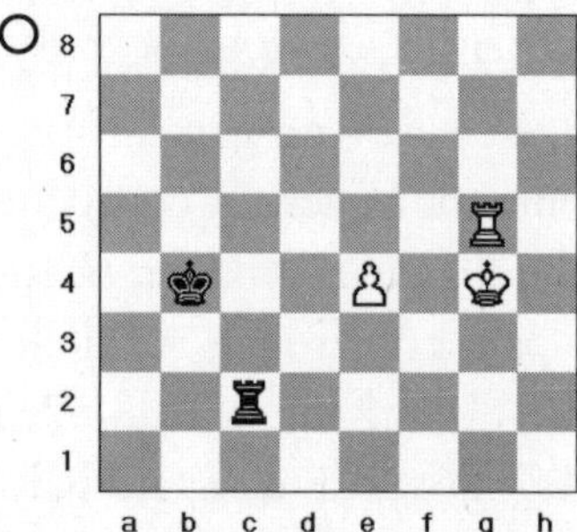

La forma de hacerlo consiste en 1. Tg5-d5, Tc2-e2; 2. Rg4-f5, Rb4-c4; 3. Td5-d1.

C) Darle actividad a nuestra torre. Cuando un peón libre, apoyado por su rey, alcanza la sexta fila, el defensor deberá tener muchísimo cuidado. Perderá si mantiene pasiva su torre, como en el siguiente ejemplo, donde las negras no pueden bajar la torre por el jaque en a8, y tampoco pueden impedir la maniobra «envolvente» 1. Ta7-g7+, Rg8-f8 2. Tg7-h7, Rf8-g8 3. f6-f7+ y 4. Th7-h8+, ganando.

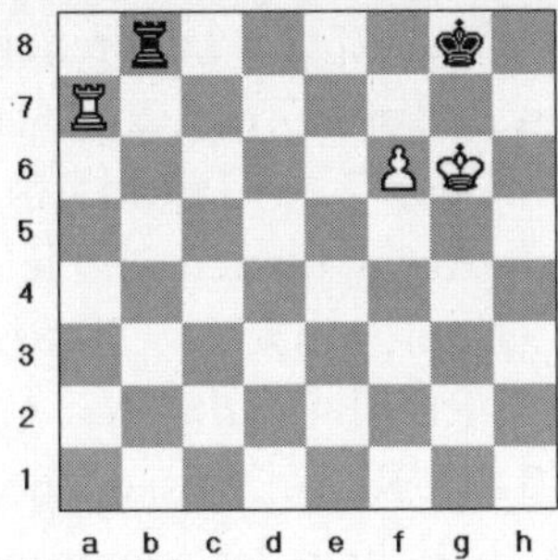

Si se desplaza a la columna «e», tampoco se puede impedir que la torre blanca «doble la esquina».

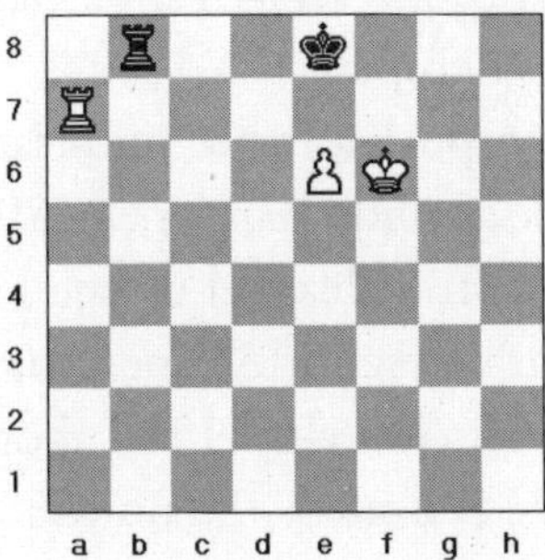

Este procedimiento no funciona cuando se trata de un peón de caballo o un peón de torre.

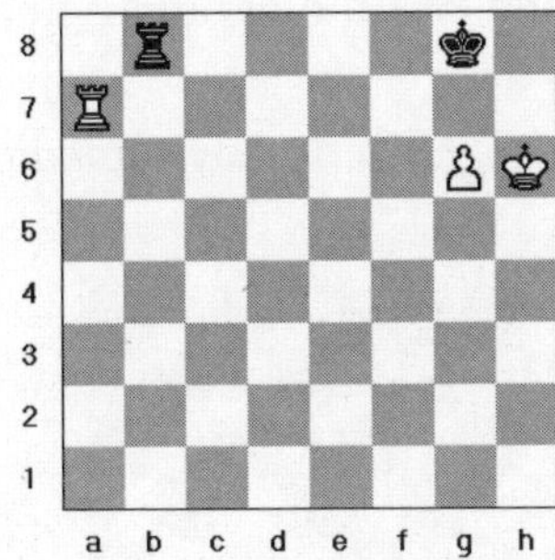

1. Ta7-g7+,	Rg8-h8;
2. Tg7-h7+,	Rh8-g8 y tablas.

La maniobra defensiva de Philidor

Después de comprobar el peligro que entraña para el defensor mantener a su torre en situación pasiva, estudiemos una posición de suma importancia, analizada en el siglo XVIII por el francés André Danicán Philidor.

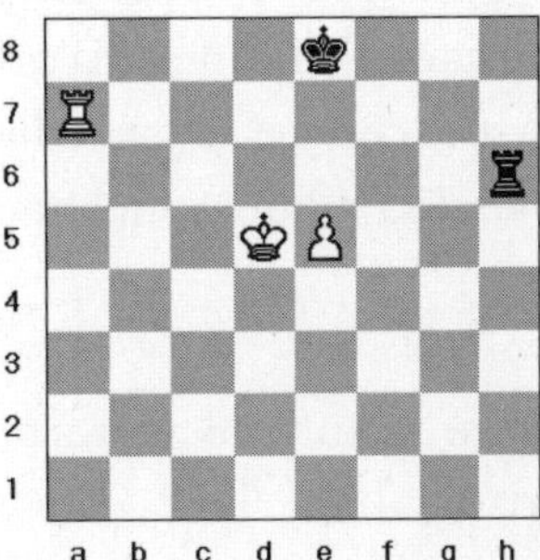

Las negras se encuentran en una situación delicada que empeorará si cometen un error como 1. ..., Th6-h8? ó 1. ..., Th6-h1?. A esta última jugada, las blancas responden 2. Rd5-d6! (y no 2. Rd5-e6, debido a 2. ..., Th1-h6+). ¿Qué pueden jugar ahora las negras? Si deciden mover 2. ..., Th1-h6+, enfrentan 3. e5-e6 y deben rendirse. La posición resultante de 2. ..., Th1-d1+ 3. Rd6-e6 no es mucho mejor:

A) 3. ..., Re8-d8; 4. Ta7-a8+, Rd8-d7; 5. Re6-e7 y el peón avanza; o bien,
B) 3. ..., Re8-f8; 4. Ta7-a8+, Rf8-g7; 5. Re6-e7 con el mismo plan.

El camino de Philidor empieza con la jugada de espera 1. ..., Th6-g6. Las blancas no pueden mejorar su posición, a no ser que avancen el peón. 2. e5-e6. Pero en ese momento las negras aprovechan su única oportunidad y llevan su torre hasta la octava fila. 2. ..., Tg6-g1! Trata de comprender este movimiento, cuya finalidad es dar jaques verticales en f1, e1 y d1. Sólo debe realizarse después del avance del peón a e6, porque esa jugada niega al rey blanco el disfrute de la casilla e6.

Cuando se le conoce, el procedimiento para entablar de Philidor es relativamente sencillo:

A) El defensor mantiene su torre en la tercera horizontal.
B) En cuanto las blancas avanzan al peón, el defensor traslada su torre para dar jaques por atrás. Ante esto, el rey agresor no hallará dónde guarecerse.

El final de Barbier-Saavedra

Como divertimento, veamos esta composición artística.

Juegan blancas y ganan:

1.c6-c7, Td5-d6+, con la intención de responder a 2. Rb6-b7 con 2. ..., Td6-d7 y a 2. Rb6-c5 con 2. ..., Td6-d1! Seguida por Td1-c1. Al rey blanco sólo le queda bajar por la columna «b». 2. Rb6-b5, Td6-d5+; 3. Rb5-b4, Td5-d4+; 4. Rb4-b3, Td4-d3+; 5. Rb3-c2. Es una posición crítica. En apariencia, las negras no pueden impedir la coronación del peón de c7. Sin embargo, disponen de una auténtica «patada de ahogado» a partir de 5. ..., Td3-d4! para responder a 6. c7-c8=D, con 6. ..., Td4-c4+! 7. Dc8xc4 y se decreta el empate.

Esta composición fue publicada por un señor de apellido Barbier en 1895. Admirado por su belleza, el monje Fernando Saavedra descubrió repentinamente que 6. c7-c8=T! evita el rey ahogado y amenaza 7. Tc8-a8++. La única respuesta posible es 6. .., Tc4-a4, ante lo cual el movimiento 7. Rc2-b3! deja en el aire una doble amenaza: capturar la torre de a4 y dar mate en c1. La posición final merece ser apreciada en un diagrama.

Juegan negras y no hay remedio:

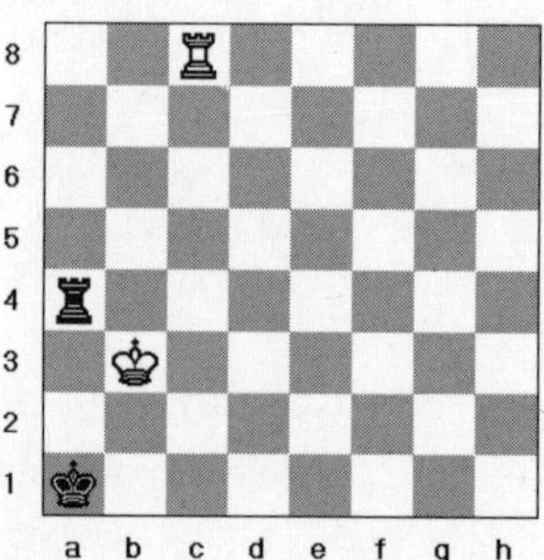

Resumen

Muchos finales de torre se entablan con un peón de menos. La actividad de las torres a menudo determina el resultado. Las torres funcionan mejor a distancia, detrás de los peones pasados, porque su acción se limita al quedar adelante de estos peones. La «jaula de oro» y los cambios son recursos fundamentales. La posición de Lucena construye un puente para la victoria, mientras que la maniobra Philidor permite entablar con peón de menos.

Cuestionario

1. Las torres trabajan mejor:
A) A distancia.
B) De cerca.
C) Da igual.

2. En la posición de Lucena, para construir el puente, se acostumbra subir la torre de quien lleva ventaja:
A) A la cuarta o quinta horizontal.
B) A la sexta horizontal.
C) A la tercera o primera horizontal.

3. En la posición de Philidor, mientras el peón atacante se encuentre en la quinta fila, el defensor debe aguantar con la torre en la:
A) Segunda fila
B) Tercera fila
C) Séptima fila

4. En cuanto el atacante sube el peón a la sexta, la torre negra se desplaza hasta su octava fila con el fin de:
A) Dar jaques frontales.
B) Clavar el peón pasado.
C) Dar jaques desde atrás.

Respuestas

1. A
2. A
3. B
4. C

Torre contra dos peones

Es bueno saber que dos peones en la sexta fila consiguen la coronación frente a una torre. En el diagrama siguiente, incluso si juegan las negras, no podrán impedir la promoción.

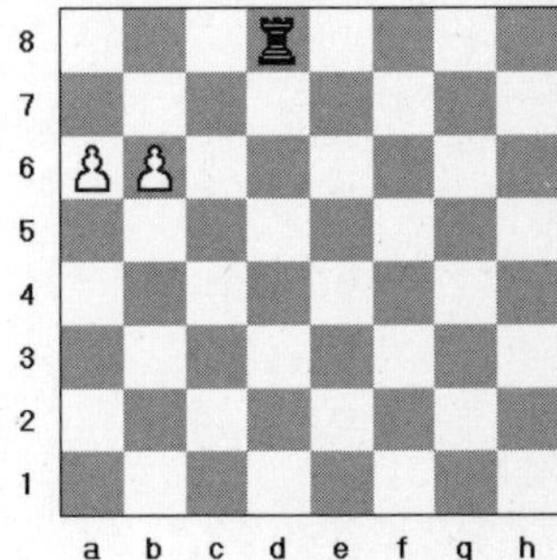

1. ...,	Td8-d6;
2. b6-b7,	Td6xa6;
3. b7-b8=D.	
O bien, 1. ...,	Td8-b8;
2. a6-a7,	Tb8-a8;
3. b6-b7.	

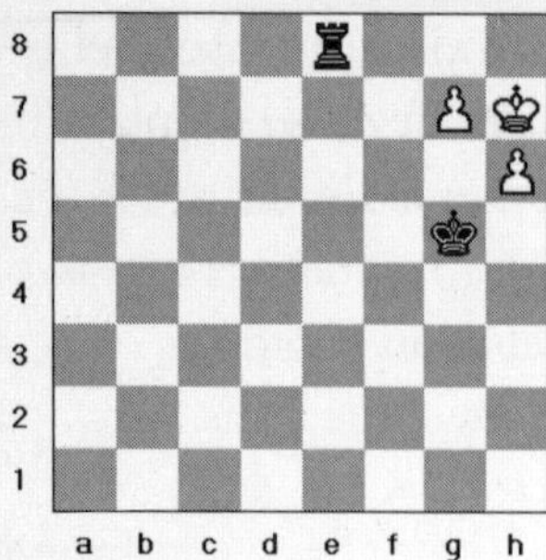

Dado que interviene el rey defensor, este final terminará en tablas.

Para quien lleva la torre, el secreto para ganar consiste en bloquear los peones para debilitarlos.

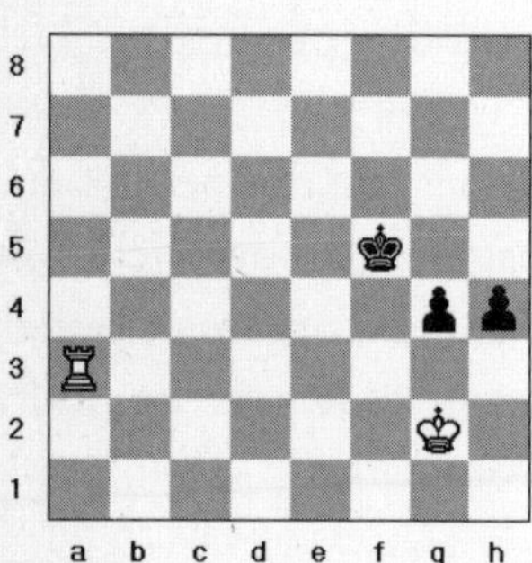

1. Ta3-a4, Rf5-g5;
2. Rg2-f2, Rg5-h5;
3. Rf2-e3, h4-h3;
4. Re3-f2, Rh5-h4;
5. Ta4-b4, Rh4-g5;
6. Rf2-g3, Rg5-h5;
7. Tb4:g4, h3-h2;
8. Tg4-h4+ y cae el último peón negro.

Con tres o más peones contra una torre, todo dependerá de la posición. Si los peones se encuentran unidos y avanzados, pueden llegar lejos. Por el contrario, si se encuentran débiles y descoordinados, la torre barrerá con ellos.

Resumen

Dos peones unidos en sexta le ganan a una torre defensora. Si la torre, aliada con su rey, consigue bloquear a los peones, serán presas fáciles.

11. Recomendaciones finales

Espero que estos ejercicios y ejemplos te hayan resultado agradables e instructivos. Hemos recorrido desde los movimientos iniciales hasta los escenarios que pueden presentarse en los finales. Si estudiaste este libro con calma, debes de tener una idea clara de cómo plantear las aperturas y buscar temas de combinación en las tres etapas de la partida. Evidentemente, no te será posible asimilar todas las ideas de inmediato. Deberás combinar el estudio con la práctica.

No te olvides de repasar los temas tácticos. Muchas partidas se deciden por estos medios. De nada sirve batallar durante horas para quedar con ventaja material si en un descuido tiramos todo por la borda.

Gracias a las computadoras, los ajedrecistas pueden clasificar y estudiar una enorme cantidad de partidas; pero nada substituye a la creatividad humana. La lucha principal continúa teniendo lugar dentro del tablero.

Los maestros de ajedrez coinciden en la necesidad de desarrollar primero la visión táctica y combinativa. Todos los grandes ajedrecistas iniciaron como jugadores de ataque. Algunos continuaron siéndolo, y otros evolucionaron hacia estilos de juego posicionales. Para elaborar los planes adecuados a cada posición te será necesario saber, a cada jugada, quién está mejor y por qué. Ese será el tema de nuestro próximo libro.

Breve historia del ajedrez

El certamen de equipos más representativo es la Olimpiada de Ajedrez, cuya primera edición data de 1924 y se efectúa cada dos años. El vencedor tradicional ha sido la Unión Soviética, o desde 1990, Rusia. Otros países que han obtenido medallas son Hungría, Estados Unidos, Ucrania, Yugoslavia, Inglaterra y Armenia.

En la rama femenil la supremacía soviética no fue reemplazada por la rusa, sino por la de Georgia, Hungría y China. Este relevo también se produjo en el plano individual, ya que la húngara Zsusa Pólgar y la china Xie Jun sucedieron a la georgiana Maya Chiburdanidze. Sin embargo, la ajedrecista más fuerte de todos los tiempos es indiscutiblemente la húngara Judit Polgar, que se enfrenta sin desdoro a los mejores exponentes masculinos.

En 1975 la FIDE proclamó al soviético Anatoli Kárpov Campeón del Mundo. Este fino jugador posicional retuvo su título en dos ocasiones ante Víctor Korchnoi, pero en 1985 cayó ante el "Ogro de Bakú", Garri Kaspárov, que se mantuvo en la primera posición hasta el 2000, cuando el ruso Vladimir Krámnik le arrebató el título.

Para entonces, la FIDE organizaba su propia versión anual del Campeonato del Mundo, de la que han salido vencedores el peterburgués Alexander Jálifman y el indio Vishwanathan Anand.

En años recientes ha surgido una generación brillante de ajedrecistas. Las partidas del español Alexei Sírov, los ingleses Nigel Short y Michael Adams, el ucraniano Vasily Ivanchuk, los húngaros Judit Polgar y Peter Leko, el búlgaro Veselin Topálov, los rusos Peter Svidler y Alexander Morozevich, son ejemplos de creatividad y pundonor. Siguen sus pasos el chino Bu Xianghzi y el azerí Teimur Radjábov, que a los trece y catorce años se convirtieron en los grandes maestros más jóvenes de la historia.

En la actualidad el ajedrez se practica en todo el mundo. Es, sin duda, el juego más popular y el de más largo alcance. Se han publicado cientos de miles de libros sobre el tema. Posee, también, la faceta de composición de estudios artísticos o problemas, en la que han destacado apellidos como Lloyd, Troitsky, Kubbel y Kasparián.

Pero a fin de cuentas, ¿qué es el ajedrez? Suele calificársele como deporte, aún cuando posee aspectos artísticos y científicos. Algunas personas le llaman deporte-ciencia. Es, en todo caso, un territorio abierto a la exploración y la creación de belleza. Nada más cierto que un verso de Jorge Luis Borges dedicado al ajedrez: "Cuando los jugadores se hayan ido, cuando el tiempo los haya consumido / ciertamente, no cesará el misterio".

Apéndice
Los campeones del mundo

Presentamos una seleción de partidas breves y brillantes, también llamadas miniaturas. Contienen toda clase de sacrificios, con la idea de fortalecer el ataque de mate. Repróducelas con calma, procurando no cometer errores en la lectura de la notación.

En la parte superior se anotan los nombres de los jugadores, así como el lugar y la fecha en que se jugó la partida. Recuerda que los peones no llevan inicial.

> 1. Gioachino Greco, (1600-ca.1634). Apodado «El calabrés», Greco escribió diversos tratados de ajedrez y fue uno de los mejores jugadores del siglo XVII. Sus partidas muestran a un vigoroso atacante, con una idea muy clara de la iniciativa, que aplicaba contra rivales bastante débiles.

Greco — *N.N.* (desconocido)

Giuoco piano, Italia, ca. 1620

1. e2-e4, e7-e5
2. Cg1-f3, Cb8-c6
3. Af1-c4, Af8-c5
4. c2-c3, Cg8-f6
5. d2-d4, e5xd4
6. c3xd4, Ac5-b4+
7. Cb1-c3, Cf6xe4
8. 0-0, Ab4xc3
9. d4-d5!, Cc6-e5

Con esta jugada las negras ganan una pieza pero se exponen a un ataque devastador.

10. b2xc3, Ce5xc4
11. Dd1-d4!, Cc4-d6?

Es mejor devolver la pieza con 11. ..., 0-0 12. Dd4xe4, Cc4-d6 13. De4-d3, Cd6-e8, seguida por d6.

12. Dd4xg7, Dd8-f6

13. Dg7xf6, Ce4xf6
14. Tf1-e1+, Re8-d8

En caso de 14. ..., Re8-f8 seguiría 15. Ac1-h6+, Rf8-g8 16. Te1-e5!, Cd6-e4 17. Ta1-e1, d7-d6 18. Te1xe4!, d7xe5 19. Te4xe5, Ac8-f5 (única) 20. Te5xf5 con ventaja decisiva.

15. Ac1-g5, Cd6-e8
16. Te1xe8+!, Rd8xe8
17. Ta1-e1+, Re8-f8
18. Ag5-h6+, Rf8-g8
19. Te1-e5!, Rinden

No hay defensa contra el mate de torre en g5. Un intento desesperado como 19. ..., Cf6-e4 fracasa por 20. Te5-e8++

2. André Philidor, (1726-1795). Músico y ajedrecista, Philidor se adelantó a su tiempo al comprender las sutilezas de los finales y la necesidad de jugar con un plan definido. Su aforismo «los peones son el alma del ajedrez» se entiende como la búsqueda de armonía entre piezas y peones.

C. Schmidt *A. Philidor*
Apertura de alfil, Londres, 1790

1. e2-e4, e7-e5
2. Af1-c4, Cg8-f6
3. d2-d3, c7-c6
4. Ac1-g5, h7-h6
5. Ag5xf6, Dd8xf6
6. Cb1-c3, b7-b5
7. Ac4-b3, a7-a5
8. a2-a3, Af8-c5
9. Cg1-f3, d7-d6
10. Dd1-d2, Ac8-e6
11. Ab3xe6, f7xe6

Philidor captura hacia el centro, fortaleciendo su posición.

12. 0-0, g7-g5
13. h2-h3, Cb8-d7
14. Cf3-h2, h6-h5
15. g2-g3, Re8-e7
16. Rg1-g2, d6-d5
17. f2-f3, Cd7-f8!

Una maniobra para ubicar mejor este caballo. Observemos que Philidor ataca con el centro estable.

18. Cc3-e2, Cf8-g6
19. c2-c3, Ta8-g8
20. d3-d4, Ac5-b6
21. d4xe5, Df6xe5
22. Ce2-d4, Re7-d7
23. Ta1-e1, h5-h4
24. Dd2-f2, Ab6-c7
25 Cd4-e2, h4xg3
26. Df2xg3, De5xg3+!

En este caso el cambio de damas no resta fuerza al ataque negro.

27. Ce2xg3,	Cg6-f4+
28. Rg2-h1,	Th8xh3
29. Tf1-g1,	Th3xh2+!
30. Rh1xh2,	Tg8-h8+
31. Cg3-h5,	Th8xh5+
32. Rh2-g3,	Cf4-h3+

A 33. Rg3-g4 seguiría 33. ..., Th5-h4++, y en caso de 33. Rg3-g2, Ch3xg1 deja al negro con inmensa ventaja material. Por ello, el blanco se rindió.

> 3. El francés Louis Labourdonnais, (1797-1840) y el escocés Alexander McDonnell (1798-1835) disputaron largas series de partidas en 1834. El marcador final favoreció a Labourdonnais por +45 -13 =27, pero se ha dicho que McDonnell ganó las partidas más brillantes.

McDonnell *Labourdonnais*
Gambito de rey, 1834

1. e2-e4,	e7-e5
2. f2-f4,	e5xf4
3. Cg1-f3,	g7-g5
4. Af1-c4,	g5-g4
5. Cb1-c3,	g4xf3
6. Dd1xf3,	

Estos sacrificios de piezas caracterizaban el ajedrez del siglo XIX. Las blancas obtienen desarrollo y presión por la columna de f, a cambio del caballo. En otra partida ante Labourdonnais, el propio McDonnell jugó 6. 0-0, c6? 7. Dd1xf3, Dd8-f6 8. e4-e5, Df6xe5 9. Ac4xf7+, Re8xf7? 10. d2-d4,De5xd4+ 11. Ac1-e3!, Dd4-g7 12. Ae3xf4, Cg8-f6 13. Cc3-e4, Af8-e7 14. Af4-g5,Th8-g8 15. Df3-h5+, Dg7-g6 16. Ce4-d6+!, Rf7-e6 17. Ta1-e1+, Re6xd6 18.Ag5-f4++.

6. ...,	Af8-h6?
7. d2-d4,	Cb8-c6?
8. 0-0,	Cc6xd4
9. Ac4xf7+!,	

Este segundo sacrificio obliga a emigar al rey y abre líneas para las fuerzas ofensivas. Compárese la cantidad de piezas blancas que entrarán al ataque con la poca movilidad de las piezas defensoras.

9. ...,	Re8xf7
10. Df3-h5+,	Rf7-g7
11. Ac1xf4,	Ah6xf4
12. Tf1xf4,	Cg8-f6
13. Dh5-g5+,	Rg7-f7
14. Ta1-f1,	Rf7-e8
15. Tf4xf6,	Dd8-e7
16. Cc3-d5,	De7-c5
17. Rg1-h1,	Cd4-e6
18. Tf6xe6+	

Y el negro se rindió porque pierde la dama luego de 18. ..., d7xe6 19. Cd5-f6+, Re8-d8 20. Dg5xc5

Labourdonnais *McDonnell*
Gambito de dama, Londres, 1834

1. d2-d4, d7-d5
2. c2-c4, d5xc4
3. e2-e3,

Aunque la mayoría prefiere 3. Cg1-f3, o 3. e2-e4, el modesto avance a 3. e2-e3 es la forma más segura de recuperar el peón del gambito, puesto que 3. ..., b7-b5?. a2-a4, c7-c6 5. a4xb5, c6xb5 6. Dd1-f3! conduce a la ganancia de una pieza.

3. ..., e7-e5
4. Af1xc4 e5xd4
5. e3xd4,

Ha surgido un «peón dama aislado», que permite al blanco cierta libertad de piezas pero puede ser una desventaja en el final.

5. ..., Cg8-f6
6. Cb1-c3, Af8-e7
7. Cg1-f3, 0-0
8. Ac1-e3, c7-c6
9. h2-h3, Cb8-d7
10. Ac4-b3, Cd7-b6
11. 0-0, Cf6-d5
12. a2-a4, a7-a5
13. Cf3-e5, Ac8-e6
14. Ab3-c2, f7-f5
15. Dd1-e2, f5-f4?!

Debilita la diagonal b1-h7. Las blancas preparan un «trenecito» de dama y alfil.

16. Ae3-d2, Dd8-e8
17. Ta1-e1, Ae6-f7
18. De2-e4, g7-g6
19. Ad2xf4!,

El maestro francés ha visto más que su rival y acepta gozosamente las complicaciones.

19. ..., Cd5xf4
20. De4xf4, Af7-c4

Esta amenaza descubierta sobre la dama blanca permitirá al negro ganar la calidad. Pero a cambio Labourdonnais asalta con tres piezas el enroque negro.

21. Df4-h6, Ac4xf1
22. Ac2xg6!,

Poderosa jugada intermedia.

22. ..., h7xg6
23. Ce5xg6, Cb6-c8

Se ha sugerido 23. ..., Ae7-f6, entregando la dama.

24. Dh6-h8+, Rg8-f7
25 Dh8-h7+, Rf7-f6

El rey «en el baile».

26. Cg6-f4!, Af1-d3
27. Te1-e6+, Rf6-g5
28. Dh7-h6+, Rg5-f5

29. Te6-e5++

Tras la muerte de Labourdonnais, se consideró a Pierre Saint-Amant (1800-1872) el ajedrecista más fuerte de su época. Otro ajedrecista célebre fue el inglés Howard Staunton (1810-1874). Ninguno de ellos dominó a sus contemporáneos a la manera de de Philidor o Morphy.

> 4. Paul Morphy, (1837-1884). Nacido en Nueva Orleans, fue el primer niño prodigio del ajedrez. A los doce años vencía a contrincantes fuertes. A los veinte, derrotó a los mejores ajedrecistas del mundo para retirarse poco después.

Paul Morphy *Alonso Morphy*
Gambito Evans, Nueva Orleans, 1849

1. e4-e4, e7-e5
2, Cg1-f3, Cb8-c6
3. Af1-c4, Af8-c5
4. b2-b4, Ac5xb4
5. c3, Ab4-c5 ?!

Es mejor la retirada del alfil a a5.

6. d2-d4, e5xd4
7. c3xd4, Ac5-b6
8. 0-0, Cc6-a5 ?!
9. Ac4-d3, d7-d5 ?

Papá Morphy incurre en un error estratégico, y con retraso de desarrollo, abre la posición. El pequeño Paul no lo piensa dos veces.

10. e4xd5, Dd8xd5
11. Ac1-a3,

Un movimiento clave en estos esquemas, puesto que impide el libre desarrollo de las piezas negras y dificulta su eventual enroque hacia el flanco de rey.

11. ..., Ac8-e6
12.Cb1-c3, Dd5-d7
13. d4-d5 !,

Un sacrificio demoledor que asienta, las normas a seguir en este tipo de posiciones. Con ventaja de desarrollo y/o el rey adversario en el centro, conviene abrir líneas de ataque.

13. ..., Ae6xd5
14. Cc3xd5, Dd7xd5
15. Ad3-b5 +!!,

Un sacrificio de pieza que despeja la columna de dama. Evidentemente, Paul Morphy la había previsto desde antes de realizar su decimotercera jugada. También existía otro método ganador: 15. Tf1-e1, Re8-d8 16. Ad3-c4!, Dd5-d7 17. Dd1xd7+, Rd8xd7 18. Ta1-d1, Rd7-c6 19. Cf3-e5 ++.

15. ..., Dd5xb5
16. Tf1-e1+, Cg8-e7
17. Ta1-b1 !,

Un jugador menos hábil capturaría directamente en e7, movimiento que no gana de inmediato, puesto que a 17. Te1xe7+, Re8-f8 18. Te7-e5+, sobreviene 18. ..., c7-c5 con resistencia. Al desarrollar su torre a b1, el niño Morphy busca descolocar la dama para entonces sí capturar en e7 y dar un jaque al descubierto con el alfil de a3.

17. ..., Db5-a6
18. Te1xe7+, Re8-f8
19. Dd1-d5 !, Da6-c4

Única.

20. Te7xf7+, Rf8-g8
21. Tf7-f8++

Mate doble.

P. Morphy — *Duque de Brunswick y Conde Isouard*

Defensa Philidor, París, 1858

1. e2-e4, e7-e5
2. Cg1-f3, d7-d6
3. d2-d4, Ac8-g4?!
4. d4xe5, Ag4xf3
5. Dd1xf3, d6xe5
6. Af1-c4, Cg8-f6
7. Df3-b3!,

Un ataque doble sobre los puntos f7 y b7.

7. ..., Dd8-e7
8. Cb1-c3,

Morphy podía capturar el peón: 8. Db3xb7, De7-b4+ 9. Db7xb4, Af8xb4+ 10. c2-c3, Ab4-c5 11. Cb1-d2.

8. ..., c7-c6
9. Ac1-g5, b7-b5?
10. Cc3xb5!, c6xb5
11. Ac4xb5+, Cb8-d7
12. 0-0-0,

La doble clavada sobre los caballos negros en d7 y f6 dificulta enormemente la defensa.

12. ..., Ta8-d8
13. Td1xd7!, Td8xd7
14. Th1-d1,

Morphy pone en juego todas sus fuerzas. Ni la torre negra de h8, ni el alfil de f8 participan en la contienda.

14. ..., De7-e6
15. Ab5xd7+, Cf6xd7
16. Db3-b8+!!, Cd7xb8
17. Td1-d8++.

Un mate de belleza inigualable, toda vez que el blanco utiliza sus únicas dos piezas para consumarlo.

5. Adolf Anderssen, (1818-1879). Este profesor de matemáticas fue considerado el mejor ajedrecista del mundo antes y después de Paul Morphy. Se le recuerda gratamente por las siguientes partidas.

«La inmortal»
A. Anderssen *L. Kieseritsky*
Gambito de rey, Londres, 1851

1. e2-e4, e7-e5
2. f2-f4, e5xf4
3. Af1-c4, Dd8-h4+

En esta variante el blanco acepta que le den jaque de dama en h4, porque piensa ganar tiempos atacando esta pieza posteriormente. La respuesta sensata es 3. ..., Cg8-f6, 4. Cb1-c3, c7-c6 seguido por d7-d5.

4. Re1-f1, b7-b5

El contragambito 4. ..., b7-b5 ensayado por Kieseritsky es poco recomendable.

5. Ac4xb5, Cg8-f6
6. Cg1-f3, Dh4-h6
7. d2-d3, Cf6-h5?

Con la artificiosa idea de jugar 8. ..., Ch5-g3+. Andersen obligará a volver a este caballo.

8. Cf3-h4, Dh6-g5
9. Ch4-f5, c7-c6
10. g2-g4!,

Una jugada de enorme audacia. Anderssen procura aprovechar la situación expuesta de la dama negra.

10. ..., Ch5-f6
11. Th1-g1!,

Despidiéndose de su alfil.

11. ..., c6xb5
12. h2-h4, Dg5-g6
13. h4-h5, Dg6-g5
14. Dd1-f3,

Y la amenaza 15. Ac1xf4 se vuelve imparable. Para extraer su dama, Kieseritsky echa hacia atrás sus piezas, lo que rara vez es recomendable.

14. ..., Cf6-g8
15. Ac1xf4, Dg5-f6
16. Cb1-c3, Af8-c5
17. Cc3-d5, Df6xb2
18. Af4-d6!, Ac5xg1

No es difícil comprobar que 18. ..., Ac5xd6 19. Cf5xd6+, Re8-d8 20. Cd6xf7+, Rd8-e8 21. Cf7-d6+, Re8-d8 22. Df3-f8++.

19. e4-e5, Db2xa1?
20. Re1-e2, Cb8-a6
21. Cf5xg7+, Re8-d8
22. Da1-f6+!, Cg8xf6
23. Ad6-e7++

«La siempreviva»
A. Anderssen *J. Dufresne*
Gambito Evans, Berlín, 1852

1. e2-e4, e7-e5
2. Cg1-f3, Cb8-c6
3. Af1-c4, Af8-c5
4. b2-b4,

El gambito Evans era una de las armas principales de los jugadores de ataque. Cayó en desuso durante muchos años, pero Bobby Fischer y Garri Kaspárov eventualmente lo han jugado.

4. ..., Ac5xb4
5. c2-c3, Ab4-a5
6. d2-d4, e5xd4

El método propuesto por Emanuel Lásker es: 6. ..., d7-d6 7. Dd1-b3, Dd8-d7 8. d4xe5, d6xe5 9. 0-0, Ab6 10. Tf1-d., Dd7-e7 con una defensa que ha resistido el paso del tiempo.

7. 0-0, d4-d3

Capturar el tercer peón es peor que tragar fuego: 7. ..., d4xc3 8. Dd1-b3, Dd8-f6 9. e4-e5,. Df6-g6 10. Cb1xc3, Cg8-e7 11. Ac1-a3 con fuerte presión.

8. Dd1-b3, Dd8-f6
9. e4-e5, Df6-g6
10. Tf1-e1, Cg8-e7

En 1858, ante el mismo rival, el maestro Dufresne intentó 10. ..., Aa5-b6, pero quedó mal después de 11. Db3-d1!, recuperando el peón en d3 con amenazas contra la dama negra.

11. Ac1-a3, b7-b5
12. Db3xb5, Ta8-b8
13. Db5-a4, Aa5-b6
14. Cb1-d2, Ac8-b7
15. Cd2-e4, Dg6-f5

Años después, se demostró que con 15. ..., d3-d2! 16. Ce4xd2, 0-0, se dejaba vivo al negro.

16. Ac4xd3, Df5-h5
17. Ce4-f6+, g7xf6
18. e5xf6, Th8-g8
19. Ta1-d1, Dh5xf3

Durante mucho tiempo se alegó que 19. ..., Tg8-g4 permitía la defensa. Un análisis concienzudo de Hoppe demostró que no era así: 20. Ad3-c4!, Dh5-f5 21. Td1xd7!, Re8xd7 22. Cf3-e5+, Rd7-c8 23. Ce5xg4, Ce7-d5 24. Da4-d1, Cc6-d8 25. Ac4-d3!

20. Te1xe7+, Cc6xe7

También resulta muy elegante la refutación de 20. ..., Re8-d8 21. Te7xd7+, Rd8-c8 22. Td7-d8+!, Cc6xd8 (ó 22. ..., Rc8xd8 23. Ad3-f5+, Dh5xd1+ 24. Da4xd1+, Cc6-d4 25. g2-g3!, Tg8-g5 26. Af5-h3 con un ataque decisivo). 23. Da4-d7+!!, Rc8xd7 24. Ad3-f5+ (jaque doble), Rd7-c6 25. Af5-d7++.

21. Da4xd7+!!, Re8xd7
22. Ad3-f5+, Rd7-e8
23. Af5-d7+, Re8-d8
24. Aa3xe7++.

6. Wilhelm Steinitz, (1836-1900). Luego de ser conocido como «el Morphy austríaco» por su tendencia a sacrificar, Steinitz reflexionó profundamente sobre el ajedrez y desarrolló las teorías del juego posicional, mismas que le permitieron conservar el título de Campeón Mundial de 1866 a 1894.

W. Steinitz *Mongredien*
Defensa escandinava, Londres, 1862

1. e2-e4, d7-d5
2. e4xd5, Dd8xd5
3. Cb1-c3, Dd5-d8
4. d2-d4, e7-e6
5. Cg1-f3, Cg8-f6
6. Af1-d3, Af8-e7
7. 0-0, 0-0
8. Ac1-e3, b7-b6
9. Cf3-e5,

Si antes buscaba desarrollar sus piezas, Steinitz ahora las colocará en posiciones centralizadas, con miras a iniciar un ataque en el flanco rey.

9. ..., Ac8-b7
10. f2-f4, Cb8-d7
11. Dd1-e2, Cf6-d5

La reacción natural sería 11. ..., c7-c5, minando el centro blanco.

12. Cc3xd5, e6xd5 ?!
13. Tf1-f3,

Este paso de la torres a la tercera horizontal permite incorporarla al ataque.

13. ..., f7-f5
14. Tf3-h3, g7-g6
15. g2-g4, f5xg4?
16. Th3xh7!!, Cd7xe5

Contra 16. ..., Rg8xh7 seguiría 17. De2xg4 con desarrollo semejante al de la partida.

17. f4xe5, Rg8xh7
18. De2xg4, Tf8-g8
19. Dg4-h5+, Rh7-g7
20. Dh5-h6+, Rg7-f7
21. Dh6-h7+, Rf7-e6

En caso de 21. ..., Tg8-g7 22. Ta1-f1+, decidiría.

22. Dh7-h3+, Re6-f7
23. Ta1- f1+, Rf7-e8
24. Dh3-e6!, Tg8-g7
25. Ae3-g5!, Dd8-d7
26. Ad3xg6+, Tg7xg6
27. De6xg6+, Re8-d8
28. Tf1-f8+, Dd7-e8
29. Dg6xe8++.

7. Emanuel Lásker, (1868-1941). Filósofo, matemático y Campeón del Mundo durante varias décadas, Lásker dio forma a las ideas de su antecesor Steinitz. En su libro *Manual de Ajedrez*, Lásker expone algunas de las ideas más profundas que se han vertido sobre la relación del ajedrez con la vida.

J. Blackburne *Em. Lásker*
Apertura vienesa, Londres, 1892

1. e2-e4, e7-e5
2. Cb1-c3, Cg8-f6
3. f2-f4, d7-d5

La Apertura vienesa guarda puntos de contacto con el Gambito de rey. El movimiento de Lásker se asemeja al del Contragambito Falkbeer: (1. e2-e4, e7-e5 2. f2-f4, d7-d5).

4. f4xe5, Cf6xe4
5. Dd1-f3, f7-f5
6. Cg1-h3, c7-c6
7. Cc3-e2, Af8-e7
8. d2-d3, Ce4-c5
9. a2-a3, 0-0

Con jugadas naturales, el negro ha obtenido una buena posición, e incluso ventaja de desarrollo.

10. Ac1-e3, Cb8-d7
11. Ae3xc5, Cd7xc5
12. Ch3-f4, Dd8-b6

Dificulta el enroque. Blackburne, como muchos jugadores de ataque, se desespera al tener que realizar maniobras defensivas.

13. b2-b4, Cc5-d7
14. d3-d4, a7-a5
15. Ta1-b1, a5xb4
16. a3xb4,

La ventaja de desarrollo y la ubicación del rey blanco en el centro, permiten a Lásker sacrificar una pieza.

16. ..., Ae7xb4+!
17. c2-c3, Ab4xc3+!
18. Ce2xc3, Db6xd4
19. Cf4-e2, Dd4xe5

Lásker ha obtenido cuatro peones a cambio de su alfil y conserva la iniciativa.

20. Df3-f4, De5-f6

21. Ce2-d4, Cd7-c5!

Amenazando 22. ..., Cc5-e6!, y si 23. Cd4xe6, Df6xc3+ (jugada intermedia) recuperando la pieza con gran ventaja.

22. Df4-d2, Cc5-e4!
23. Cc3xe4, f5xe4

Los peones del negro forman una masa central imponente. Por si fuera poco, la apertura de la columna «f» favorece a las pie-zas pesadas del negro.

24. Dd2-e3, Ta8-a4
25 Cd4-c2, Ta4-a2
26. Tb1-c1, Ac8-g4!
27. Af1-e2, Ag4xe2
28. Re1xe2, Df6-b2
29. Re2-d1, Db2-b5!
30. Th1-e1,

En caso de 30. Rd1-e1, Db5-d3! (simplificación oportuna) 31. De3-e2, d5-d4, decide la contienda.

30. ..., Ta2-b2
31. De3-e2, Db5-d3+!
32. Dd2xd3, e4xd3

Y en vista de: 33. Cc2-a3, d3-d2 (horquilla), el maestro Blackburne abandonó.

8. El cubano José Raúl Capablanca (1888-1942) aprendió ajedrez a los cuatro años de edad. A los doce era el mejor jugador de su país. En 1921 obtuvo el título de Campéon del Mundo al vencer a Emanuel Lásker, mismo que perdería en 1927.

J. R. Capablanca C. Jaffe
Apertura Colle, Nueva York, 1910

1. d2-d4, d7-d5
2. Cg1-f3, Cg8-f6
3. e2-e3, c7-c6
4. c2-c4, e7-e6
5. Cb1-c3, Cb8-d7
6. Af1-d3, Af8-d6
7. 0-0, 0-0
8. e3-e4,

En este sistema modesto, el blanco realiza dos movimientos con su peón de rey, obteniendo a cambio una ligera ventaja de espacio.

8. ..., d5xe4
9. Cc3xe4, Cf6xe4
10. Ad3xe4, Cd7-f6

Mejor es 10. ..., c6-c5 socavando el centro blanco.

11. Ae4-c2, h7-h6

La partida Capablanca-Scott (Hastings, 1919) continuó: 11. ..., b7-b6 12. Dd1-d3, h7-h6 13. b2-b3, Dd8-e7 14. Ac1-b2, Tf8-d8 15. Ta1-d1, Ac8-b7 16. Tf1-e1, con ventaja del cubano, que en ambas partidas siguió un plan similar.

12. b2-b3, b7-b6
13. Ac1-b2, Ac8-b7
14. Dd1-d3,

Un «trenecito» de dama y alfil. Se amenaza 15. d4-d5 seguida por el cambio del alfil de b2 por el caballo negro y el jaque mate de dama apoyada en h7. El negro toma medidas, pero sólo consigue debilitar más su enroque.

14. ..., g7-g6
15. Ta1-e1, Cf6-h5?
16. Ab2-c1!, Rg8-g7

Tampoco servía 16. ..., Ch5-f4, a causa de 17. Ac1xf4, Ad6xf4 18. Te1xe6!, f7xe6 19. Dd3xg6+,Rg8-h8 20. Dg6-h7++. Sobreviene ahora un sacrificio para eliminar la defensa del punto g6.

17. Te1xe6!, Ch5-f6
18. Cf3-e5, c6-c5
19. Ac1xh6+!, Rg7xh6
20. Ce5xf7+!,

Y Jaffe se rindió, toda vez que a 20. ..., Tf8xf7, o 20. ..., Rh6-g7, seguiría 21. Dd3xg6++.

J. R. Capablanca H. Steiner
Apertura de los cuatro caballos, Los Ángeles, 1933

1. e2-e4, e7-e5
2. Cg1-f3, Cb8-c6
3. Cb1-c3, Cg8-f6
4. Af1-b5, Af8-b4
5. 0-0, 0-0
6. d2-d3, d7-d6

En la Apertura de los cuatro caballos se llega con frecuencia a esta posición simétrica. Ambos bandos realizan exactamente las mismas jugadas. Sin embargo, hay un punto en que la simetría tiene que romperse. Con su siguiente jugada, el blanco amenaza 8. Cc3-d5 presionando el caballo negro de f6. Por este motivo, las negras se deciden a cambiar su alfil de b4 por el caballo en c3.

7. Ac1-g5, Ab4xc3
8. b2xc3, Cc6-e7

Un movimiento empleado por Lásker que permite al blanco doblar los peones con 9. Ag5xf6, g7xf6. Capablanca, sin embargo, difiere este cambio.

9. Cf3-h4, c7-c6
10. Ab5-c4, Ac8-e6
11. Ag5xf6, g7xf6
12. Ac4xe6, f7xe6
13. Dd1-g4+,

Un jaque con amenaza sobre el peón de e6. El rey negro se mueve a una casilla incómoda y Capablanca procede a abrir la posición.

14. ..., Rg8-f7
14. f2-f4!, Tf8-g8
15. Dg4-h5+, Rf7-g7
16. f4xe5, d6xe5
17. Tf1xf6!!,

Un elegante sacrificio de torre que destroza las barreras defensivas de Steiner.

17. ..., Rg7xf6
18. Ta1-f1+, Ce7-f5
19. Ch4xf5!, e6xf5
20. Tf1xf5+, Rf6-e7
21. Dh5-f7+, Re7-d6
22. Tf5-f6+, Rd6-c5
23. Df7xb7,

Capablanca calculó toda esta secuencia con su habitual precisión. Ahora amenaza dos mates. Uno, capturando en c6, y el otro, un mate de dama apoyada en b4. Su contrincante cree poder evitarlos.

23. ..., Dd8-b6
24. Tf6xc6+!, Db6xc6
25. Db7-b4++.

9. Alejandro Alekhine, (1892-1946). Ruso nacionalizado francés, Alexander Alekhine derrotó a Capablanca en 1927. Su juego se caracterizaba por los sacrificios y el sentido del ataque.

A. Alekhine *A. Nimzowitch*
Defensa francesa, Bled, 1931

1. e2-e4, e7-e6
2. d2-d4, d7-d5
3. Cb1-c3, Af8-b4
4. Cg1-e2, d5xe4
5. a2-a3, Ab4xc3+
6. Ce2xc3, f7-f5?!

Se considera mejor 6. ..., Cg8-f6. Ahora, Alekhine lanzará un gambito que le permite desarrollar sus piezas a toda velocidad.

7. f2-f3!, e4xf3
8. Dd1xf3, Dd8xd4
9. Df3-g3,

Atacando simultáneamente los peones de g7 y c7.

9. ..., Cg8-f6
10. Dg3xg7, Dd4-e5+
11. Af1-e2, Th8-g8
12. Dg7-h6, Tg8-g6
13. Dh6-h4, Ac8-d7
14. Ac1-g5, Ad7-c6
15. 0-0-0,

El blanco ha quedado con gran ventaja de desarrollo. En situación comprometida, Nímzovich todavía se da el lujo de capturar peones.

15. ..., Ac6xg2
16. Th1-e1, Ag2-e4
17. Ae2-h5!, Cf6xh5
18. Td1-d8+, Re8-f7
19. Dh4xh5 Rinden

10. Max Euwe, (1901-1981). Este holándes, profesor de matemáticas, derrotó a Alejandro Alekhine en 1935 y perdió el duelo de revancha en 1937. Realizó contribuciones importantes a la teoría de las aperturas.

Max Euwe *Sir G. Thomas*
Gambito de dama, Hastings, 1934

1. c2-c4, e7-e6
2. Cb1-c3, d7-d5
3. d2-d4, Cg8-f6
4. Ac1-g5, Af8-e7
5. e2-e3, 0-0
6. Cg1-f3, Cb8-d7
7. Ta1-c1, c7-c6
8. Af1-d3, d5xc4
9. Af1xc4, Cf6-d5

Esta maniobra simplificadora alivia un poco la presión. De cualquier modo el blanco conserva una pequeña ventaja.

10. Ag5xe7, Dd8xe7
11. 0-0, Cd5xc3
12. Tc1xc3, e6-e5
13. Cf3xe5!?,

El plan más agresivo, ideado por ese gran jugador polaco, Akiba Rubinstein. Otro método consiste en jugar 13. Dd1-c2, ó 13. Dd1-b1, seguida por b2-b4.

13. ..., Cd7xe5
14. d4xe5, De7xe5
15. f2-f4,

Max lanza este peón al frente tratando de romper la estructura de peones del negro. Ahora es mejor la retirada 15. ..., De5-f6 16. e3-e4, Ac8-e6; o bien, 15. ..., De5-e4.

15. ..., De5-e7?
16. f4-f5, b7-b5
17. Ac4-b3, b5-b4
18. f5-f6!,

Un sacrificio característico. Los peones negros quedara «doblados» y su enroque expuesto.

18. ..., g7xf6
19. Tc1xc6, De7xe3+
20. Rg1-h1, Ac8-b7
21. Tc6xf6, De3-e4
22. Dd1-d2!,

Un movimiento que defiende el punto g2 y prepara un jaque en g5.

22. ..., Rg8-h8
23. Ac4xf7,

También era muy fuerte 23. Tf6xf7.

23. ..., Ta8-c8
24. Tf6-f2!, Tc8-d8?

Era mejor 24. ..., De4-g4.

25. Dd2-g5,

Para dar mate con 26. Dg5-f6++. Si el negro jugase 25. ..., Dg4-d4, seguiría igualmente 26. Af7-d5!, Tf8xf2 27. Dg5xd8+, Rh8-g7 28. Dd8-g5+, Rg7-f8 29. Dg5-g8+, Rf8-e7 30. Tf1-e1+, ganando.

25. ..., Td8-d6
26. Af7-d5!!, Rinden

Una jugada gloriosa. A 26. ...., Tf8xf2, sobreviene 27. Dg5-g8++, y se amenaza tanto a la dama negra como el mate en f8.

11. Mijaíl Botvinik, (1911-1995). Campeón del Mundo —con algunas interrupciones— desde 1948 hasta 1963, este ingeniero eléctrico propuso métodos de entrenamiento que aún son válidos. De su escuela salieron numerosos grandes maestros.

M. Botvinik *L. Portisch*
Apertura inglesa, Montecarlo, 1968

1. c2-c4, e7-e5
2. Cb1-c3, Cg8-f6
3. g2-g3, d7-d5
4. c4xd5, Cf6xd5
5. Af1-g2, Ac8-e6
6. Cg1-f3, Cb8-c6
7. 0-0, Cd5-b6
8. d2-d3,

La Apertura inglesa en ocasiones traspone a una Defensa siciliana con colores cambiados. Es decir, el blanco está jugando una Defensa siciliana, variante del dragón, con un tiempo de más.

8. ..., Af8-e7
9. a2-a3, a7-a5 ?!

Se ha vuelto común jugar 9. ..., f7-f6 10. b2-b4, 0-0.

10. Ac1-e3, 0-0
11. Cc3-a4, Cb6xa4

12. Dd1xa4, Ae6-d5
13. Tf1-c1, Tf8-e8
14. Tc1-c2,

Botvinik presiona por la columna c.

14. ..., Ae7-f8
15. Ta1-c1, Cc6-b8?

El gran maestro húngaro tiende una celada a Botvinik, pero éste ve más lejos. Era necesario jugar 15. ..., e5-e4 16. d3xe4, Ad5xe4 17. Tc2-d2, Dd8-f6 con ligera ventaja blanca.

16. Tc2xc7!, Ad5-c6
17. Tc1xc6!,

La concepto es muy profundo. En vez de cambiar su torre de c7 por el alfil, Botvinik se expone a que le encierren esa torre para dejarla en situación dominante.

17. ..., b7xc6
18. Tc7xf7!!, h7-h6

La torre no podía capturarse: 18. ..., Rg8xf7 19. Da4-c4+, Rf7-g6 20. Cf3-g5!, Dd8-f6 21. Ag2-e4+, Rg6-h5 22. Ae4-f3+, Rh5-g6 23. Af3-h5+!, Rg6xh5 24. Dc4-h4+, Rh5-g6 25. Dh4xh7++. Pero como siempre debemos buscar la mejor defensa, señalaremos que 18. ..., Te8-e7 alargaba la contienda.

19. Tf7-b7, Dd8-c8
20. Da4-c4+, Rg8-h8?

Mayor resistencia ofrecía 20. ..., Dc8-e6 21. Cf3xe5, De6xc4 22. Ce5xc4 con un final muy favorable para el blanco.

21. Cf3-h4!, Dc8xb7,
22. Ch4-g6+, Rh8-h7
23. Ag2-e4,

Prepara un tremendo jaque al descubierto.

23. ..., Af8-d6
24. Cg6xe5+, g7-g6

Si 24. ..., Rh7-h8 25. Ce5-f7+, Rh8-g8 26. Cf7xd6+, ganando la dama.

25. Ae4xg6+, Rh7-g7
26. Ae3xh6+!, Rinden

Portisch no quizo saber más del asunto, porque 26. ..., Rg7xh6 27. Dc4-h4+, Rh6-g7 28. Dh5-h7+, gana fácilmente.

12. Vasily Smyslov, (1921). En 1957 Vasily Smyslov destronó a Mijaíl Botvinik. Un año después, Botvinik recuperaría su título. Smyslov se ha mantenido en activo durante décadas gracias a su estilo posicional y esmerada técnica en los finales.

V. Smyslov *C. Kottnauer*
Defensa siciliana, Groningen, 1946

1. e2-e4, c7-c5
2. Cg1-f3, d7-d6
3. d2-d4, c5xd4
4. Cf3xd4, Cg8-f6
5. Cb1-c3, a7-a6
6. Af1-e2, e7-e6
7. 0-0, b7-b5
8. Ae2-f3, Ta8-a7

El negro se embarca en maniobras demasiado sutiles. Smyslov acumula fuerza y prepara un rompimiento central.

9. Dd1-e2, Ta7-c7
10. Tf1-d1, Cb8-d7
11. a2-a4!,

Aflojando la estructura de peones del negro.

11. ..., b5xa4
12. Cc3xa4, Ac8-b7
13. e4-e5!,

Una y otra vez caemos en la máxima: «con ventaja de desarrollo, abrir la posición».

13. ..., Cd7xe5
14. Af3xb7, Tc7xb7
15. De2xa6, Dd8-b8
16. Cd4-c6!,

Un buen ejemplo de simplificación ofensiva. Se cambia una buena pieza del negro (el caballo de e5) para abrir más la posición.

16. ..., Ce5xc6
17. Da6xc6+, Cf6-d7
18. Ca4-c5!!,

Una sacrificio muy fino.

18. ..., d6xc5
19. Ac1-f4!, Af8-d6

Si 19. ..., Db8xf4 20. Dc6-c8+, Re8-e7 21. Dc8xb7 y caerá el caballo negro en d7 dejando a Smyslov con ventaja material y posicional.

20. Af4xd6, Tb7-b6
21. Dd6xd7+ Rinden

Luego de 21. ..., Re8xd7 22. Ad6xb8+, las blancas quedan con alfil de ventaja.

> 13. Mijaíl Tal, (1936-1992). El «Mago de Riga» derrotó a Mijaíl Botvinik en 1960, sólo para perder el título un año después. Su brillante juego combinativo entusiasmaba a los aficionados.

M. Tal *V. Smyslov*
Defensa Caro-Kann, Bled, 1959

1. e2-e4, c7-c6

2. d2-d3,	d7-d5
3. Cb1-d2,	e7-e5
4. Cg1-f3,	Cb8-d7
5. d3-d4,	d5xe4
6. Cd2xe4,	e5xd4
7. Dd1xd4,	Cg8-f6
8. Ac1-g5,	Af8-e7
9. 0-0-0,	

El cambio de los cuatro peones centrales produce una posición abierta, en la cual el tiempo es un factor importante. Tal se desarrolla a toda velocidad y presiona el punto débil f7.

9. ...,	0-0
10. Ce4-d6,	Dd8-a5
11. Af1-c4,	b7-b5
12. Ag5-d2,	Da5-a6
13. Cd6-f5!,	

Tal deja «en el aire» su alfil de c4 para ganar tiempos en el ataque.

13. ...,	Ae7-d8
14. Dd4-h4!,	b5xc4
15. Dh4-g5,	Cf6-h5

Al parecer, también pierde 15. ..., g7-g6 16. Cf5-h6+, Rg8-g7 17. Ad2-c3!, Da6xa2 18. Ch6-g4, (amenazando 19. Td1xd7) Da2-a1+ 19. Rc1-d2, Da1-a6 20. Dg5-h6+, Rg7-h8 21. Cf3-g5 con redes de mate en h7 y g7.

16. Cf5-h6+,	Rg8-h8
17. Dg5xh5,	Da6xa2
18. Ad2-c3,	Cd7-f6
19. Dh5xf7!,	

Un sacrificio de dama contundente. El negro no puede capturar la dama, a causa de 20. Td1xd8+, seguido de mate. Por otra parte, el blanco amenaza tomar en f8 y, por si fuera poco, existen temas de mate ahogado en g8 (previa eliminación del caballo negro). Smyslov trata de llegar vivo al final.

19. ...,	Da2-a1+
20. Rc1-d2,	Tf8xf7
21. Ch6xf7+,	Rh8-g8
22. Td1xa1,	Rg8xf7
23. Cf3-e5+,	Rf7-e6
24. Ce5xc6,	Cf6-e4+
25. Rd2-e3,	Ad8-b6+
26. Ac3-d4	Rinden

El blanco saldrá por lo menos con calidad (torre vs. alfil) y peón de ventaja.

14. Tigran Petrosian, (1929-1984). Jugador armenio, de sutil juego posicional, Petrosian le arrebató a Botvinik el título en 1963. Lo defendió ante Boris Spassky en 1966, para perderlo tres años más tarde.

M. Tal *T. Petrosian*
Defensa Caro-Kann, Moscú, 1973

1. e2-e4, c7-c6
2. d2-d4, d7-d5
3. Cb1-c3, d5xe4
4. Cc3xe4, Cb8-d7
5. Af1-c4, Cg8-f6
6. Ce4-g5, e7-e6
7. Dd1-e2,

Las blancas amenazan con sacrificios en f7 ó e6. La respuesta negra cubre adecuadamente estos puntos.

7. ..., Cd7-b6
8. Ac4-b3, a7-a5
9. a2-a4,

Para impedir que le atrapen el alfil con a5-a4. Las alternativas eran 9. a2-a3, ó 9. c2-c3.

9. ..., h7-h6
10. Cg5-f3, c6-c5
11. Ac1-f4, Af8-d6
12. Af4-e5, 0-0
13. 0-0-0,

En vez de exponerse en la lucha de enroques opuestos, Tal pudo haber jugado 13. Cg1-h3, seguido de 0-0. Ahora, los contrincantes intentarán asaltar la fortaleza contraria. Como suele ocurrir, quien abra líneas de ataque y acumule mayor fuerza se alzará con la victoria.

13. ..., c5-c4!
14. Ab3xc4, Cb6xa4
15. Cg1-h3, Ca4-b6
16. g2-g4, a5-a4
17. g4-g5, h6xg5
18. Ch3xg5, a4-a3
19. b2-b3, Ad6-b4!

Con la idea de jugar Ab4-c3, y a3-a2. No funciona 20. De2-d3, a causa de 20. ..., a3-a2 21. Rc1-b2, Cb6xc4+ 22. b3xc4 (o 22. Dd3xc4, Cf6-d5) Dd8-b6! 23. Ag5xf6, Ab4-a3+ 24. Rb2xa2, Aa3-c1+ y mate a la siguiente. Tal ocupará la columna g con su torre dama, pero quizá era más acertado hacerlo con la de rey.

20. Td1-g1, a3-a2

Y no 20. ..., Ab4-c3, a causa de 21. d4-d5!

21. Rc1-b2, Cb6xc4+
22. De2xc4, Cf6-d5!
23. Cg5-e4,

Contra 23. Cg5xe6, la sencilla réplica 23. ..., a2-a1+ distrae a la torre blanca de la columna, pudiendo seguir 24. Tg1xa1, Ac8xe6, con gran ventaja. Tal intenta cubrir el punto débil en c3, pero brinda a su contrincante un tiempo valioso para la defensa.

23. ..., f7-f6!
24. Ae5-f4,

Pierde una pieza; pero tampoco servía 24. Ae5-g3, f6-f5! 25. Ag3-e5, a2-a1=D+!, ganando.

24. ...,	Ab4-a3+
25. Rb2-a1,	Cd5xf4
26. h2-h4,	Tf8-f7
27. Tg1-g4,	Dd8-a5

Rinden

15. Boris Spassky, (1929). Tras sobrevivir al sitio de Leningrado, Boris Spassky se convirtió en un jugador extraordinario. Disputó la corona mundial a Petrosian en 1966 y 1969, ganando en esta segunda ocasión. Posteriormente, se naturalizó francés.

B. Spassky *D. Bronstein*
Gambito de rey, Leningrado, 1960

1. e2-e4,	e7-e5
2. f2-f4,	

Tanto Spassky como Bronstein fueron dados a jugar esta apertura antigua.

2. ...,	e5xf4
3. Cg1-f3,	d7-d5
4. e4xd5,	Af8-d6
5. Cb1-c3,	Cg8-e7

Es preferible 5. ..., Cg8-f6.

6. d2-d4,	0-0
7. Af1-d3,	Cb8-d7
8. 0-0,	h7-h6?

Se recomienda 8. ..., Cd7-f6 9. Cf3-e5, Ce7xd5 con igualdad.

9. Cc3-e4!	Ce7xd5
10. c2-c4,	Cd5-e3
11. Ac1xe3,	f4xe3
12. c4-c5,	Ad6-e7
13. Ad3-c2!,	Tf8-e8
14. Dd1-d3,	e3-e2?
15. Ce4-d6!,	

Descubriendo el «trenecito» de dama y alfil mientras sacrifica limpiamente la torre en f1 Según los analistas, la mejor defensa del negro hubiese sido: 15. ..., e2xf1+ 16. Ta1xf1, Ae7xd6 (para 16. ..., Cd7-f8, ver la partida) 17. Dd3-h7+ Rg8-f8 18. c5xd6, c7xd6 19. Dh7-h8+, Rf8-e7 20. Tf1-e1+, Cd7-e5 21. Dh8xg7, Te8-g8 22. Dg7xh6, Dd8-b6 23. Rg1-h1, Ac8-e6 24. d4xe5, d6-d5, con una posición muy compleja. Pero como a menudo sucede, es más fácil atacar que defenderse.

15. ...,	Cd7-f8?
16. Cd6xf7!!,	e2xf1=D+
17. Ta1xf1,	Ac8-f5!?

El remate a 17. ..., Rg8xf7 es muy vistoso: 18. Cf3-e5+, (jaque doble) Rf7-g8 19. Dd3-h7+!, Cf8xh7 20. Ac2-b3+, Ac8-e6 21. Ab3xe6+, Rg8-h8 22. Ce5-g6++. La entrega de Bronstein es un esfuerzo ingenioso por ganar tiempos en la defensa.

18. Dd3xf5, Dd8-d7
19. Df5-f4, Ae7-f6
20. Cf3-e5!, Dd7-e7
21. Ac2-b3, Af6xe5
22. Cf7xe5+, Rg8-h7
23. Df4-e4+ Rinden

Naturalmente, Bronstein comprendió que 23. ..., g7-g6 24. Tf1xf8!, Te8xf8 25. De4xg6+, Rh7-h8 26. Dg6xh6+, De7-h7 27. Ce5-g6 es mate.

> 20. Robert «Bobby» Fischer (1937) Campeón de Estados Unidos a los 14 años, Fischer se enfrentó solo a las poderosas escuadras soviéticas. En 1972 derrotó a Boris Spassky para convertirse en el primer campeón mundial de Occidente desde la Segunda Guerra Mundial. Se negó a defender el título bajo los reglamentos de la FIDE. En 1992 derrotó nuevamente a Boris Spassky y se considera a sí mismo campeón mundial.

R.Letelier *R.Fischer*
Defensa india de rey, Leipzig, 1960

1. d2-d4, Cg8-f6
2. c2-c4, g7-g6
3. Cb1-c3, Af8-g7
4. e2-e4, 0-0
5. e4-e5?!, Cf6-e8
6. f2-f4, d7-d6
7. Ac1-e3, c7-c5!

Socava el centro blanco y responde a nuestra conocida regla: con ventaja en desarrollo, abrir el centro, incluso a costa de un peón.

8. d4xc5, Cb8-c6
9. c5xd6, e7xd6
10. Cc3-e4, Ac8-f5!

Fischer apresura su desarrollo. Según su propio comentario, luego de 11. Ce4xd6, Ce8xd6 12. Dd1xd6, Dd8xd6 13. e5xd6, Ag7xb2, las negras están mejor.

11. Ce4-g3?, Af5-e6
12. Cg1-f3, Dd8-c7

Evita cualquier posibilidad de cambio de damas. El centro blanco no tardará en desmoronarse.

13. Dd1-b1, d6xe5,
14. f4-f5, e5-e4!

Todo es iniciativa, ataque, pujanza. En caso de 15. Db1xe4, seguiría 15. ..., g6xf5 16. De4-f4, (ó 16. Cg3xf5, Dc7-a5+, ganando pieza) Ce8-d6, con amplia ventaja.

15. f5xe6, e4xf3
16. g2xf3, f7-f5!

Y se amenaza una horquilla en f4.

17. f3-f4, Ce8-f6
18. Af1-e2, Tf8-e8
19. Re1-f2, Te8xe6
20. Th1-e1, Ta8-e8
21. Ae2-f3, Te6xe3!!
22. Te1xe3, Te8xe3
23. Rf2xe3, Dc7xf4+!
Rinden

La dama no puede ser capturada a causa del mate de alfil en h6. A la única defensa restante, 24. Re3, f2, Fischer propone 24. ..., Cf6-g4+ 25. Rf2-g2, Cg4-e3+ 26. Rg2-f2, Cc6-d4 27. Db1-h1, Ce3-g4+, ganando el alfil de f3.

R. Fischer *P. Benko*
Defensa Pirc, Estados Unidos, 1963

1. e2-e4, g7-g6
2. d2-d4, Af8-g7
3. Cb1-c3, d7-d6
4. f2-f4, Cg8-f6
5. Cg1-f3, 0-0
6. Af1-d3, Ac8-g4?

Ahora sabemos que 6. ..., c7-c5 es lo más recomendable.

7. h2-h3, Ag4xf3
8. Dd1xf3, Cb8-c6
9. Ac1-e3, e7-e5
10. d4xe5, d6xe5
11. f4-f5!, g6xf5
12. Df3xf5,

Mucho mejor que 12. e4xf5, e5-e4! 13. Cc3xe4, Cc6-e5 con iniciativa negra.

12. ..., Cc6-d4
13. Df5-f2, Cf6-e8
14. 0-0,

También merecía estudiarse el enroque largo.

14. ..., Ce8-d6
15. Df2-g3, Rg8-h8
16. Dg3-g4, c7-c6 ?!

Fischer propuso 16. ..., c7-c5 con juego complicado.

17. Dg4-h5, Dd8-e8?

El error decisivo. A Benko se le escapó la siguiente combinación.

18. Ae3xd4, e5xd4
19. Tf1-f6!!,

Y no 19. e4-e5, (amenazando mate en h7) por 19. ..., f7-f5!. Con el sacrificio de obstrucción de Fischer, las piezas negras quedan impedidas, y ahora sí se amenaza e4-e5 con mate seguro.

19. ..., Rh8-g8
20. e4-e5, h7-h6
21. Cc3-e2

Con toda suerte de amenazas. En caso de 21. ..., Ag7xf6 seguiría 22. Dh5xh6. Por ende, el maestro Benko se rindió.

> 21. Anatoli Kárpov, (1951). Campeón Mundial Juvenil en 1969, y Campeón Mundial de la FIDE en 1975, por incomparecencia de Bobby Fischer. Kárpov dominó el ajedrez mundial durante una década, hasta que en 1985 perdió ante Garri Kaspárov. Posee un profundo sentido estratégico.

A. Shirov *A. Kárpov*
Gambito del centro, España, 1995

1. e2-e4, e7-e5
2. d2-d4, e5xd4
3. Dd1xd4, Cb8-c6
4. Dd4-e3

Esta salida no es muy recomendable.

4. ..., Cg8-f6
5. Cb1-c3, Af8-b4
6. Ac1-d2, 0-0
7. 0-0-0, Tf8-e8

Preparando el rompimiento clásico d5. Shirov enfoca sus baterías contra el enroque de Kárpov.

8. De3-g3, d7-d6
9. f2-f3, Cc6-e5 !

Los enroques opuestos dan pie a los más feroces lanzamientos. La jugada de Kárpov cumple varias funciones: traslada el caballo hacia el flanco de rey, donde podrá cumplir como auxiliar defensivo, pero además prepara c6.

10. h2-h4, Rg8-h8
11. Cg1-h3,

Es digno de estudio el esquema defensivo de Kárpov. Cada pieza cumple una función. Hay economía en las maniobras, se evitan las debilidades.

11. ..., Cf6-h5!?
12. Dg3-h2, c7-c6
13. a2-a3, Ab4-a5
14. Af1-e2?, Ac8xh3!

Un jugador de ideas fijas se negaría a entregar la pareja de alfiles. Pero el verdadero conocimiento releva al dogma. Quien repase esta partida podrá darse cuenta del valor de la simplificación en el momento oportuno. El primer cambio es por motivos defensivos, el segundo, para atacar.

15. Dh2xh3, Aa5xc3
16. b2xc3,

Obcecado con destrozar el enroque de Kárpov, el joven letón descuida la seguridad de su rey.

16. ..., Ch5-f6
17. c3-c4, Dd8-b6!

Otra lección: la dama de Kárpov sale cuando realmente tiene algo que hacer. En este caso, golpear las casillas negras. Durante las próximas jugadas, la amenaza Dd4 estará en el aire.

18. f3-f4, Ce5-d7
19. Ae2-d3, Cd7-c5
20. e4-e5, Cc5-a4
21. Ad2-b4, d6xe5
22. c4-c5, Db6-c7
23. Ad3-c4, a7-a5

Y ante el inevitable 24. ..., e5xf4 y 25. ..., Dc7-e5, Shirov desistió.

A. Kárpov *V. Topálov*
Apertura inglesa, Linares, 1994

1. d2-d4, Cg8-f6
2. c2-c4, c7-c5
3. Cg1-f3, c5xd4
4. Cf3xd4, e7-e6
5. g2-g3, Cb8-c6
6. Af1-g2, Af8-c5
7. Cd4-b3, Ac5-e7
8. Cb1-c3, 0-0
9. 0-0, d7-d6
10. Ac1-f4, Cf6-h5

Todo esto se había jugado anteriormente. Ahora Kárpov respondió con un movimiento inesperado, que le deja una buena masa de peones y columnas abiertas para sus piezas mayores.

11. e2-e3!, Ch5xf4
12. e3xf4, Ac8-d7
13. Dd1-d2, Dd8-b8
14. Tf1-e1!,

Con la idea del rompimiento f4-f5. Por eso Topálov incurre en otra pequeña debilidad.

14. ..., g7-g6
15. h2-h4, a7-a6
16. h4-h5, b7-b5
17. h5xg6, h7xg6
18. Cb3-c5!,

Un salto que permite irrumpir por el centro. Contra la respuesta 18. ..., Ad7-e8, Kárpov tenía pensado seguir 19. Cc5xe6!?, f7xe6 20. Te1xe6, Tf8-f6 21. Ta1-e1, Tf6xe6 22. Te1xe6, Ae8-f7 23. Dd2-e3, Db8-c8 24. Ag2xc6, con gran ventaja.

18. ..., d6xc5
19. Dd2xd7, Tf8-c8

El joven búlgaro calculó que después de 20. Ag2xc6, Ta8-a7 21. Dd7-d3, Tc8xc6 22. c4xb5, c5-c4 obtendría contrajuego, pero Kárpov ataca en la zona donde está mejor.

20. Te1xe6!!, Ta8-a7

21. Te6xg6+, f7xg6

Las huídas con el rey no daban esperanzas. Luego de 21. ..., Rg8-f8 22. Dd7-h3. f7xg6 23. Dh3-h8+, Rf8-f7 el mate llega con 24. Ag2-d5++. Igualmente, a 21. ..., Rg8-h7, Kárpov calculó la variante 22. Dd7-h3+, Rh7xg6 23. Ag2-e4+, Rg6-g7 24. Dh3-h7+, Rg7-f8 y 25. Dh7-h8++.

22. Dd7-e6+, Rg8-g7
23. Ag2xc6, Tc8-d8
24. c4xb5, Ae7-f6
25. Cc3-e4, Af6-d4
26. b5xa6,

También era muy fuerte 26. f4-f5, g6xf5 27. De6xf5.

26. ..., Db8-b6
27. Ta1-d1, Db6-a6
28. Td1xd4!, Td8xd4
29. De6-f6+, Rg7-g8
30. Df6xg6+, Rg8-f8
31. Dg6-e8+, Rf8-g7
32. De8-e5+, Rg7-g8
33. Ce4-f6+, Rg8-f7
34. Ac6-e8+, Rf7-f8
35. De5xc5+, Da6-d6
36. Dc5xa7, Dd6xf6

Un último intento hubiera sido, 36. ..., Td4-d1+ 37. Rg1-g2, Td1-g1+ 38. Rg2-h3 (y no 38. Rg2xg1, a causa de 38. ..., Dd6-d1+ 39. Rg1-g2, Dd1-h1+! 40. Rg2xh1, ¡ahogado!) 38. ..., Td1-h1+ 39. Rh3-g4 y se le acaban los jaques al negro.

37. Ae8-h5, Td4-d2
38. b2-b3, Td2-b2
39. Rg1-g2, Rinden

22. Garri Kaspárov, (1963). Nacido en Bakú, Kaspárov ganó el título máximo de la FIDE al derrotar a Anatoly Kárpov en 1985. Desde entonces ganó muchas series individuales, salvo la que perdió con la computadora Deeper Blue y ante Vladimir Krámnik. Aún después de perder la corona, encabeza la clasificación de la FIDE. Kaspárov destaca por la fuerza de sus ataques y su capacidad de calcular decenas de variantes a gran velocidad.

G. Kaspárov *J. Nunn*
Defensa Benoni, Lucerna, 1982

1. d2-d4, Cg8-f6
2. c2-c4, e7-e6
3. Cb1-c3, c7-c5
4. d4-d5, e6xd5
5. c4xd5, d7-d6
6. e2-e4, g7-g6
7. f2-f4, Af8-g7
8. Af1-b5+, Cf6-d7

Un movimiento prácticamente obligado, puesto que a 8. ..., Ac8-d7, y 8. ..., Cb7-d7, sigue 9. e4-e5!, con enredos favorables al blanco.

9. a2-a4!, Cb8-a6
10. Cg1-f3. Ca6-b4?

Era mejor colocar este caballo en c7. Desde b4 difícilmente intervendrá en la lucha.

11. 0-0, a7-a6
12. Ab5xd7+, Ac8xd7
13. f4-f5!,

El plan habitual en estas posiciones sería buscar un rompimiento con e4-e5. Pero Kaspárov detecta que las casillas negras pueden quedar débiles y desarrolla con fuerza su piezas.

13. ..., 0-0
14. Ac1-g5!, f7-f6

A 14. ..., Ag7-f6 15. Dd1-d2, con presión sobre el flanco rey.

15. Ag5-f4, g6xf5?

El mismo Kaspárov sugirió 15. ..., Dd8-e7 como una mejor defensa. Nunn ha previsto un recurso simplificador que no resulta, a causa de sus peones doblados y debilidades en el flanco de rey.

16. Af4xd6, Ad7xa4
17. Ta1xa4, Dd8xd6
18. Cf3-h4!,

Para caer sobre la casilla f5.

18. ..., f5xe4
19. Ch4-f5, Dd6-d7

Contra 19. ..., Dd6-e5 20. Dd1-g4, Tf8-f7 21. Cf5-h6+, gana la calidad.

20. Cc3x e4, Rg8-h8
21. Ce4xc5 Rinden

Al percatarse de que tras 21. ..., Dd7xd5 22. Dd1xd5, Cb4xd5 23. Cc5-e6, perdía la calidad, el gran maestro inglés dimitió.

G. Kaspárov *Z. Jracek*
Defensa siciliana, Ereván, 1996

1. e2-e4, c7-c5
2. Cg1-f3, d7-d6
3. d2-d4, c5xd4
4. Cf3xd4 Cg8-f6
5. Cb1-c3, Cb8-c6
6. Ac1-g5,

El ataque Richter-Rauzer concede a las blancas una iniciativa a largo plazo. Como en otras defensas, el negro debe sufrir para alcanzar una plena igualdad.

6. ..., e7-e6
7. Dd1-d2, a7-a6
8. 0-0-0, Cc6xd4

El joven campeón checo, ensaya una línea poco habitual. Muchos prefieren 8. ..., h7-h6 9. Ag5-e3, Ac8-d7 10. f2-f3, b7-b5.

9. Dd1xd4, Af8-e7
10. f2-f4, b7-b5

Jracek pretende demorar su enroque. Con impecables cálculos, Garri Kaspárov encuentra la refutación precisa.

11. Ag5xf6!?, g7xf6
12. e4-e5, d6-d5

En caso de 12. ..., d6xe5, seguiría 13. Dd4-e4, Ac8-d7 y ahora, como sugiere un análisis de Seirawan, 14. Td1xd7!, Re8xd7 (única) 15. Af1-b5+!, con ataque sostenido. La alternativa, 12. ...f6xe5 13. f4xe5, d6-d5 permite al blanco golpear el punto f7 con el plan Ae2-Thf1.

13. Rc1-b1, b5-b4
14. Cc3-e2, a6-a5

Jracek dispone de aparente actividad en el flanco dama. Pero si ponemos a funcionar nuestro criterio veremos que el enroque blanco no presenta fracturas, mientras que las debilidades del negro son permanentes.

15. Ce2-g3, f6-f5
16. Cg3-h5, Ta8-b8
17. g2-g4!, f5xg4
18. f4-f5!, Th8-g8

En caso de 18. ..., e6xf5, sobreviene 19. e5-e6!, con apertura total. El tema corresponde al capítulo: ataque con el rey en el centro.

19. Ch5-f6+!, Ae7xf6
20. e5xf6, Dd8-d6
21. Af1-g2, Tg8-g5?
22. Ag2xd5!!,

Un remate espléndido. En caso de 22. ...Dd6xd5 puede seguir 23. Dd4-f4, con ataque triple. Y a 22. ..., e6xd5 lo más sencillo pudiera ser 22. Th1-e1+, Re8-d8 23. Dd4-e3, Tg5-g8 24. Td1xd5!, con amenaza de mate en e7.

22. ..., Ac8-d7
23.Th1-e1, h7-h6
24. f5xe6, f7xe6
25. Dd4-a7! Rinden

Tras haber constatado la supremacía del Campeón Mundial, y la inevitable amenaza 26. Ad5xe6!, el gran maestro checo declinó seguir jugando.

23. Alexander Jálifman. En 1999 se coronó Campeón Mundial en Las Vegas. Un año después, perdería su título en India. Jálifman posee un estilo universal y es particularmente fuerte con las piezas blancas.

A. Jálifman	*E. Erménkov*

Defensa Benoni, España, 1994

1. d2-d4,	Cg8-f6
2. Cg1-f3,	c7-c5
3. d4-d5,	g7-g6
4. Cb1-c3,	Af8-g7
5. e2-e4,	

Todo ajedrecista de larga memoria se estremece al ver surgir sobre el tablero esta versión de la Defensa Benoni. Con ella se le escapó de las manos la corona mundial a Víctor Korchnoi frente a Anatoli Kárpov en Baguio, Filipinas, 1978. A *grosso modo*, el esquema favorece al blanco, que prescinde del avance c4 para ubicar un alfil o un caballo en esta casilla y apoyar el eventual rompimiento en e5.

5. ...,	d7-d6
6. Af1-e2,	0-0
7. 0-0,	Cb8-a6
8. Ac1-f4,	Ca6-c7
9. a2-a4,	b7-b6
10. Tf1-e1	a7-a6

En la citada partida el gran Víctor jugó 10. ..., Ac8-b7 11. Ae2-c4, Cf6-h5? 12. Af4-g5, Ch5-f6 13. Dd1-d3, a7-a6 14. Ta1-d1, Ta8-b8 y ahora Kárpov recomendó 15. e4-e5! en lugar de su paciente 15. h2-h3.

11. h2-h3,	Cf6-d7
12. Ae2-c4,	

Jálifman se apega al plan de Kárpov, que además de romper en e5 intenta frenar el avance liberador b5.

12. ...,	Ta8-b8
13. Dd1-d3,	f7-f6?!

Un modo radical de impedir el rompimiento anunciado. Ahora las blancas deben reformular su plan.

14.Ta1-b1!,

Un hallazgo en la lucha contra la Indobenoni fue la convicción de que las blancas también pueden jugar en el flanco de dama mediante el plan b2-b4.

14. ...,	Cd7-e5
15. Cf3xe5,	f6xe5
16. Af4-e3,	Ac8-d7

En sus análisis, Jálifman se empeña en señalar que la posición negra ya es mala. Para ello, busca la refutación precisa de movimientos como 16. ..., Dd8-d7 17. b2-b4, b6-b5 18. a4xb5, a4xb5 19. Cc3xb5!, Tb8xb5 20. Ac4xb5, Dd7xb5 21. c2-c4, Db5-d7 22. b4xc5, b6xc5 23. Dd3-a3, con superioridad manifiesta.

17. Ac4xa6!,	Cc7xa6
18. Dd3xa6,	b6-b5
19. Cc3xb5,	Ad7xb5

Tampoco igualaba 19. ..., Tb8-a8 20. Da6-b7, Ta8-b8 21. Db7-c7, Dd8xc7 22.

Cb5xc7, Ad7xa4 23. b2-b3, Aa4-d7 24. Tb1-a1, Tb8-b7 25. Cc7-e6, con mejor final. Ahora, el experimentado jugador búlgaro supone que ha encontrado tablas por repetición de jugadas.

20. a4xb5, Tb8-a8
21. Da6-b7, Ta8-b8
22. Db7-a6, Tb8-a8,
23. Da6-c6,

Jálifman repite la posición un par de veces para ganar tiempo en el reloj y aclarar la decisión trascendental que está a punto de tomar.

23. ..., Ta8-c8
24. b2-b4!!,

Un sacrificio de dama que nos obliga a considerar la fuerza de dos peones pasados unidos, apoyados por sus piezas. Surge la duda: ¿desde qué jugada calculó Jálifman la entrega? ¿desde 17. Ac4xa6?

24. ..., Tc8xc6
25. d5xc6, e7-e6

Contra 25. ..., c5xb4 sigue el avance 26. b5-b6. Y si 25. ..., Dd8-b6, entonces 26. c2-c4!, Tf8-a8 27. Tb1-a1!, Ta8xa1 28. Te1xa1, e7-e6 29. Ta1-a6, Db6-c7 30. b4xc5, b6xc5 31. Ae3xc5 con avances decisivos.

26.Te1-d1!,

Superior a 26. b4xc5, d6-d5 27. b5-b6, d5-d4 28. c6-c7, Dd8-e7! Después de la jugada de torre, no sirve 26. ..., d6-d5 a causa de 27. Ae3xc5, d5-d4 28. b5-b6, ganando.

26. ..., Dd8-b8
27. b4xc5, d6-d5
28. e4xd5, e6xd5
29. Td1xd5, Db8-e8
30. c6-c7, De8-f7
31. b5-b6!, Df7xd5
32. b6-b7, Tiran el arpa

24. Vladimir Krámnik. El moscovita Krámnik derrotó en un duelo por la corona mundial a Garri Kaspárov en el año 2000. Krámnik domina todas las etapas del juego y rara vez pierde una partida.

V. Kramnik — *P. Leko*
Defensa Grunfeld, Budapest, 2000

1.d2-d4, Cg8-f6
2.c2-c4, g7-g6
3.Cb1-c3, d7-d5
4.Cg1-f3, Af8-g7
5.c4xd5,

Esta variante del cambio (con el caballo en f3) estaba casi olvidada. A principios de los años ochenta la desempolvaron Anatoli Kárpov y Anthony Miles.

5. ..., Cf6xd5
6. e2-e4, Cd5xc3
7. b2xc3, c7-c5
8. Ac1-e3,

Este movimiento, por el que originalmente se inclinaron Kárpov y Miles, más tarde fue desplazado por 8. Ta1-b1. Hace pocos meses volvió con renovada furia en el match Krámnik-Kaspárov.

8. ..., Dd8-a5
9. Dd1-d2, Cb8-c6

Kaspárov prefirió 9. ..., Ac8-g4, sólo para quedar inferior después de 10. Ta1-b1, a7-a6 11. Tb1xb7, Ag4xf3 12. g2xf3, Cb8-c6 13. Af1-c4, 0-0 14. 0-0, c5xd4 15. c3xd4, Ag7xd4 16. Ac4-d5, Ad4-c3 17. Dd2-c1, Cc6-d4 18. Ae3xd4, Ac3xd4 19. Tb7xe7, y a la postre ganaron las blancas (Krámnik-Kaspárov, Londres, 2000).

10. Ta1-c1, c5xd4
11. c3xd4, Da5xd2
12. Re1xd2,

Krámnik alcanza un final sin damas, justamente el tipo de posición que tan buen resultado le diera ante Kaspárov.

12. ..., 0-0
13. d4-d5, Tf8-d8
14. Rd2-e1, Cc6-e5

Más comunes son 14. ..., Cc6-b4 15. a2-a3, Cb4-a6, ó 14. ..., Cc6-a5 15. Ae3-d2, b7-b6. En ambos casos las blancas pueden cambiar sus respectivos alfiles por el caballo negro, dejando al segundo jugador con peones de torre doblados.

15. Cf3xe5, Ag7xe5
16. f2-f4, Ae5-d6

Novedad teórica de Leko en una posición casi desconocida. Allá por 1981, en Sieglen-Rosino, se había jugado 16. ..., Ae5-g7 17. Tc1-c7, Ag7-f8 18. Af1-c4, con ventaja blanca. Ahora sobreviene una fase técnica que Krámnik domina como ninguno.

17. Re1-f2!, e7-e5
18. Ae3-c5 !!,

Un concepto extraordinario que se desprende de cuatro puntos: 1) Krámnik tiene un peón central de más; 2) Para hacerlo valer, debe eliminar al bloqueador en d6; 3) Este cambio también le permitirá alcanzar la séptima fila con su torre; 4) La mayor actividad del rey blanco será el fiel de la balanza.

18. ..., Ad6xc5
19. Tc1xc5, e5xf4
20. Rf2-f3, Ac8-d7
21. Af1-d3, Ta8-c8
22. Th1-c1, g6-g5
23. Tc5-c7, Tc8xc7

24. Tc1xc7, Ad7-a4
25. Rf3-g4,

Mejor rey, mejor torre y mejor estructura de peones. No es poco.

25. ..., h7-h6
26. Tc7xb7, Td8-d7
27. Tb7-b4 !,

¿Para qué cambiar una pieza activa por una pasiva?

27. ..., Aa4-d1
28. Rf4-f5, Rg8-g7
29. h2-h4!, f7-f6
30. h4xg5, h6xg5
31. e4-e5 !!,

Otro movimiento fantástico, que libera la fuerza acumulada del peón dama. Si ahora 31. ..., Td7xd5 32. Tb4-b7+, Rg7-h6 33. Ad3-b1 !!, Td5xe5+ 34. Rf5xf6, con amenaza de mate en h7. Tampoco funcionaría 33. ..., f6xe5 34. Rf5-e6 !

31. ..., f6xe5
32. Rf5xe5, f4-f3
33. g2xf3, Ad1xf3
34. d5-d6, Td7-d8
35. Ad3-f5!, Af3-c6
36. d6-d7, Td8-f8
37. Tb4-d4,

Y Peter aceptó que la preparación de Krámnik había sido superior.

24. Vishwanathan Anand. Este indio es diestro en la conducción de la iniciativa. Obtiene excelentes resultados con las piezas blancas. En el año 2000 se coronó campeón en el mundial de la FIDE. Es el deportista más popular de su país (India).

V. Anand *V. Bologán*
Apertura Ruy-López, Nueva Delhi, 2000

1. e2-e4, e7-e5
2. Cg1-f3, Cb8-c6
3. Af1-b5, a7-a6
4. Ab5-a4, Cg8-f6
5. 0-0, Af8-e7
6. Tf1-e1, b7-b5
7. Aa4-b3, d7-d6
8. c2-c3, 0-0
9. h2-h3, Cc6-b8

Aún respira el movimiento paradójico de Gyula Breyer, cuyos exponentes principales han sido Boris Spassky y Alexander Beliavsky.

10. d2-d4, Cb8-d7
11. Cb1-d2, Ac8-b7
12. Ab3-c2,

Indispensable para seguir con la maniobra del caballo de dama a g3 sin perder el peón en d4.

12. ..., Tf8-e8
13. Cd2-f1, Ae7-f8
14. Cf1-g3, c7-c5

Bologán evita debilitarse con 14. ..., g7-g6, que durante muchos años ha sido la respuesta obligada de las negras. Quizá le desagradase 15. b2-b3, Af8-g7 16. d4-d5, Ta8-c8 17. Ac1-e3, c7-c6 18. c3-c4, Dd8-c7 19. Ta1-c1, como jugó Anand, con blancas, frente a Van der Sterren en 1998.

15. d4-d5, c5-c4
16. Ac1-g5, Dd8-c7
17. Cg3-f5, Rg8-h8

Bologán se enconcha atrás y, como su enroque no presenta puntos débiles, no será fácil de atacar. Resulta instructivo observar el proceder de Anand en estas circunstancias.

18. g2-g4, Cf6-g8
19. Dd1-d2, Cd7-c5
20. Ag5-e3,

El «Tigre de Madrás» se retira para después lanzar una ofensiva al estilo de Philidor: con los peones delante de las piezas. En tanto, Bologán se apresta a abrir líneas en el flanco dama, en donde la iniciativa le pertenece.

20. ..., Ab7-c8
21. Cf5-g3, Ta8-b8
22. Rg1-g2, a6-a5
23. a2-a3, Cg8-e7
24. Te1-h1, Ce7-g6
25. g4-g5, b5-b4

La partida entra ahora a una fase compleja. El moldavo sacrifica un peón.

26. a3xb4, a5xb4
27. c3xb4, Cc5-a6
28. Ta1-a4, Cg6-f4
29. Ae3xf4, e5xf4
30. Cg3-h5!,

Más clara que 30.Dd2xf4, Tb8xb4

30..., Dc7-b6
31. Dd2xf4, Ca6xb4
32. Ac2-b1, Tb8-b7
33. Ta4-a3!, Tb7-c7

Quizá era preferible 33...,Cb4-d3 34. Ab1xd3, c4xd3, aunque 35.Th1-b1, parece dejar mejor a las blancas.

34. Th1-d1, Cb4-a6
35. Cf3-d4, Db6xb2
36. Ta3-g3, c4-c3

Y ahora, un zarpazo espectacular:

37. Ch5-f6!!, Te8-e5

Imposible aceptar el sacrificio. Después de: 37...,g7xf6 38.g5xf6, h7-h6 (se amenazaba 39. Df4-g5 con mate inevitable) 39. Rg2-h1, seguida por 40.Td1-g1.

38. g5-g6!!, f7xg6

De nada valía 38...,h7-h6 a causa de 39. g6xf7, Tc7xf7 40.Df4-h6, g7xh6 41. Tg3-g8 mate.

39. Cf6-d7!, Af8-e7
40. Cd7xe5, d6xe5
41. Df4-f7, h7-h6

La primera línea de las negras ya es insostenible. Contra 41...,Db2-b4 hubiese seguido 42.Df7-e8+, Ae7-f8 43.Tg3-f3, ganando.

42. Df7-e8+

Y Bologán se rindió, ya que 42. ..., Rh8-h7 43. De8xg6+, decide la contienda.

Ruslan Ponomariov, (1983). Este muchacho de Ucrania posee un estilo universal y una madurez sorprendente para su corta edad. Al entrar este libro a prensa, Ponomariov se encuentra jugando la final del Campeonato Mundial de la FIDE.

S. Tiviakov *R. Ponomariov*
Apertura Ruy-López, Moscú, 2001

1. e2-e4, e7- e5
2. Cg1-f3, Cb8-c6
3. Af1-b5, a7-a6
4. Ab5-a4, Cg8-f6
5. 0-0, b7-b5
6. Aa4-b3, Af8-c5

La variante Arcángel.

7. d2-d3, d7-d6
8. c2-c3, 0-0
9. Ac1-e3, Ac5-b6!?

Ponomariov permite que le doblen los peones.

10. Ae3xb6, c7xb6
11. Tf1-e1, Cc6-e7!

El jovencito de Ucrania domina todo tipo de posiciones. Aquí transfiere piezas hacia el flanco de rey.

12. Cb1-d2, Ce7-g6
13. Cd2-f1, Ac8-b7
14. Cf1-e3, Dd8-c7
15. Ce3-f5, Ta8-d8
16. Cf3-d2, d6-d5!

Como decían los libros antiguos, las negras han conseguido el ansiado rompimiento central.

17. Dd1-f3, Cg6-f4
18. e4xd5, Cf6xd5
19. Df3-g3,

La iniciativa de las blancas es aparente; la de las negras, real.

19. ..., g7-g6
20. Cd2-e4 Rg8-h8
21. Ab3xd5,

Ponomariov quedaba mejor después de 21.Cf5-h6, f7-f5 22.Ce4-g5, b5-b4. Ahora sigue una poderosa jugada intermedia.

21. .., g6xf5!
22. Ad5xb7,

Contra 22.Ce4-f6, la refutaciÛn m·s sencilla era 22..., Tf8-g8! 23.Dg3-h4, Tg8-g7 24.Cf6-h5, Ab7xd5 25.Ch5xg7, Rh8xg7.

22. .., Dc7xb7
23. Dg3-g5, Cf4-h3+!
24. g2xh3, Tf8-g8

Y Tiviákov abandonó.

Vasily Ivanchuk, (1969). Después de permanecer durante más de una década entre los mejores ajedrecistas del orbe, el ucraniano Ivanchuk alcanzó la final del Campeonato Mundial de la FIDE a finales del 2001.

B. Macieja *V. Ivanchuk*
Defensa francesa, Moscú, 2001

1. e2-e4, e7-e6
2. d2-d4, d7-d5
3. Cb1-c3, Cg8-f6
4. e4-e5, Cf6-d7
5. Cc3-e2, c7-c5
6. f2-f4,

Las blancas establecen una formación de flecha con sus peones. Ivanchuk presiona contra el punto d4, estrategia básica en la Defensa Francesa.

6. ..., Cb8-c6
7. c2-c3, Af8-e7
8. Cg1-f3, 0-0
9. a2-a3, a7-a5
10. h2-h4, f7-f6
11. Ce2-g1, c5xd4
12. c3xd4, Dd8-b6
13. Af1-d3, f6xe5
14. f4xe5, Cd7xe5!?

Uno de los sacrificios más agudos del ajedrez moderno. A cambio de su caballo las negras obtienen dos peones y un ataque prometedor.

15. d4xe5, Cc6xe5
16. Ad3-c2, Ac8-d7
17. Dd1-e2, Ta8-c8
18. Ac2xh7+!?,

La variante forzada 18.Cf3xe5, Ae7-h4+ 19.Re1-d2, Db6-d4+ 20.De2-d3, Ah4-g5+ 21.Rd2-e1, Dd4-f2+ 22.Re1-d1, Df2-f1 23.Dd3xf1, Tf8xf1 24.Rd1-e2, Ad7-b5 25.Ac2-d3, Tf1xc1 26.Ta1xc1, Ab5xd3 27.Ce5xd3, Ag5xc1 28.Cd3xc1, Tc8xc1 también favorecía a las negras.

18..., Rg8xh7
19. De2xe5,

A 19.Cf3xe5, podía seguir 19. ..., Ad7-b5 20.De2-h5+, Rh7-g8 21.Cg1-f3, Tc8xc1 22.Ta1xc1, Db6-e3+ 23.Re1-d1, De3-e2, mate.

19..., Ae7-d6
20. Ac1-e3?

Había que intentar 20.De5-h5+, Rh7-g8 21.Cg1-e2, y si 21..., Tf8-f5 22.Dh5-g6, e6-e5 23.h4-h5, aunque perdura la iniciativa negra.

20..., Db6-b3
21. Cf3-d2, Tf8-f1+!!

El detalle. Se atrae al rey blanco a una casilla donde se dará jaque. Si ahora 22. Cd2xf1, seguiría 22. ..., Ad6xe5.

22. Re1xf1, Db3-d3+
23. Rf1-f2, Ad6xe5
24. Cg1-f3, Ae5xb2
25. Ta1-b1, Tc8-c2
26. Th1-d1, e6-e5
27. g2-g3, Ac7-g4
Rinden

Las campeonas mundiales

1. Vera Menchik, (1907-1944). La mejor ajedrecista del mundo hasta el día de su muerte, acaecida durante un ataque aéreo a Inglaterra. Se decía que los grandes maestros que perdían ante ella pasaban a formar parte del «Club de Vera Menchik».

Vera Menchik *Sir. G. Thomas*
Defensa india de rey, Londres, 1932

1. d2-d4, Cg8-f6
2. c2-c4, g7-g6
3. Cb1-c3, Af8-g7
4. e2-e4, d7-d6
5. f2-f3, 0-0
6. Ac1-e3, e7-e5
7. Cg1-e2, b7-b6?

Actualmente se juega 7. ..., c7-c6 ó 7. ..., Cb8-c6.

8. Dd1-d2, Cb8-c6
9. d4-d5, Cc6-e7
10. g2-g4, Cf6-d7
11. Th1-g1, a7-a5
12. 0-0-0,

Vera Menchik conduce con energía el ataque Saemisch. Los enroques opuestos aseguran una lucha a muerte. Las blancas atacan por el flanco de rey, las negras por el de dama.

12. ..., Cd7-c5
13. Ce2-g3, Ac8-d7
14. h2-h4, a5-a4?
15. h4-h5, Dd8-b8
16. Ae3-h6!,

En este tipo de batalla el que llega primero gana. Para ello es necesario abrir líneas y cambiar las piezas defensoras.
16. ..., Db8-a7?
17. Ah6xg7, Rg8xg7
18. Cg3-f5+!!, Ce7xf5
19. g4xf5, a4-a3

Thomas por fin logra abrir el enroque rival, pero «Miss Menchik» lleva una gran ventaja en la carrera.

20. f5-f6+!, Rg7-h8
21. Dd2-h6, a3xb2+,
22. Rc1-b1, Tf8-g8
23. h5xg6, f7xg6
24. Dh6xh7+!, Rinden

Tras la muerte de Vera Menchik, el título femenino permaneció vacante hasta 1949. Las soviéticas Ludmila Rudenko, Elizabeta Bykova y Olga Rubstova dominaron el escenario hasta la llegada de la georgiana Nona Gaprindashvili (1941) quien conservó el título mundial desde 1962 hasta que perdió ante su coterránea Maya Chiburdanidze (1958?).

N. Gaprindashvili Nikolac
Defensa Caro Kann, Wijk aan Zee, 1979

1. e2-e4, c7-c6
2. d2-d4, d7-d5
3. Cb1-d2, d5xe4
4. Cd2xe4, Ac8-f5
5. Ce4-g3, Af5-g6
6. h2-h4, h7-h6
7. h4-h5, Ag6-h7
8. Cg1-f3, Cb8-d7
9. Af1-d3, Ah7xd3
10. Dd1xd3, e7-e6
11. Ac1-f4, Dd8-a5+
12. c2-c3, Cg8-f6
13. a2-a4, c6-c5
14. 0-0, Ta8-c8?!

Kaspárov recomienda 14. ..., Af8-e7 15. Tf1-e1, 0-0 16. Ce5, con juego equilibrado.

15. Tf1-e1,	c5-c4
16. Dd3-c2,	Af8-e7

Sin duda, el jugador de las negras quería capturar el peón, pero se arrepintió al comprobar que 16. ..., Cf6xh5 17. Cg3xh5, Da5xh5 18. Dc2-e4, b7-b6 19. De4-b7!, dejaba con fuerte iniciativa a Nona.

17. Cf3-e5,	0-0
18. Cg3-f5,	Tf8-e8

Era desagradable, 18. ..., e6xf5 19. Ce5xd7, Cf6xd7 20. Te1xe7, con ventaja blanca. Ahora sobrevienen unos sacrificios magistrales.

19. Cf5xg7!,	Rg8xg7
20. Af4xh6+!,	Rg7xh6

La retirada 20. ..., Rg7-g8, sucumbía ante 21. Te1-e3, con traslado de esta torre a g3.

21. Ce5xf7+, Rh6xh5

También perdía 21. ..., Rh6-g7 22. Dc2-g6+, Rg7-f8 23. Cf7-h6, con mates en g8 o f7.

22. g2-g4+, Rh5-h4

Inútiles hubieran sido tanto 22. ..., Cf6xg4 23. Dc2-h7+, Cg4-h6 24. Dh7xh6+; como 22. ..., Rh5xg4 23. Dc2-g6+,Rg4-h5 24. Rg1-g2!, con entrada de la torre por h1.

23. f2-f3!,	Cf6xg4
24. Te1-e4!,	Rinden

Las negras no pueden contener el alud de piezas que caen sobre su rey.

M. Chiburdanidze Bareev
Defensa francesa, URSS, 1985

1. e2-e4,	e7-e6
2. d2-d4,	d7-d5
3. Cb1-c3,	Af8-b4
4. Dd1-d3,	

Maya siempre fue partidaria de esta extraña jugada.

4. ...,	d5xe4
5. Dd3xe4,	Cg8-f6
6. De4-h4,	c7-c5
7. d4xc5,	Ab4xc3+
8. b2xc3,	Dd8-a5
9. Dh4-b4,	Da5-c7
10. Cg1-f3,	Cb8-c6
11. Af1-b5,	e6-e5
12. Ac1-g5,	Ac8-d7?!

Era mejor completar el desarrollo: 12. ..., 0-0 13. Ab5-c6, Dc7xc6, con igualdad.

13. Ab5xc6,	Ad7xc6
14. Ag5xf6,	g7xf6
15. 0-0-0!,	

Excelente jugada. La Chiburdanidze permite que le doblen peones en el flanco rey con tal de abrir columnas para sus torres.

15. ..., Ac6xf3
16. g2xf3, Ta8-c8

Maya calculó 16. ..., 0-0 17. Db4-g4+, Rg8-h8 18. Dg4-h4, Dc7-e7 19. Td1-d7!, De7xd7 20. Dh4xf6+, Rh8-g8 21. Th1-g1+, y mate a la siguiente.

17. Td1-d5, Tc8-d8
18. Td5-d6!, Td8xd6
19. c5xd6, Dc7-b6
20. Th1-d1!, Db6xb4
21. d6-d7+!,

Una sutil jugada intermedia, que evita el recurso defensivo 21. c3xb4, Re8-d7!

21. ..., Re8-e7
22. c3xb4, Th8-d8
23. c2-c4, f6-f5
24. f2-f4, f7-f6
25. Rc1-c2, Td8xd7
26. Td1xd7, Re7xd7
27. Rc2-c3, Rd7-c6
28. Rc3-d3, b7-b6
29. b4-b5+!, Rc6-d6
30. Rd3-c3, Rc6-c5
31. a2-a3, Rinden

Zugzwang.

En 1993, la joven china Xie Jun arrebató el título de campeona mundial a Maya Chiburdanidze. Tres años después, Xie lo perdería ante la húngara Zsuza Polgar, pero en el año 2000 lo reconquistó.

Xie Jun — *B. Larsen*
Defensa moderna, Mónaco, 1994

1. e2-e4, g7-g6
2. d2-d4, Af8-g7
3. Cb1-c3, c7-c6
4. Cg1-f3, d7-d6
5. h2-h3, Cg8-f6
6. a2-a4, 0-0
7. Ac1-e3, Cb8-d7
8. Af1-e2, e7-e5
9. d4xe5, d6xe5
10. 0-0, Dd8-e7
11. Dd1-d3, a7-a5!
12. Dd3-c4, Tf8-e8
13. Tf1-d1,

La jugadora china ha planteado un esquema tranquilo. Larsen debió proponer el cambio de damas, 13. ..., De7-b4. Pero el experimentado maestro prefirió especular. Xie Jun apunta sus baterías hacia las debilidades en b6 y d6.

13. ..., h7-h6
14. Cf3-d2, Cf6-h7
15. Dc4-b3, Ch7-g5
16. Cd2-c4, Cd7-c5,
17. Db3-a3, Cc5-e6

Demasiado tarde. Esta propuesta de cambios deja al blanco con superioridad posicional, dada la triste situación de las piezas negras en el flanco dama.

18. Da3xe7, Te8xe7
19. Cc4-b6, Ta8-b8
20. Ae2-g4, Te7-e8
21. Ae3xg5!,

Un cambio oportuno que aclara la estructura de peones.

21. ..., h6xg5
22. Cc3-b1!,

Esta maniobra tiene por objetivo situar el caballo en la casilla c4.

22. ..., Ag7-f8
23. Cb1-d2, Af8-c5
24. Cd2-c4, Ac5xb6
25.Cc4xb6, Rg8-f8
26. Td1-d2, Rf8-e7
27. Ta1-d1, Te8-f8
28. Cb6xc8, Tf8xc8
29. Td2-d7+, Re7-f6
30. Ag4xe6, f7xe6

Naturalmente, a 30. ..., Rf6xe6 sigue 31. Td1-d6++. Ahora el control absoluto de la columna y la mala ubicación del rey negro, permiten tejer una red de mate.

31. g2-g4!, Rinden

Se ha hecho inevitable 32. Td1-d3 y 33. Td3-g3++.

Xie Jun — *Z. Polgar*
Defensa siciliana, Jaén, 1996

1. e2-e4, c7-c5
2. Cg1-f3, d7-d6
3. d2-d4, c5xd4
4. Cf3xd4, Cg8-f6
5. Cb1-c3, Cb8-c6
6. Ac1-g5, Dd8-b6
7. Cd4-b3, e7-e6
8. Dd1-d2, Af8-e7
9. f2-f3, 0-0
10. g2-g4, Tf8-d8
11. Ag5-e3, Db6-c7
12. g4-g5, Cf6-d7
13. 0-0-0, a7-a6
14. h2-h4, b7-b5
15. h4-h5, Cd7-b6
16. g5-g6, Ae7-f6
17. h5-h6?!,

Ambas jugadoras han desplegado activamente sus piezas. De acuerdo con la misma Zsuza Polgar, su rival debió jugar: 17. g6xh7+, Rg8-h8 18. h5-h6, Cb6-a4 19. h6xg7+, Af8xg7 20. Ae3-h6! con iniciativa.

17. ..., f7xg6
18. h6xg7, Cb6-a4
19. Cb3-d4,

A 19. Dd2-h2, hubiese seguido 19. ..., Dc7xg7. Después del movimiento del caballo, las negras dejan maltrecho el enroque blanco.

19. ..., Cc6xd4
20. Ae3xd4, Af6xd4
21. Dd1xd4, Ca4xc3
22. b2xc3, Dc7xg7
23. Dd4-b6, Dg7-e7
24. e4-e5, d6-d5
25. Af1-d3, Ac8-d7

Zsuza comentó que 24. ..., Ac8-b7! 25. e5xd6, De7-g5 era aún mejor.

26. Td1-g1, Ad7-e8
27. f3-f4?,

El error decisivo. Con 24. Dd4, las blancas seguirían en la pelea.

27. ..., d5-d4!
28. c3xd4, Ta8-b8
29. Db6xa6,

Ofrecía mayor resistencia, 29. Db6-c5.

29. ..., Td8xd4
30. f4-f5, e6xf5
31. Ad3xf5, De7xe5
32. Af5-e6+, Rg8-h8
33. Rc1-b1, Td4-a4
Rinden

Judit Polgar, (1976). La mejor ajedrecista de todos los tiempos. A los quince años se convirtió en la persona más joven en obtener el título de Gran Maestro. Actualmente se encuentra entre los veinte mejores jugadores en la clasificación internacional. Por decisión propia, no ha querido disputar el Campeonato Mundial Femenil.

J. Polgar *A. Shirov*
Defensa moderna, Amsterdam, 1995

1. e2-e4, g7-g6
2. d2-d4, Af8-g7
3. Cb1-c3, c7-c6
4. Af1-c4, d7-d6
5. Dd1-f3,

No es para dar Mate del Pastor, sino para evitar el rompimiento d5. En este caso el desarrollo de la dama blanca es posible porque no es fácil atacarla con piezas menores.

5. ..., e7-e6
6. Cg1-e2, b7-b5
7. Ac4-b3, a7-a5

Amenaza con cercar al alfil con a4, pero es ya la sexta jugada de peones del negro, lo que parece demasiado.

8. a2-a3, Ac8-a6

Prosigue la manifestación lateral. Como Judit sabe desde su tierna infancia, la mejor respuesta a un ataque en el ala es un contraataque en el centro, máxime cuando se cuenta con ventaja de desarrollo.

9. d4-d5!, c6xd5
10. e4xd5, e6-e5
11. Cc3-e4, Dd8-c7

Shirov intenta una mejora sobre la partida Zugururi-Bologan, 1995, que concluyó: 11. ..., h7-h6 12. g2-g4, Cg8-f6 13. Ce2-g3, Cf6xe4 14. Cg3xe4, 0-0 15. Df3-h3, Cb8-d7 16. Ac1xh6, Dd8-e7 17. Ce4-g5, Ag7-f6 18. Ah6-g7!, 1-0. La réplica de Judit Polgar es un ejemplo del cronómetro interno que le permite registrar el minuto exacto de la crisis.

12. c2-c4!, b5xc4
13. Ab3-a4+, Cb8-d7
14. Ce2-c3, Re8-e7

Alexei Shirov seguramente pensaba en terminar su desarrollo cuando lo sobresaltó un sacrificio.

15. Ce4xd6 !! Dc7xd6

15. ...Re7xd6 sucumbe aún más rápido, 16. Cc3-e4+, Rd6xd5 (ó 16. ...Rd6-e7 17. d5-d6+) 17. Df3xf7+, Rd5xe4 18. Aa4-c2+, Re4-d4 y 19. Ac1-e3++.

16. Cc3-e4, Dd6xd5

Si 16. ...Dd6-b6 17. d5-d6+, Re7-e8 18. Ce4-g5! con ataque simultáneo sobre a8 y f7 decide. Ahora el blanco prepara el desarrollo de su torre dama.

17. Ac1-g5+, Cd7-f6
18. Ta1-d1, Dd5-b7
19. Td1-d7+, Db7xd7
20. Aa4xd7, h7-h6
21. Df3-d1 !!

Y, ante la inevitable 22. Dd1-d6+ con arrollador ataque, Alexei Shirov firmó su rendición.

No te olvides de repasar los temas tácticos. Muchas partidas se deciden por estos medios. De nada sirve batallar durante horas para quedar con desventaja material si en un descuido tiramos todo por la borda.

Con las computadoras, los ajedrecistas pueden clasificar y estudiar una enorme cantidad de partidas. Pero nada substituye a la creatividad humana. La lucha principal continúa siendo dentro del tablero.

Los maestros de ajedrez coinciden en la necesidad de desarrollar primero la visión táctica y combinativa. Todos los grandes ajedrecistas iniciaron como jugadores de ataque. Algunos continuaron siéndolo y otros evolucionaron hacia estilos de juego posicionales.

Para elaborar los planes adecuados a cada posición te será necesario saber quién está mejor y por qué. Ese será el tema de nuestro próximo libro.

Curso completo de ajedrez se terminó de imprimir en mayo de 2004, en Litográfica Ingramex, S.A. de C.V. Centeno 162, Col. Granjas Esmeralda, C.P. 09810, México, D.F.